/395

Robert de Loaiza
Paris
40 19 06 11

LA TENTATION
DE L'INNOCENCE

DU MÊME AUTEUR

Romans et récits

MONSIEUR TAC, Sagittaire, 1976 ; Folio, Gallimard, 1986.

LUNES DE FIEL, « Fiction et Cie », Seuil, 1981 ; Points Roman, n° 75.

PARIAS, « Fiction et Cie », Seuil, 1985 ; Points Roman, n° 270.

LE PALAIS DES CLAQUES, Points-Virgule, Seuil, 1986.

LE DIVIN ENFANT, Seuil, 1992 ; Points Roman, 1994.

Essais théoriques et critiques

CHARLES FOURIER, « Ecrivains de toujours », Seuil, 1975.

LE NOUVEAU DÉSORDRE AMOUREUX (en collaboration avec Alain Finkielkraut), « Fictions et Cie », Seuil, 1977 ; Points Actuels, 1979.

AU COIN DE LA RUE L'AVENTURE (en collaboration avec Alain Finkielkraut), « Fiction et Cie », Seuil, 1979 ; Points Actuels, 1982.

LE SANGLOT DE L'HOMME BLANC, « L'histoire immédiate », Seuil, 1983 ; Points Actuels, 1986.

LA MÉLANCOLIE DÉMOCRATIQUE, « L'histoire immédiate », Seuil, 1990 ; Points Actuels, 1992.

LE VERTIGE DE BABEL, COSMOPOLITISME OU MONDIALISME, Arléa, 1994.

PASCAL BRUCKNER

LA TENTATION
DE L'INNOCENCE

BERNARD GRASSET
PARIS

À mes parents.

« Tous les autres sont coupables, sauf moi. »

CÉLINE.

L'homme qui rétrécit

Sur le toit d'une cabine de bateau, un homme prend un bain de soleil. Soudain un rideau d'écume le submerge, le couvre de gouttelettes, lui laisse sur la peau une sensation d'agréables picotements. Il s'essuie sans s'inquiéter outre mesure. Peu après, il constate qu'il a perdu quelques centimètres. Un médecin consulté procède à des examens complets, ne décèle aucune anomalie, avoue ne pas comprendre. L'homme continue à diminuer chaque jour. Les êtres qui l'entourent grandissent, sa femme qui lui arrivait il y a encore peu à l'épaule le dépasse maintenant d'une tête et quitte bientôt ce trop petit mari. Il s'éprend d'une naine de cirque avec qui il partage sa dernière passion humaine avant qu'elle ne se transforme à son tour en géante. Inexorablement il s'amoindrit, atteint la taille d'une poupée, d'un soldat de plomb jusqu'au moment où il se retrouve devant son propre chat, un adorable minet devenu un tigre aux yeux immenses qui approche de lui une patte aux griffes acérées. Plus tard, réfugié dans la cave de sa maison, il doit affronter une monstrueuse araignée...

Dans ce roman, l'écrivain américain de science-fiction Richard Matheson a offert une métaphore frappante de l'individu insignifiant saisi par sa petitesse. Au regard de l'immensité du monde et de la multitude des êtres, nous sommes tous des pygmées écrasés par le gigantisme des choses, nous sommes tous des hommes qui rétrécissent [1].

« Rien que la terre » s'exclame dans les années 20 Paul Morand avec la désinvolture du dandy qui vient de boucler

---

1. Richard Matheson, *L'homme qui rétrécit*, Denoël, 1971.

le tour du globe, le trouve déjà trop exigu et soupire après de nouvelles frontières, de nouveaux stupéfiants. Toute la terre, pourrait-on dire aujourd'hui : car l'unification de la planète par la technologie, les moyens de communication, les armes de la destruction totale rend coprésente à elle-même l'humanité entière. Cette immense conquête a un revers terrible : nous voilà potentiellement chargés et informés de tout ce qui a lieu à chaque instant. « Le village global » n'est que la somme des contraintes qui asservissent tous les hommes à une même extériorité dont ils tentent de se préserver à défaut de la maîtriser. Cette interdépendance des peuples et le fait que des actes lointains aient pour nous des répercussions incalculables sont suffocants. Plus les médias, le commerce, les échanges rapprochent continents et cultures, plus la pression de tous sur chacun devient accablante ; nous semblons dessaisis de nous-mêmes par un enchaînement de forces sur lesquelles nous n'avons aucune influence. La planète s'est tellement rétrécie qu'elle a rendu négligeables les distances qui nous séparaient de nos semblables. Le filet se resserre, suscitant un sentiment de claustrophobie et presque d'incarcération. Explosions démographiques, migrations de masse, catastrophes écolo-giques, les êtres humains, dirait-on, ne cessent de dégringo-ler les uns sur les autres. Et qu'est-ce que la fin du communisme sinon l'irruption, sur la scène internationale, de l'innombrable ? Les tribus humaines sont légion et toutes, délivrées du joug totalitaire, aspirent à la reconnais-sance mais personne n'arrive à retenir leur nom ! Surgit alors la supplique muette que chacun, sur un globe plein comme un œuf, adresse au ciel : Délivrez-nous des autres, qu'il faut entendre comme : Délivrez-moi de moi-même !

J'appelle innocence cette maladie de l'individualisme qui consiste à vouloir échapper aux conséquences de ses actes, cette tentative de jouir des bénéfices de la liberté sans souffrir aucun de ses inconvénients. Elle s'épanouit dans deux directions, l'*infantilisme* et la *victimisation*, deux manières de fuir la difficulté d'être, deux stratégies de l'irresponsabilité bienheureuse. Dans la première, innocence doit se comprendre comme parodie de l'insouciance et de l'ignorance des jeunes années; elle culmine dans la figure de l'*immature perpétuel*. Dans la seconde, elle est synonyme d'angélisme, signifie l'absence de culpabilité, l'incapacité à commettre le mal et s'incarne dans la figure du *martyr auto-proclamé*.

Qu'est-ce que l'infantilisme? Non pas seulement le besoin de protection, en soi légitime, mais le transfert au sein de l'âge adulte des attributs et des privilèges de l'enfant. Puisque ce dernier en Occident est depuis un siècle notre nouvelle idole, notre petit dieu domestique, celui à qui tout est permis sans contrepartie, il forme — du moins dans notre fantasme — ce modèle d'humanité que nous voudrions reproduire à toutes les étapes de la vie. L'infantilisme combine donc une demande de sécurité avec une avidité sans bornes, manifeste le souhait d'être pris en charge sans se voir soumis à la moindre obligation. S'il est aussi prégnant, s'il imprime sur l'ensemble de nos vies sa tonalité particulière, c'est qu'il dispose dans nos sociétés de deux alliés objectifs qui l'alimentent et le sécrètent continuellement, le consumérisme et le divertissement, fondés l'un et l'autre sur le principe de la surprise permanente et de la satisfaction illimitée. Le mot d'ordre de cette « infantophilie » (qu'on ne doit pas confondre avec un souci réel de l'enfance) pourrait se résumer à cette formule : tu ne renonceras à rien !

Quant à la victimisation, elle est ce penchant du citoyen choyé du « paradis » capitaliste à se penser sur le modèle des peuples persécutés, surtout à une époque où la crise sape notre confiance dans les bienfaits du système. Dans un livre consacré à la mauvaise conscience occidentale, j'avais autrefois défini le tiers-mondisme comme l'attribution de tous les maux des jeunes nations du Sud aux anciennes métropoles coloniales. Pour que le tiers-monde soit innocent, il fallait que l'Occident fût absolument fautif, transformé en ennemi du genre humain [1]. Et certains Occidentaux, surtout à gauche, aimaient à se flageller, éprouvant une jouissance particulière à se décrire comme les pires. Depuis lors le tiers-mondisme en tant que mouvement politique a décliné : comment prévoir qu'il ressusciterait chez nous à titre de mentalité et se propagerait avec une telle vitesse dans les classes moyennes ? Personne ne veut plus être tenu pour responsable, chacun aspire à passer pour un malheureux, même s'il ne traverse aucune épreuve particulière.

Et ce qui vaut pour la personne privée vaut pour les minorités, les pays partout ailleurs dans le monde. Des siècles durant les hommes se sont battus pour l'élargissement de l'idée d'humanité, afin d'inclure dans la grande famille commune les races, les ethnies, les catégories pourchassées ou réduites en servitude : Indiens, Noirs, Juifs, femmes, enfants, etc. Cette accession à la dignité de populations méprisées ou assujetties est loin d'être achevée ; peut-être ne le sera-t-elle jamais. Mais parallèlement à cet immense travail de civilisation, si la civilisation est bien la constitution progressive du genre humain en un tout, se met en place un processus fondé sur la division et la fragmentation : des groupes entiers, des nations même revendiquent désormais, au nom de leur infortune, un traitement particulier. Rien de comparable, ni dans les causes ni dans les effets, entre les gémissements du grand adulte puéril des pays riches, l'hystérie misérabiliste de certaines associations (féministes ou machistes), la stratégie meurtrière d'États ou de groupes terroristes (comme la Serbie ou les islamistes) qui brandissent l'oriflamme du martyr pour

---

1. Pascal Bruckner, *Le Sanglot de l'homme blanc*, Seuil, 1983.

assassiner en toute impunité et assouvir leur volonté de puissance. Tous à leur niveau, cependant, se considèrent comme des victimes à qui l'on doit réparation, des exceptions marquées du stigmate miraculeux de la souffrance.

L'infantilisme et la victimisation, s'ils se recoupent parfois, ne se confondent pas. Ils se distinguent l'un de l'autre comme le léger se distingue du grave, l'insignifiant du sérieux. Ils consacrent néanmoins ce paradoxe de l'individu contemporain soucieux jusqu'à l'excès de son indépendance mais qui réclame en même temps soin et assistance, qui entend combiner la double figure du dissident et du poupon, parler le double langage du non-conformisme et de la demande insatiable. Et de même que l'enfant, de par sa faible constitution, dispose de droits qu'il perdra en grandissant, la victime, de par sa détresse, mérite réconfort et compensation. Jouer à l'enfant quand on est adulte, au misérable quand on est prospère, c'est dans les deux cas chercher des avantages immérités, placer les autres en état de débiteurs à son égard. Faut-il ajouter que ces deux pathologies de la modernité ne sont en rien des fatalités mais des tendances et qu'il est permis de rêver à d'autres modes d'êtres plus authentiques ? Mais la défaillance et la peur sont inhérentes à la liberté. L'individu occidental est par nature un être blessé qui paye le fol orgueil de vouloir être soi d'une essentielle précarité. Et nos sociétés, ayant aboli les secours de la tradition et relativisé les croyances, contraignent pour ainsi dire leurs membres à se réfugier, en cas d'adversité, dans les conduites magiques, les substituts faciles, la plainte récurrente.

Pourquoi est-il scandaleux de simuler l'infortune quand rien ne vous affecte ? C'est qu'on usurpe alors la place des vrais déshérités. Or ceux-ci ne demandent ni dérogations ni prérogatives, simplement le droit d'être des hommes et des femmes comme les autres. Là réside toute la différence. Les pseudo-désespérés veulent se distinguer, réclament des passe-droits pour ne pas être confondus avec l'humanité ordinaire ; les autres réclament justice pour devenir simplement humains. Ce pour quoi tant de criminels endossent la défroque du supplicié afin de perpétrer leurs forfaits en toute bonne conscience, d'être des salauds innocents.

Enfin cette exaltation du réprouvé dont nous savons depuis Nietzsche qu'elle est l'apanage du christianisme coupable à ses yeux d'avoir divinisé la victime, cette considération pour le faible qu'il nomme la morale des esclaves et que nous appelons l'humanisme peut dégénérer à son tour en perversion, quand elle se transforme en amour de l'indigence pour l'indigence dans l'idéologie caritative, en victimisation universelle où il n'y a que des affligés offerts à notre bon cœur, jamais de coupables.

En cette fin de siècle où les gouvernements des opprimés se sont pour la plupart transformés en régimes d'arbitraire et de terreur, une méfiance tenace plane sur les défavorisés soupçonnés à leur tour de vouloir se muer en bourreaux, de préparer leur revanche. La gauche historique (à distinguer des partis qui s'en réclament), héritière du message évangélique, a bien réussi à imposer à l'ensemble du monde politique le point de vue des désavantagés ; mais elle a trop souvent trébuché sur les lendemains de révolution, sur la transformation inéluctable de l'ancien exploité en nouvel exploiteur. Mouvements de libération, révoltes, jacqueries, luttes nationales, toutes semblent vouées au despotisme, à la reproduction de l'iniquité. A quoi bon s'insurger si c'est pour refaire pire ? Et le grand crime du communisme est d'avoir disqualifié pour longtemps le discours de la victime. Telle est la difficulté : comment continuer à venir en aide aux dominés sans céder à la confiscation de la parole victimaire par les imposteurs de toute sorte ?

PREMIÈRE PARTIE

Le bébé est-il l'avenir de l'homme ?

Chapitre premier

L'INDIVIDU VAINQUEUR

ou

LE SACRE DU ROI POUSSIÈRE

> « S'il avait dépendu de moi de ne pas naître,
> je n'aurais certainement pas accepté l'exis-
> tence à d'aussi dérisoires conditions. »
>
> Dostoïevski, *L'Idiot.*

Comme la modernité dont il forme la colonne vertébrale,
l'individu naît en Europe dans la perplexité. Surgissant du
Moyen Âge où l'ordre social prime sur les particuliers, il
émerge à l'aube des Temps Modernes qui voient la
personne privée l'emporter peu à peu sur toute forme
d'organisation collective. Porté par l'idée chrétienne du
salut personnel, ennobli par la rupture cartésienne qui
assoit sur le seul cogito l'exercice de la connaissance et de la
réflexion, l'individu est un produit récent de nos sociétés et
apparaît entre la Renaissance et la Révolution. A la suite de
Tocqueville on célèbre en général en lui le résultat d'un
double affranchissement : de la tradition et de l'autorité. Il
contesterait la première au nom de la liberté, il rejetterait la
seconde au nom de l'égalité des conditions propres à la
démocratie. Refusant de se laisser dicter sa conduite par

une loi extérieure, il ambitionnerait de sortir de l'esclavage mental qui assujettissait autrefois les humains au passé, à la communauté ou à une figure transcendante (Dieu, l'Église, la Royauté). Rien de plus grandiose à cet égard que la définition kantienne des Lumières comme la sortie de l'homme « hors de l'état de minorité où il se maintient par sa propre faute » et la conquête par chacun de sa propre autonomie, c'est-à-dire du courage de penser par soi-même sans être dirigé par un autre. Avec la propagation des Lumières et l'usage public de la raison, l'humanité serait prête à sortir de la grossièreté des époques antérieures pour accéder à sa propre majorité (devenue alors presque synonyme de modernité).

Pour séduisante qu'elle soit, cette espérance n'a jamais été ratifiée (jamais non plus démentie). Dès Benjamin Constant, l'individu est problématique et non triomphant, investi des plus grandes attentes comme des plus grandes craintes. Et aucun des théoriciens ultérieurs de l'individualisme ne se départira d'un certain pessimisme. L'individu comme création historique jaillit donc entre l'exaltation et le désarroi. Soustrait de l'arbitraire des pouvoirs par une batterie de droits qui garantissent son inviolabilité (au moins dans un régime constitutionnel), il expie la permission d'être son propre maître d'une constante fragilité. Jusque-là en effet les hommes s'entre-appartenaient à travers des réseaux de relations et de réciprocité qui les entravaient mais leur garantissaient aussi une condition et une place. Nul n'était vraiment indépendant, une série de devoirs et de services enlaçait chacun à ses proches, la sociabilité était riche et variée. « L'aristocratie, disait Tocqueville, avait fait de tous les citoyens une longue chaîne qui remontait du paysan au roi : la démocratie brise la chaîne et met chaque anneau à part. » L'éclatement des solidarités archaïques (du clan, du village, de la famille, de la région) va bouleverser cet état de fait. Dès lors qu'il est délié de toute obligation et se retrouve son propre guide sous le seul fanal de son entendement, l'individu perd du même coup l'assurance d'un lieu, d'un ordre, d'une définition. En gagnant la liberté, il a perdu aussi la sécurité, il est entré dans l'ère du tourment perpétuel. Il souffre en quelque sorte d'avoir trop bien réussi.

ÊTRE SOI, C'EST-À-DIRE COUPABLE

Cette oscillation entre l'angoisse et l'allégresse est lisible dès les *Confessions* de Rousseau qui constituent l'acte de naissance littéraire de l'individualisme contemporain. Et c'est le génie de l'auteur du *Contrat social* que d'avoir été non seulement un fondateur mais d'avoir anticipé, par le seul récit de sa vie, l'ensemble des espoirs et des impasses qui guettent l'homme moderne. Tels ces gens qui passent le temps à réparer leur honneur diffamé, Rousseau rédige les *Confessions* pour corriger et redresser la mauvaise image que les autres ont donnée de lui. « Je savais qu'on me peignait dans le public sous des traits si peu semblables aux miens et quelques fois si difformes que, malgré le mal dont je ne voulais rien taire, je ne pouvais que gagner encore à me montrer tel que j'étais [1]. » Refusant de plier devant l'opinion, Rousseau magnifie son projet : « Je forme une entreprise qui n'eut jamais d'exemples et dont l'exécution n'aura point d'imitateurs. Je veux montrer à mes semblables un homme dans toute la vérité de sa nature ; et cet homme ce sera moi » (Livre premier, tome I, p. 33). Car ce roturier, ce vagabond prétend à la vérité autant qu'à la singularité et sait qu'il y a en celle-ci une portée universelle. Il tire un

---

1. Jean-Jacques Rousseau, *Les Confessions*, Livre dixième, Folio, Gallimard, tome II, p. 281.

orgueil sans frein d'être différent : « Je sens mon cœur et je connais les hommes. Je ne suis fait comme aucun de ceux qui existent. Si je ne vaux pas mieux, au moins je suis autre » (idem, p. 33). Alors que Chateaubriand ouvre ses *Mémoires d'outre-tombe* en s'inscrivant dans une lignée, en déclinant sa généalogie : « Je suis né gentilhomme », Rousseau prétend inaugurer une histoire à nulle autre pareille : il se préfère unique à son humble niveau que grand dans la tradition. Comme cette différence l'isole de ses semblables — le Jean-Jacques que les hommes ont forgé pour le piétiner, ce n'est pas lui — il doit œuvrer à sa réhabilitation, repousser la malveillance et se montrer aux autres comme il se sent au-dedans de lui-même.

S'affirmer comme une conscience à la fois proche et distincte, c'est d'emblée se constituer en coupable. C'est avec Rousseau que l'autobiographie prend la forme de la plaidoirie, de l'interminable défense que nous opposons aux autres notre vie durant comme si nous étions fautifs du simple fait d'exister. « Nous entrons en lice à notre naissance, nous en sortons à la mort[1]. » Rousseau cependant — et c'est son originalité — entremêle deux culpabilités : l'une atteint celui qui se rebelle contre l'ordre social et ses lois ; l'autre, plus insidieuse, témoigne de l'allergie de chacun à être regardé et jugé par autrui. La première qui tend à identifier l'individu à la figure du révolté, de l'asocial connaîtra une interminable postérité. Sortir du rang, prétendre « être libre et vertueux au-dessus de la fortune et de l'opinion et se suffire à soi-même » (*Confessions*, Livre huitième, tome II, p. 100), c'est de la part de Rousseau susciter scandale et réprobation surtout chez ses amis qui ne lui pardonneront pas sa volonté d'être à part. Son existence commence d'ailleurs par un écart : un dimanche,

---

1. Jean-Jacques Rousseau, *Les Rêveries du promeneur solitaire*, Troisième Promenade, Garnier-Flammarion, p. 58.

il est dans sa seizième année, rentrant trop tard d'une promenade et trouvant les portes de Genève fermées, il décide de s'enfuir, par crainte d'être battu. Il aurait pu rester dans sa ville natale, parmi ses proches, devenir « bon chrétien, bon citoyen, bon père de famille, bon ami, bon ouvrier, bon homme en toute chose » (Livre premier, tome I, p. 78), il part sur les routes, récuse le sort auquel le destinait sa naissance. Soucieux « de rien que de vivre libre et heureux à sa manière » (Livre huitième, tome II, p. 112), il décidera lui-même de son destin au risque d'encourir le blâme pour ne pas dire l'anathème. « Déterminé à passer dans l'indépendance et la pauvreté le peu de temps qui me restait à vivre, j'appliquai toutes les forces de mon âme à briser les fers de l'opinion et à faire avec courage tout ce qui m'apparaissait bien sans m'embarrasser aucunement du jugement des hommes » (Livre huitième, tome II, pp. 106-107). Celui qui s'est résolu « à marcher seul dans une route nouvelle » doit s'attendre à subir la jalousie et le ressentiment du vulgaire. D'où chez Rousseau cette certitude d'une persécution universelle : ayant défié le monde, il s'imagine que le monde entier va le châtier en coalisant ses forces contre lui. Le danger étant partout et nulle part, y compris dans les caresses et les flatteries de ses proches, sa volonté d'échapper à l'emprise d'autrui ne connaîtra pas de repos jusqu'à la fin. En écrivant les *Confessions,* Rousseau travaille en réalité à son acquittement. Convoquant le lecteur à titre de juge et de témoin, il constitue des dossiers, rassemble pièces à conviction et documents pour répondre de son entêtement à persévérer dans sa propre voie. Être soi c'est s'offrir sous la double figure de l'insurgé et de l'accusé. C'est à la fois se mutiner et justifier sa mutinerie.

D'autant qu'une fois le pas franchi, Jean-Jacques découvre avec effroi ce qui deviendra le leitmotiv de tous les explorateurs ultérieurs du moi, la division du sujet : « Rien n'est si dissemblable à moi que moi-même ». Notant des humeurs, des étourderies, des inconséquences qui l'étonnent, il se dépeint instable, sujet à d'imprévisibles retournements. Si l'autre est mon semblable, suis-je donc un autre à moi-même puisque je ne me ressemble pas ? Comment être pleinement soi si l'on ne sait même pas ce que l'on est ? Rousseau compte toutefois en ce domaine un illustre prédécesseur : découvrant l'intériorité plus d'un millénaire avant le père de l'*Émile*, saint Augustin (ɪᴠᵉ-ᴠᵉ siècle après Jésus-Christ) décèle également en soi le désordre et l'incohérence mais les rapporte à la misère de la créature écrasée par la toute-puissance de son créateur. « Quant à moi, bien que sous ton regard, je me méprise, m'estimant cendre et poussière, néanmoins je sais de toi quelque chose que j'ignore de moi (...) de moi ce que je sais, je le sais parce que tu m'éclaires et ce que j'ignore, je continue de l'ignorer jusqu'à tant que mes ténèbres deviennent devant ta face comme un plein midi[1]. » L'intérieur de l'homme est un abîme de mystère, d'inconnu qui n'appartient qu'à Dieu : « Que suis-je donc, ô mon Dieu ? Quelle sorte d'être ? Une vie changeante, multiforme, furieusement démesurée » (Livre X-17 [26], p. 267). Tenter de se percer à jour, c'est buter sur un mur d'opacité dont seule la puissance divine détient la clef : « Je suis devenue pour moi une terre d'embarras et de sueur tant et plus » (Livre X-16 [24], p. 266). Le moi n'est pas mien puisqu'au plus profond de mon être gît l'altérité absolue, la transcendance divine. Rentrer en moi, c'est donc rencontrer Dieu « plus intime à moi que moi-même » et seul un acte d'amour illimité pour le Très-Haut permet de franchir le fossé, de surmonter la fausseté, l'ignorance. (Augustin inaugure ainsi de façon somptueuse le thème de l'amour fou, de l'amant qui se prosterne devant l'aimée et se découvre poussière face à

---

1. Saint-Augustin, *Les Confessions,* livre X-5(7), Seuil, traduit du latin par Louis de Mondalon, p. 253.

elle, se juge indigne de son attention. L'intimité la plus étroite signe la plus grande distance, le toi et le moi ne sont jamais sur un pied d'égalité.) Ces *Confessions* n'invitent donc pas aux sortilèges de la connaissance de soi mais à la conversion, à l'abandon des « pestilentielles douceurs » du monde, des fausses suavités du plaisir pour la seule réalité qui vaille, celle du Divin, habitant sacré de mon for intérieur : « Je ne sais que ceci, que pour moi, non seulement hors de moi mais aussi en moi, tout va mal sans toi et que toute opulence qui n'est pas mon Dieu m'est disette » (Livre XII-9 [10], p. 373). Dans la nuit du cœur humain, seule la foi est source de vérité et de salut. Pour répondre à l'immensité de Dieu, le croyant n'a qu'un recours : l'adoration absolue.

D'Augustin, inventeur de l'intériorité, à Rousseau, inventeur de l'intimité, plus de treize siècles ont passé durant lesquels l'Europe s'est largement sécularisée. Même si l'auteur de *La Nouvelle Héloïse* fait encore allégeance à un Être Suprême, le trouble est chez lui d'autant plus fort qu'il reste à dimension humaine. Son embarras à justifier ses oscillations, ses revirements, lui est une source d'affliction constante. Il a beau postuler qu'il est la même personne à travers des états différents, il se dévoile comme un étranger à lui-même, un être dispersé. Il est en exil de soi. Ne se comprenant pas, il ne peut attendre des autres qu'ils le comprennent mieux ou manifestent à son égard quelque indulgence. Le moi est cet autre que je crois connaître, ce proche qui m'est le plus lointain. (« Je ne sais pas ce que je suis, je ne suis pas ce que je sais » avait déjà dit au XVIIe siècle le franciscain allemand Angelus Silesius). Chacun de nous est plusieurs et ces plusieurs ne communiquent pas entre eux. Nous ne sommes pas maîtres de nos affects, le bonheur nous arrive et nous fuit sans que nous le désirions, il nous importune quand il est là, nous désole quand il part, voilà ce que Rousseau constate, effrayé, au moment où il rédige avec les *Confessions* le manifeste de l'homme réfractaire. Si Rousseau n'avait dit que cela, il serait le simple continuateur de Montaigne qui s'était déjà peint divisé, contradictoire, hanté par ses pirouettes, ses volte-face. Mais Jean-Jacques va plus loin : c'est d'avoir à se légitimer d'être ainsi multiple dans l'unité qui l'exaspère, d'avoir à expliquer « le bizarre et singulier assemblage de (son) âme ». Tel est pour lui le drame originel : nous ne sommes jamais acceptés comme tels dans l'innocence de notre apparition. Nous devons sans cesse prouver ce que nous sommes. C'est qu'entre-temps un nouveau personnage infiniment moins miséricordieux que Dieu est entré dans le dialogue de soi avec soi : autrui. Saint Augustin piétinait la race minuscule des hommes pour rehausser la gloire du Tout-Puissant. Rousseau décrit l'humanité sans Dieu en proie au pire tourment qui soit, celui des estimations, des arrêts réciproques que les hommes se rendent les uns sur les autres. Dieu peut être un juge terrible ; au moins est-il unique et juste. Avec l'humanité j'ai affaire à un juge multiforme, insaisissable dont les sentences me frappent à tout instant sans que je puisse y répondre. *Naître, c'est comparaître.*

LE BANC DES ACCUSÉS

Une seconde culpabilité ronge donc l'individu : non pas celle du trublion qui s'insurge contre l'ordre établi (rien de plus conformiste à notre époque que de vouloir être un rebelle, un anticonformiste) mais de l'inculpé qui vit sous le regard des autres et n'échappe jamais à leur esprit d'inquisition. Autrui m'empêche de jouir de moi-même en toute quiétude, là est son crime ; il est ce regard froid, cette parole acerbe qui me dissocie de ma propre existence. Saint

Augustin entendait établir la dette absolue de l'homme vis-à-vis de Dieu « envers qui nul ne s'acquittera de ce qu'il a, lui, sans rien devoir, acquitté pour nous » (Livre IX-13 [36], p. 245). Rousseau découvre de façon plus terrible l'enfer de l'homme moderne : je suis en dette envers les autres, tous les autres devant qui je dois rendre des comptes. Même si notre « vrai moi n'est pas tout entier en nous », même si on ne parvient jamais en cette vie « à bien jouir de soi sans le concours d'autrui[1] », ce dernier est d'abord celui qui parle de moi à mon insu, m'objective et ce faisant m'enferme dans une image. C'est un arbitraire intolérable que d'être ainsi évincé de soi, diffamé, piétiné et qu'une si grande distance s'interpose entre le sentiment que l'on a de soi-même et celui que les autres ont de vous. Je succombe donc sous le poids d'une accusation diffuse que je ne peux formuler puisqu'elle s'adresse directement au fait que je suis : *exister, c'est expier*, payer indéfiniment l'audace de parler à la première personne. Le tribunal des autres ne rend aucun verdict définitif : si je ne suis jamais condamné, je ne suis jamais non plus acquitté et ce jusqu'à mon dernier souffle. Ce que Rousseau invente et qui jouira d'une étonnante fortune, c'est ceci : vouloir être soi, ce n'est pas seulement tenter de se connaître, c'est aspirer à la reconnaissance des autres (pour parler comme Hegel), c'est-à-dire se mettre sous la coupe impitoyable de ses procureurs.

Si le procès à l'âge démocratique est devenu la figure pédagogique par excellence, le raccourci saisissant de l'aventure humaine, c'est à Rousseau que nous le devons : comme lui nous voyons dans les prétoires le lieu où défendre la cause la plus chère qui soit, c'est-à-dire nous-

---

1. Jean-Jacques Rousseau, *Rousseau, juge de Jean-Jacques*, Deuxième Dialogue, in *Œuvres complètes*, Pléiade, Gallimard, 1959, p. 813.

mêmes. Contraints de faire nos preuves, nous devons quêter l'approbation de nos contemporains, les convaincre, les émouvoir et donc placer notre sort entre leurs mains. C'est cela notre enfer laïque, notre jugement premier bien pire en un sens que le jugement dernier du christianisme. Par peur d'être mécompris Rousseau ira jusqu'à se traîner lui-même en justice (en écrivant ses *Dialogues*), reprendra l'ensemble des critiques qu'on lui adresse pour mieux s'absoudre et se décrire comme un être digne et vertueux. Le rêve fou ici, c'est de rendre l'autre inutile, d'éluder l'instance de l'altérité. Et la communion avec la nature chez Rousseau est l'exact pendant de son divorce d'avec les hommes. Puisque je ne m'appartiens pas, que je suis disséminé chez autrui, composé de tout ce qu'il dit et pense de moi, je dois constamment me ressaisir, me réunifier. Non seulement reprendre cette étrangeté que je suis pour moi-même et lui apposer le sceau de ma personnalité mais aussi récupérer les fragments de mon être épars chez les autres. Affolant labeur : car se livrer « aux insensés jugements des hommes [1] », c'est transformer son existence en éternelle apologie, tenter de contrôler, de redresser cette image de soi qui flotte dans le monde et fait de nous des prisonniers à l'air libre.

Rousseau est si plein de lui-même qu'il ne voit l'autre que comme un occupant et vit sa présence, même diffuse, comme une condamnation. Et d'abord quel visage présenter à cette assemblée d'inquisiteurs ? Ne risque-t-on pas de se confondre avec l'apparence qu'on lui offre pour se défendre d'elle ? N'est-ce pas prêter le flanc aux malentendus, aux moqueries, offrir de soi un aspect grotesque ? (Au contraire de Chateaubriand qui sculptera de lui-même une statue de marbre dans ses *Mémoires d'outre-tombe*, un merveil-

---

1. *Les Rêveries du promeneur solitaire*, op. cit., p. 66.

leux mausolée de papier, Rousseau inaugure la figure profondément moderne de l'homme ridicule, désarmé, défaillant, tout empli d'une sentimentalité bête, heureux d'un rien, livré aux bizarreries de son humeur, aux enfantillages qui traversent son cœur.) Nul n'est donc souverain sur soi, nul ne survit que déchiré : si Jean-Jacques défriche un champ nouveau par rapport à Pascal et à Montaigne, c'est qu'avec lui *l'individu naît persécuté, en proie à autrui*. Rarement on aura vu libération jaillir au milieu de tant de larmes et de soupirs. Mais les traits sont fixés et ne changeront plus : Rousseau autobiographe reste bien notre frère en émotions et douleurs. Comme lui, nous ne cessons d'être déçus dans nos attentes et nos espérances : s'affirmer comme une personne libre et autonome est un idéal si coûteux qu'il s'apparente d'abord à une souffrance et suppose l'énorme pression du jugement des autres sur nous. Et le thème du complot chez Rousseau n'est jamais que l'objectivation délirante de cette désappartenance de soi. Dans sa folle misanthropie, Rousseau pressent les maladies de l'individu moderne, esquisse les contours d'un espace où nous pouvons nous reconnaître aujourd'hui. (La quête de la sérénité retrouvée, d'un domaine enchanté où le monde n'ait plus droit de cité passera donc chez lui par l'expulsion de ses contemporains décrits en bloc comme un seul et affreux scélérat : il n'y a pas sur terre un seul juste, dira-t-il dans les *Rêveries,* « la ligue est universelle », le genre humain n'est que « la société des méchants » et le salut, s'il doit venir, viendra de la postérité, c'est-à-dire d'un autrui qui n'existe pas encore. Elle seule le vengera de l'ingratitude humaine, le consolera, et il voit ses derniers écrits comme « un dépôt remis à la Providence ». Ce qui est stupéfiant chez lui c'est l'accumulation de livre en livre d'arguments réitérés pour se convaincre de sa bonté et se persuader de la fourberie du monde. Comme si, délivré des autres, il restait embarrassé de leur souvenir, n'arrivait toujours pas à coïncider avec lui-même, à refermer cette blessure en son cœur [1].)

UNE VICTOIRE À LA PYRRHUS

Depuis Jean-Jacques Rousseau, les contraintes qui pèsent sur chacun de nous n'ont cessé de s'intensifier et ce en proportion de notre affranchissement. A mesure que l'individu, encore encadré au XIXe siècle et au début du XXe, s'est peu à peu débarrassé des entraves qui le gênaient en conquérant de nouveaux droits, son inquiétude paradoxalement n'a fait que croître. Oublions un instant les déterminations de classe et de culture pour nous concentrer sur la personne abstraite. Au moins Rousseau, lorsqu'il était malheureux, pouvait-il aussi incriminer l'obscurantisme de son temps, l'arbitraire royal, ecclésiastique, les cabales de ses amis philosophes (il fut effectivement comme Voltaire et Diderot, traqué pour ses écrits, pourchassé, exilé, même s'il amplifia ses malheurs par une suspicion morbide). Au moins pouvait-il désigner les puissants de son temps comme des tortionnaires acharnés à sa perte. Mais aujourd'hui ? Quelle instance accuser de mes peines ? Car dans le long combat qui oppose depuis la fin de l'Ancien Régime l'individu à la société, c'est la seconde qui a reculé en cessant d'intervenir dans nos vies et de nous dicter notre conduite.

Il est certes toujours possible alors de rivaliser dans la surenchère, la paranoïa et d'accuser un obscur système de tous les maux qui nous accablent, d'invoquer une conspira-

---

1. Jean Starobinski a magistralement analysé ces thèmes dans *Jean-Jacques Rousseau, la Transparence et l'Obstacle,* Gallimard, 1971, ainsi que Tzvetan Todorov dans *Le Frêle Bonheur,* Hachette, 1985.

tion mondiale d'autant plus pernicieuse qu'elle s'avance masquée. Comme nous le verrons plus loin, l'idéologie victimaire n'est que l'inversion de la théorie de la Main Invisible : derrière le chaos des faits et des événements une destinée malveillante travaille à notre malheur, s'efforce de blesser et d'humilier chacun de nous en particulier. Plus le sujet moderne se veut libre, ne tirer que de soi ses raisons d'être et ses valeurs, plus il sera enclin, pour se décharger du doute et de l'angoisse, à invoquer un cruel *fatum*, un désordre prémidité qui le tient sous sa coupe et le détruit de façon occulte. Cette ruse de la raison méchante, cette hantise de la machination ne peut que croître avec les progrès d'une indépendance toujours revendiquée mais si pesante, si douloureuse qu'elle cherche des échappatoires, fussent-elles magiques ou délirantes.

Comment ne pas voir en effet que la victoire de l'individu sur la société est une victoire ambiguë et que les libertés accordées au premier — libertés d'opinion, de conscience, de choix, d'action — sont un cadeau empoisonné et la contrepartie d'un terrible commandement : *c'est à chacun désormais qu'est dévolue la tâche de se construire et de trouver un sens à son existence*. Hier croyances, préjugés, coutumes n'étaient pas que d'odieuses tutelles ; elles protégeaient contre le hasard et les aléas, garantissaient, en échange de l'obéissance aux lois du groupe ou de la communauté, une certaine tranquillité. L'homme d'autrefois pouvait bien se soumettre à toutes sortes de mortifications, sacrifices qui nous paraissent aujourd'hui odieux, ils lui assuraient une place, l'inséraient dans un ordre immémorial où il était lié aux autres par toutes sortes de devoirs. Il était donc reconnu et investi d'une responsabilité limitée. Alors que le moderne, dégagé en principe de toute obligation qu'il ne s'est pas lui-même assignée, ploie sous la charge d'une responsabilité virtuellement sans limites. C'est cela l'indivi-dualisme : le déplacement du centre de gravité de la société au particulier sur qui reposent désormais toutes les servitudes de la liberté. En balayant vérités révélées et dogmes, la personne privée s'est peut-être agrandie ; elle s'est d'abord affaiblie, coupée de tout point d'appui. Éjectée de la coquille protectrice de la tradition, des usages, des observances, elle se retrouve plus vulnérable que jamais.

Puisque nous ne pouvons plus dire comme Aristote que « tous les êtres dès les premiers instants de leur naissance sont pour ainsi dire marqués par la nature, les uns pour commander, les autres pour obéir », nous devons admettre que l'individu est à la fois indéterminé et inachevé. Il n'est pas prédestiné, il n'est pas encore tout ce qu'il doit être. Son avenir est imprévisible, c'est-à-dire ouvert et à faire. Étant capable de « perfectibilité » (Rousseau), il peut aussi déchoir, végéter, sombrer dans la médiocrité. Son existence n'est pas écrite à l'avance, elle est de l'ordre de la surprise, il doit la forger lui-même dans l'incomplétude et le tâtonnement. Elle n'aura d'autre signification que celle qu'il veut bien lui donner. Est individualiste toute société où non seulement le sujet est l'unité de valeur fondamentale mais où la possibilité de mener sa vie à sa guise est ouverte à tous sans distinction de statut, de sexe, de race ou de naissance. Et c'est la somme des volontés individuelles librement associées à l'intérieur d'un espace public qui forme le cœur du système politique et démocratique.

Désormais mon sort ne dépend que de moi : impossible de me décharger sur une instance extérieure de mes manquements ou de mes bévues. Envers de ma souveraineté : si je suis mon propre maître, je suis aussi mon propre obstacle, seul comptable des revers ou des bonheurs qui me touchent. Telle est la conscience malheureuse de l'homme contemporain : face à toute défaite, se livrer à l'autocritique, à l'examen de conscience, dresser la liste des failles, des erreurs qui aboutissent au même constat, c'est ma faute ! Le christianisme déjà avait fait du séjour terrestre le lieu d'un affrontement impitoyable entre le salut et la damnation, l'antichambre du paradis ou de l'enfer (avec cette classe de rattrapage posthume qu'est le purgatoire, de création tardive dans l'histoire de l'Église). Nos vies d'hommes laïques ne sont pas moins tendues entre la possibilité de réussir ou d'échouer. Avec ces différences aggravantes : tout pour nous se joue ici-bas, dans un mince laps de temps ; et alors que la religion pose à l'avance les valeurs à honorer, nous édictons nous-mêmes nos critères d'échec ou de succès au risque de ne pas les voir reconnus par les autres (les uns en tiennent pour l'enrichissement matériel, d'autres pour l'idéal de l'honnête homme, d'autres encore pour la sérénité intérieure). Le freudisme a sans doute détrôné le sujet du piédestal où l'avait placé le XIXᵉ siècle, il a bien humilié l'homme et ôté au moi ses prérogatives de monarque absolu, ouvert dans son règne des brèches et des gouffres vertigineux. Il a peut-être aussi offert à chacun une batterie inépuisable d'excuses et de faux-fuyants (mon enfance malheureuse, ma mère indigne) pour éclairer ses actes. Mais il n'a nullement contribué à exonérer l'individu. Ce dernier a bien perdu de ses pouvoirs, il n'a rien perdu de ses devoirs. Après Freud, si l'homme n'est plus souverain sur lui-même, il est toujours responsable de soi et ne peut se défausser de ses erreurs sur un inconscient rebelle ou un surmoi tyrannique. Avant de se confronter au monde, il bute en premier lieu sur lui-même, sur ce noyau de complexes et de névroses qu'il devra démêler pour progresser. Étrange paradoxe : plus nous devenons conscients de notre infirmité, plus s'accumule sur nos épaules une responsabilité que rien ne peut éluder et qui fait de chacun de nous la source d'actes dont le retentissement est incalculable. C'est la convergence de ces deux phénomènes qui est unique et la conscience de notre faiblesse toujours plus faible va de pair avec une charge toujours plus lourde. (Songeons simplement à tous ces métiers, pilotes d'avion, conducteurs de train, chauffeurs de poids lourds, laborantins, médecins où la moindre défaillance est grosse de dommages disproportionnés.)

A ce fardeau s'en ajoute un autre : la concurrence de tous contre tous, conséquence de l'égalisation des conditions. On stigmatisait hier l'absurde obligation de croire en un Dieu ou de s'incliner devant un être de haut rang, on fustigeait les privilèges indus de la naissance et de la fortune, l'oppression d'une caste ou d'une classe. Mais il n'est pas de pire dressage que celui que s'infligent les individus en compétition lorsqu'ils aspirent collectivement aux mêmes buts. L'envie, le ressentiment, la jalousie et la haine impuissante, avant d'être les vilains défauts de la nature humaine, sont les conséquences directes de la révolution démocratique. C'est elle qui, en légitimant l'ambition, la réussite, la possibilité pour chacun, en droit, d'embrasser la carrière de son choix, a légitimé aussi la guerre feutrée que se livrent les hommes, tour à tour dépités ou heureux, selon leur fortune. C'est elle qui, en promettant à tous la richesse, le bonheur, la plénitude, alimente la frustration et nous incite à ne jamais nous satisfaire de notre sort. Cela joint au poison de la comparaison, à la rancune qui naît de la réussite spectaculaire des uns et de la stagnation des autres entraîne chacun dans un cycle sans fin d'appétits et de déceptions. Nous visons tous les premiers rangs mais, à cette hauteur, il n'y a place que pour quelques-uns et les vaincus doivent supporter les glorieux du moment en attendant de pouvoir relancer la mise, remettre les titres en jeu. C'est dans une société égalitaire que le succès d'une minorité et le marasme des autres sont intolérables : puisque nous sommes semblables, cette prospérité est un scandale. Dans les temps modernes, nous dit Tocqueville, les hommes sont volontiers agités, inquiets : « Ils ont détruit les privilèges de quelques-uns et rencontrent la concurrence de tous. La borne a changé de forme plutôt que de place [1]. »

Et sans doute est-ce dans les villes que le discours de la rivalité, du défi est le plus âpre. La vogue de l'écologie n'est peut-être pas étrangère à cette fatigue, à cette immense lassitude qui nous saisit régulièrement dans une grande cité. Traverser des lieux publics, côtoyer des foules, affronter des visages par centaines, c'est vérifier à chaque instant sa faiblesse et envier, par contraste, les personnalités célèbres qui font partout, où qu'elles aillent, l'objet d'une reconnaissance immédiate. Jeté sur le pavé, l'individu se sent exproprié de lui-même. Gagné par la peur de passer inaperçu, il aspire contradictoirement à devenir tout. Comment ne pas souscrire ici à l'exergue du film *Taxi Driver* ? « Dans chaque rue, il y a un inconnu qui rêve d'être quelqu'un. C'est un homme seul, abandonné de tous et qui cherche désespérément à prouver qu'il existe. » Au moins à la campagne, dans le voisinage des forêts et des champs, ne suis-je pas tenu de me justifier. Si la nature, comme l'a reconnu Goethe, est pour l'homme des villes « le grand calmant de l'âme moderne », c'est qu'elle incarne une régularité, une harmonie qui tranchent sur le chaos, l'arbitraire des métropoles. L'inconcevable, l'effrayante énergie d'une cité me confronte à une puissance supérieure qui me stimule autant qu'elle m'oppresse. Dans la nature

---

1. Sur la rivalité mimétique qui affecte les doubles et les semblables, comment ne pas renvoyer à l'extraordinaire commentaire de René Girard dans *Mensonge romantique et vérité romanesque*, Grasset, 1961 ? Sur la souffrance de l'éthos méritocratique, voir également un disciple de Girard, Jean-Pierre Dupuy, *Le Sacrifice et l'Envie*, Calmann-Lévy, 1992.

recréée qui est la nôtre, cette nature d'après la sauvagerie, le citadin va chercher un havre de paix, une brève suspension des tracas et des peines : là nul ne le provoque, ne l'inquiète, n'attente à son intégrité. Chaque chose y est à sa place, s'y déroule selon un rythme prévisible. Dans ces paysages façonnés de main d'homme, je me détends, me récupère, je reste « enlacé de moi-même » (Rousseau). Mais à moins d'opter pour une vie d'ermite, la souveraineté que je goûte dans ces solitudes est une souveraineté gratuite puisqu'elle n'est pas irriguée et contestée par les autres. Et de l'abri où je m'étais retranché, je dois retourner un jour dans mon siècle affronter mes contemporains.

Car avant de vendre sa force de travail sur le marché, avant toute difficulté sociale ou politique, chacun doit d'abord se vendre en tant que personne pour être acceptée, conquérir une place que nul ne lui reconnaît dans un monde qui ne lui appartient pas. Notre souffrance, à nous autres Occidentaux, c'est de tout rapporter à cette infime unité, ce minuscule atome social, l'individu, armé d'un seul flambeau, sa liberté, riche d'une seule ambition, lui-même. Le manque de confiance en soi n'est pas seulement le trait d'une personnalité faible ou névrosée, il est le symptôme d'un état où les personnes ne cessent de fluctuer, telles les cotations des matières premières à la Bourse, au gré des valeurs plus ou moins grandes que leur attribue l'opinion, c'est-à-dire le tribunal le plus versatile qui soit. Un jour en hausse, un jour en baisse, nous ne sommes sûrs que de l'instabilité de notre situation. Et c'est le malheur du *has been*, de celui qui a eu sa chance et qui l'a perdue, que de voir son destin scellé une fois pour toutes. (De là ce culte très particulier que nous rendons aux stars, ces divinités révocables des sociétés égalitaires que nous adorons et que nous brûlons sans vergogne et qui nous offrent l'illusion de se suffire à elles-mêmes, d'incarner une promesse de rédemption mondaine.)

LES LAMENTATIONS DE L'HOMME QUELCONQUE

Qu'est-ce que la plainte ? La version dégradée de la révolte, la parole démocratique par excellence dans une société qui nous laisse entrevoir l'impossible (la fortune, l'épanouissement, la félicité) et nous invite à ne jamais nous satisfaire de notre état. Se plaindre est une manière réticente de vivre, de monnayer notre ennui, notre abattement, de ne jamais pactiser avec tout ce qui dans l'existence relève du machinal, du ressassé. « Je connais un Anglais, disait Goethe, qui s'est pendu pour ne pas avoir à s'habiller chaque matin. » Dans la jérémiade, la créature n'est plus qu'un reproche incarné, un Non vivant : elle exhale son malheur, prend le ciel à témoin, abomine son séjour terrestre. Ce « dolorisme » de principe devient presque une convention pour souligner qu'on n'est pas dupe de ce qui nous anéantit (le temps qui passe, la santé incertaine, les aléas du destin). Mais la plainte est aussi un discret appel à l'aide : pour empêcher un malaise de dégénérer en souffrance, il suffit parfois d'une oreille qui vous écoute.

Au total cette parole réfractaire est si répandue du haut en bas de l'échelle sociale qu'elle s'épuise en elle-même, se résout en une turbulence superficielle. « Ça ne peut plus durer ! » Combien de fois dit-on cela afin que tout précisément continue comme avant ? Pour certaines personnes la plainte est un mode de vie et la véritable vieillesse, celle de l'esprit, commence quand, à 20 ans ou à 60, on n'est plus capable d'échanger avec les autres que doléances et gémissements, quand déplorer sa vie, la diffamer reste le meilleur moyen de ne rien faire pour la changer. « Je ne pourrais avoir aucune profession en ce monde à moins qu'on ne me paie en raison du mécontentement que je ressens envers lui » (Joseph Roth). Si l'on s'en veut de céder parfois à la plainte, c'est qu'elle se dégrade vite en complaisance à ses petites misères. Cette façon de ne pas s'incliner devant l'ordre des choses devient alors la forme bavarde du renoncement.

LE SYNDROME DU CLONE

Une autre déconvenue attend l'homme moderne : se croire unique et se découvrir quelconque. Dans un monde d'ordres et de hiérarchies, l'individualisme était une expérience pionnière portée par des personnalités d'exception qui osaient s'émanciper des dogmes et des habitudes pour avancer seules dans l'inconnu. Vinci, Érasme, Galilée, Descartes, Newton balisaient des sentiers dans la nuit, écartaient les idées reçues, opposaient aux préjugés de leur temps l'audace fondatrice d'une rupture. Et c'est ainsi qu'est né l'individualisme comme tradition du refus de la tradition. Ces grands réformateurs esquissaient un type d'humanité différente, suggéraient un autre rapport à la loi, au passé, à la transcendance. Mais en devenant la norme, l'individualisme s'est banalisé, s'est confondu avec l'ordinaire ambiant. La personne privée triomphe sans doute mais perdue dans la multitude, elle rapetisse aussi et, comme l'avait noté Benjamin Constant, elle voit son influence décroître à mesure qu'elle jouit paisiblement de son indépendance. Elle n'est qu'un fragment qui se prend pour un tout à côté d'autres touts qui ne sont eux aussi que des fragments. Chacun se croit irremplaçable et voit les autres comme une foule indistincte mais cette croyance est immédiatement balayée par l'égale prétention de tous. Et moi et moi : nous sommes tous des ego dont l'amour-propre est à vif.

Le dénouement de cette aventure, c'est que les hommes se ressemblent désormais dans leur manière de vouloir se distinguer. Cette envie de se démarquer est précisément ce qui les rapproche, c'est dans cette distance que s'affirme leur conformité. La fascination romantique pour l'être d'exception — le fou, le criminel, le génie, l'artiste, le débauché — naît de cette peur de l'enlisement dans la grégarité, dans le prototype du petit-bourgeois. « Je ne suis pas comme les autres », telle est la formule de l'homme du troupeau. Car le châtiment qu'encourt l'individu contemporain est moins l'emprisonnement ou la répression que l'indifférence : ne compter pour rien, n'exister que pour soi, demeurer éternellement un « pré-quelqu'un » (Evelyne Kestenberg) que les autres enregistrent comme une présence, non comme un interlocuteur. (En écrivant *L'Homme invisible* en 1952, Ralph Ellison insistait sur la transparence de ses compatriotes noirs aux États-Unis, leur couleur de peau les rendant interchangeables et sans identité. Cet état de mort sociale, toutes proportions gardées, est le cauchemar qui hante virtuellement chacun de nous.) D'où ce « narcissisme des petites différences » (Freud) cultivées avec un soin d'autant plus maniaques que nous menons à peu près tous la même existence, d'où cette bataille pour attirer l'attention de nos semblables, la rage de faire parler de soi, fût-ce par les moyens les plus extravagants. C'est cela l'expérience de la massification dans une société où les particuliers ne sont rien parce que l'individualisme est tout.

Rien de plus symptomatique à cet égard que la dépression engendrée par la sociologie. Cette discipline est maîtresse d'humilité en ce qu'elle fait tomber sur chacun la lumière du grand nombre et ramène nos gestes les plus intimes à des statistiques. Avec la sociologie, je deviens prévisible, mes actes sont écrits à l'avance, toute spontanéité est le mensonge d'un ordre qui s'écrit à travers moi. Elle apporte un démenti flagrant au rêve d'une liberté qui se déploierait au seul rythme de mes élans : à quoi bon m'inventer puisqu'une « science » me dit ce que je suis et serai quoi que je fasse (ce en quoi la sociologie est descriptive autant que prescriptive) ? Avec elle je suis expulsé de ma prétention à l'inédit, au nouveau. Vous vous croyez par exemple un amant raffiné dont le cœur ne vibre que pour des femmes d'exception ; vous apprenez par une enquête que vous partagez avec 75 % des Français de votre milieu professionnel les mêmes goûts. Vous pensiez transcender toute définition particulière, tout déterminisme précis : vos choix amoureux ne font que souligner votre appartenance de classe. Avec la sociologie, votre seule liberté est d'agir comme les autres, d'être à la fois conforme et équivalent.

Enfin le pouvoir régalien de n'en faire qu'à sa tête, la volonté de réalisation personnelle butent sur une contradiction : je me construis à côté des autres mais aussi avec eux. Je ne m'édifie pas sans m'appuyer sur des exemples, des modèles proches ou lointains qui m'aident mais m'entraînent aussi dans une dangereuse dépossession. Tous les hommes prétendent se faire eux-mêmes sans l'aide de personne mais tous se pillent et se dévalisent effrontément : styles de vie, manières de se vêtir, de parler, mœurs amoureuses, goûts culturels, on ne s'invente jamais sans s'affilier à des standards dont on s'arrache peu à peu comme d'une gangue. Se créer c'est d'abord copier : à chacune de mes pensées, chacun de mes gestes, j'expérimente l'empreinte d'autrui en moi. Je suis fait de tous ces autres comme ils sont faits de moi. Chacun se rêve fondateur et se découvre suiveur, imitateur. Sans compter ces zones marginales où le moi disparaît dans la rumeur anonyme, l'indifférenciation de Monsieur Tout-le-Monde, du « Herr Omnes » de Luther. Nos sociétés sont obsédées par le conformisme parce qu'elles sont composées d'individus qui se piquent de singularité mais alignent leur comportement sur celui de tous.

L'individualisme contemporain oscille donc entre deux mouvements : la revendication de l'autosuffisance que l'Américain Jerry Rubin a résumée dans une formule saisissante : « Je dois m'aimer assez pour n'avoir pas besoin d'un autre pour être heureux[1] » ; et le vertige du plagiat tous azimuts qui transforme chacun en girouette, tel le Zelig de Woody Allen, en glouton mimétique livré au chaos du dehors, happé par des images qu'il singe, toujours désespérément autre à défaut d'être lui-même quoi que ce soit (on sait que pour Barrès, par exemple, l'individualisme était dans l'ordre de la personne une catastrophe analogue au cosmopolitisme dans l'ordre de la nation : le risque de l'émiettement, du désordre, du déracinement en acte). De là encore ces comportements aberrants, ce mélange de pathétique et de ridicule qui forme l'ordinaire de nos existences : le mépris apparent des autres et la quête panique de leur approbation, le rejet de la norme et l'angoisse d'être différent, l'aspiration à se distinguer liée au bonheur de faire foule, l'affirmation qu'on n'a besoin de personne et le constat amer que personne n'a besoin de nous, la misanthropie s'accompagnant de la mendicité honteuse des suffrages d'autrui, etc. Sans oublier ces *stratégies de la dissimulation ostentatoire* qui consistent à se cacher pour être visible, à se taire pour faire un bruit assourdissant, à s'imposer par son absence. Pour finir, chacun se découvre étranger dans sa propre demeure, emplie d'intrus qui parlent à sa place, dessaisi de soi au moment où il croyait s'exprimer en son propre nom. « " Je ne sais de quel côté me tourner, je suis tout ce qui ne peut trouver d'issue ", gémit l'homme moderne » (Nietzsche, *L'Antéchrist*).

---

1. Dans ses *Rêveries*, Rousseau a déjà cette phrase terrible : « Je m'aime trop moi-même pour pouvoir haïr qui que ce soit » (op. cit.), manière d'avouer qu'il n'a peut-être jamais aimé. C'est de Rousseau que date ce rêve de l'insularité de l'ego pour qui tout autre est un parasite dans le tête-à-tête délicieux de soi avec soi.

Une double tâche attendait autrefois ceux qui prétendaient au beau titre d'hommes et de femmes libres : ils devaient s'isoler de la masse moutonnière et travailler à devenir ce qu'ils voulaient être. Désertant les territoires arpentés, ils heurtaient de plein fouet les pouvoirs établis et s'exposaient à leurs représailles, se façonnaient en luttant contre la prépondérance d'un mode de vie, d'une foi, d'une valeur. Rien de tel aujourd'hui : l'état d'individu en Occident est non seulement un phénomène collectif mais il est octroyé à chacun avant même qu'il ait commencé à vivre. Je suis fait tel en quelque sorte avant d'avoir fait quoi que ce soit et ce privilège, je le partage à égalité avec des millions d'autres. Cette liberté concédée et non conquise tombe sur nous comme une douche glacée : nous voilà condamnés à être des individus, au sens où Sartre disait que nous sommes condamnés à la liberté. Et puisque ce statut est un droit autant qu'un devoir, l'individu aura tendance à oublier ses devoirs et à brandir ses droits, il n'aura de cesse de piétiner cette liberté qui le ravit autant qu'elle l'encombre. Vain, vague et vulnérable : ainsi se découvre-t-il au moment où tous l'assurent qu'il est le nouveau monarque de cette fin de siècle. Et son mal d'être demeure constitutif de l'idéal qui est le sien.

Ultime retournement : le sujet triomphant, ayant balayé les obstacles qui se dressaient sur sa route, se voit désormais comme la victime de son propre succès. Ce vaillant condottiere qui s'était soulevé contre les puissances en place et revendiquait haut et fort de n'en faire qu'à sa tête se retrouve désespéré d'avoir gagné. Il dénonçait hier les empiétements intolérables du contrôle social ; il accuse désormais la société de l'abandonner à son sort. C'est qu'il est en porte à faux : son triomphe ressemble à une défaite. La rébellion de l'Unique contre la foule, les bourgeois, les philistins n'était pas sans ambiguïté : ces collectifs honnis lui conféraient aussi, à travers leur oppression, une certaine épaisseur. L'empêchement était un adjuvant, l'obstacle une source de force, une incitation à la résistance. Désormais l'Unique en veut au monde entier de l'autoriser à être soi, de ne plus interférer dans ses décisions et il soupire après un peu d'interdit, de tabous.

Une fois encore c'est Rousseau qui a génialement annoncé cette tendance lorsque, parvenu à un âge avancé, le regret de n'avoir pas goûté à tous les plaisirs dont son cœur était avide lui dicte les phrases suivantes : « Il me semblait que la destinée me devait quelque chose qu'elle ne m'avait pas donné. A quoi bon m'avoir fait naître avec des facultés exquises pour les laisser jusqu'à la fin sans emploi ? Le sentiment de mon prix interne, en me donnant celui de cette injustice, m'en dédommageait en quelque sorte et me faisait verser des larmes que j'aimais à laisser couler [1]. » Il y a dans l'aspiration à être soi un tel appétit de bonheur et de plénitude que l'existence génère inévitablement la déception. *La vie a toujours la structure de la promesse :* cette « promesse de l'aube » pour reprendre l'expression de Romain Gary ne peut être tenue, les mille merveilles qu'elle nous fait miroiter n'arrivent qu'au compte-gouttes. En définitive, nous sommes toujours « floués » et notre existence se retourne sur nous comme une suite de désastres, d'occasions manquées. « J'étais fait pour vivre et je meurs sans avoir vécu [2]. » Dès lors chacun de nous peut se formuler à voix basse ce grief : je mérite mieux, on me doit consolation. Ce qui fédère les hommes maintenant, c'est un même malaise devant leur identité, une même doléance

---

1. *Les Confessions,* Livre neuvième, op. cit., tome II, p. 179.
2. *Rêveries,* Seconde Promenade, op. cit., p. 47.

devant les injustices du sort puisqu'ils ne peuvent s'en prendre qu'à eux-mêmes de leur infortune. Même triomphant, l'individu aime à se penser vaincu : dans sa victoire il soupçonne que quelque chose d'essentiel a été perdu, la chaleur matricielle de la tradition, la tutelle protectrice de la collectivité. Sa détresse est le résultat d'une avancée et non d'une défaite et il voudrait, vainqueur, continuer à être vu comme un persécuté.

On l'aura compris : l'individualisme est une fiction indépassable autant qu'impossible. Même si la transparence à soi est un leurre, le moi un pieux mensonge, il paraît difficile d'en revenir à une conception organique de l'état social, à une vision de la société comme une grande âme collective qui nous soulagerait du souci de nous construire. On a beau humilier le sujet, le rabaisser de toutes les façons, il demeure, avec ses ridicules et ses misères, notre seul instrument de mesure, notre valeur centrale et, pour suivre Habermas, nous ne confondrons pas l'inachèvement de la modernité avec sa faillite. Le désir d'être maître et responsable de soi, d'être « une personne et non personne » (Isaiah Berlin) reste fondamental. C'est à cet idéal qu'il faut opposer inlassablement les diverses contrefaçons qui circulent aujourd'hui sous le nom d'individualisme et qui signent l'évanouissement et non pas l'épanouissement du sujet [1]. Il n'en reste pas moins que toute vie d'hommes et de femmes libres n'est qu'une suite de rechutes, d'échappées dans la lâcheté, la routine, la soumission. A la fameuse question de Stendhal : « Pourquoi les hommes ne sont-ils pas heureux dans le monde moderne ? », nous pouvons répondre : parce qu'ils se sont affranchis de tout et s'aper-

---

1. « Comment l'idée de sujet peut-elle à la fois apparaître comme foyer potentiel d'illusions éventuellement dangereuses et comme valeur indépassable ? », demande Alain Renaut, in *L'Ère de l'individu*, Gallimard, 1989, pp. 18-19.

çoivent que la liberté est insupportable à vivre. Alors que la libération a une sorte de grandeur épique et poétique quand elle nous délivre de l'oppression, la liberté, parce qu'elle engage et oblige, nous tyrannise par ses exigences. Cette promotion est aussi une malédiction : ce pour quoi tant d'hommes et de femmes se consolent dans le néo-tribalisme, les drogues, l'extrémisme politique, les mysticismes de pacotille. Ce pour quoi l'individu moderne, déchiré entre le besoin de croire et le besoin de justifier ses croyances, est aussi un apostat professionnel, le nomade des reniements continus, celui qui embrasse et abjure dans le cours d'une seule vie une multitude de fois et d'idées, par des adhésions aussi éphémères qu'intransigeantes. *L'histoire de l'individu n'est que l'histoire de ses abdications successives,* des mille ruses par lesquelles il tente d'échapper à l'assignation d'être soi. « Perpétuellement et irrémédiablement hanté par son contraire [1] », il est la somme des démissions et des sursauts qui scandent sa carrière.

Il existe heureusement pour apaiser nos blessures un univers magique, un cocon délicieux où puiser réconfort et soulagement. Nous savons depuis Max Weber (et Marcel Gauchet) que nous vivons dans l'univers du désenchantement. Inauguré par le judaïsme qui, le premier, a rompu avec les divinités païennes pour imposer un dieu unique, renforcé par le christianisme, prolongé par la révolution galiléenne qui a mathématisé la nature, c'est le désenchantement qui a permis la naissance de la raison instrumentale, de la technique et de la science modernes. C'est grâce à lui qu'on a cessé de voir derrière chaque phénomène une force maligne ou bienfaisante mais un fait susceptible de calcul et donc de maîtrise. C'est encore le désenchantement qui alimente depuis l'époque romantique toute une critique

---

1. Louis Dumont, *Essais sur l'individualisme,* Seuil, 1983, p. 28.

contre la société industrielle coupable d'avoir profané ce qui était sacré, d'avoir soumis sentiments, valeurs, paysages, ressources naturelles au couperet glacé du profit et de l'exploitation. Le progrès capitaliste se payerait donc d'une terrible dépoétisation et tous les mouvements de révolte depuis deux siècles ont brandi l'étendard de l'enthousiasme et de l'émotion contre la rationalité appauvrissante. Le constat est exact. Il mérite d'être nuancé sur un point : à cette dureté des conditions, à cette froideur, le système libéral a riposté par une invention tout à fait originale, le consumérisme. Les loisirs, le divertissement, l'abondance matérielle constituent à leur niveau une tentative pathétique de réenchantement du monde, l'une des réponses que la modernité apporte à la souffrance d'être libre, à l'immense fatigue d'être soi.

Chapitre 2

LE RÉENCHANTEMENT DU MONDE

> « ... la méthode américaine enchante les
> êtres simples et ravit les enfants. Tous les
> enfants que je connais raisonnent en Améri-
> cains dès qu'il s'agit de l'argent, du plaisir,
> de la gloire, de la puissance et du travail. »
>
> Georges Duhamel, *Scènes de la vie future*.

> « Les beaux jouets mécaniques qui tentent la
> puérilité éternelle des adultes. »
>
> E. Levinas, *Difficile liberté*.

Lorsqu'Émile Zola décrit la première vision du grand magasin parisien « Au Bonheur des Dames » par une jeune provinciale Denise, à la fin du siècle dernier, il retrouve spontanément le vocabulaire de l'extase amoureuse : « Cette maison énorme pour elle lui gonflait le cœur, la retenait émue, intéressée, oublieuse du reste [1] » (p. 42). « Et jamais elle n'avait vu cela, l'admiration la clouait sur le trottoir » (p. 44). Bouleversée par l'ingéniosité des étalages, l'exposition des soies, des satins, des velours aux tons délicats, « cet incendie d'étoffes », la jeune femme est

---

1. *Au bonheur des dames,* Garnier-Flammarion, 1971, chronologie et préface par Colette Becker.

littéralement possédée corps et âme : « A cette heure de nuit, avec son éclat de fournaise, *le Bonheur des Dames* achevait de la prendre tout entière. Dans la grande ville noire et muette, dans ce Paris qu'elle ignorait, il flambait comme un phare, il semblait à lui seul la lumière de la vie et de la cité » (p. 65). L'intuition de Zola dans ce roman qui se veut « le poème de l'activité moderne » et raconte d'abord la guerre entre le petit et le grand commerce, c'est d'avoir compris que le développement industriel n'est pas seulement exploitation et destruction de la nature mais aussi et avant tout producteur de merveilleux. C'est d'avoir montré que la profusion des marchandises ouvrait en Europe une carrière illimitée au désir. Car c'est la tentation et elle seule qui pousse les femmes vers « ces foyers d'ardente lumière » pour se « réjouir les yeux », s'étourdir, s'affoler, se ruiner en chiffons.

L'ABONDANCE IRRÉFUTABLE

Entrez dans un supermarché, une grande surface, parcourez les artères commerçantes d'une ville : d'emblée, vous le comprenez, vous avez pénétré au Jardin des Délices, au Paradis Terrestre. Tous les rêves de l'Âge d'Or autrefois caressés par les hommes sont ici rassemblés. L'immensité des lieux, la variété extraordinaire des produits exposés, la lumière qui ruisselle, les kilomètres de linéaires, l'ingéniosité des vitrines sont ceux d'une utopie vivante. Si jamais prophétie fut accomplie, c'est bien là (au sud du Sahel, une légende a longtemps couru que les trottoirs d'Europe étaient en or). Ces temples du marché chantent la victoire de la société capitaliste moderne sur la rareté. Le voilà le résultat de ces mythiques *Trente Glorieuses*[1] (Jean Fourastié)

---

1. Jean Fourastié, *Les Trente Glorieuses,* Pluriel, 1979.

qui ont affranchi les masses occidentales de la misère et du besoin et mis à la portée de chacun une opulence digne de Sardanapale.

Dans une estampe célèbre, le *Luikkerland,* le pays de Cocagne flamand, Bruegel l'Ancien représente trois personnages gavés, mollement couchés au pied d'un arbre dans une expression de béatitude absolue. Non loin, un cochon se promène, un couteau fiché dans la couenne, prêt à être coupé en tranches et mangé, une oie étendue sur un plateau d'argent attend qu'on la dévore, les barrières de l'enclos sont des saucisses et un œuf ouvert, doté de deux pattes, un couvert planté dans son col, déambule entre les dormeurs. Une montagne de pudding sépare le Luikkerland du monde réel. Toute cette scène champêtre respire la satiété, le contentement, la nature généreuse qui pourvoit aux besoins des hommes et les dispense de la peine. Imaginons nos trois dormeurs arrachés à leur sommeil et brutalement transplantés en cette fin de siècle dans le rayon alimentation d'un hypermarché : ils seraient probablement suffoqués par la diversité, ils comprendraient avec effroi que les hommes des sociétés de disette n'ont que des rêves de pauvres, des rêves ridicules. Quel réformateur social, dans ses songeries les plus débridées, aurait pu imaginer une telle profusion ?

Dans l'amoncellement de richesses d'un grand magasin, il y a trop de tout et ce trop est écrasant. Le regard affolé et guidé par un éclairage qui coule de partout avec luxuriance ne peut embrasser l'ensemble des splendeurs offertes à la convoitise. Avant de choisir tel ou tel objet, de se laisser griser par la symphonie des couleurs et des marques — car tout dans ce déploiement est classé, ordonné, rangé selon une stratégie de la visibilité absolue — on se grise des biens qu'on ne prendra pas et qu'on caresse uniquement des yeux. Être consommateur, c'est savoir qu'il y aura toujours plus dans les vitrines et les boutiques qu'on ne pourra emporter. Nul ne domine cette jungle de trésors qui suggère de monstrueuses dépenses, une gigantesque machine de production et d'organisation, un infini de possibilités (aux États-Unis chaque individu jouirait en moyenne d'un million de produits disponibles). Dans ces cathédrales du superflu, notre tort n'est pas de trop désirer mais, comme le disait Fourier, de trop peu désirer. Si la pauvreté, selon saint Thomas, c'est de manquer du superflu alors que la misère est manque du nécessaire, nous sommes tous pauvres en société de consommation : nous manquons forcément à tout puisque tout est en excès.

La magie des grands magasins est de nous délivrer de la servitude des besoins immédiats pour nous en suggérer une multitude d'autres : le seul plaisir est de vouloir ce dont on n'a pas besoin. Les beautés accumulées ici ne répondent à aucune logique de l'utile mais relèvent du miracle, d'une fécondité sans fin. (C'est exactement le rôle du buffet dans les grands hôtels ou les clubs de vacances, fondé sur le principe du gaspillage, que de conjurer la pénurie par les signes de la prodigalité.) On ne se rend pas dans ces pandémoniums à seule fin d'y faire des emplettes mais pour constater que tout est là à portée de la main. On y vient pour vérifier que le dieu de la richesse existe, qu'on peut la toucher du doigt, la frôler, la renifler. C'est cette intimité immédiate avec le luxe et l'excès qui étonne, chavire dès les premiers pas. On hume ici un arôme de Terre Promise où le miel et le lait coulent en abondance, où l'humanité enfin est rachetée de ses faiblesses.

Dira-t-on que ce prodige s'est banalisé et que le spectacle des centres commerciaux ou des artères élégantes de nos villes n'éveille plus rien en nous ? C'est vrai : mais comme il est des achats de routine et des dépenses somptueuses qui entraînent un fort afflux de jouissance, il suffit que menace le spectre de la récession (ou de voyager dans des pays pauvres) pour mesurer le privilège inouï dont nous jouissons. *Il n'y a pas d'au-delà de l'abondance, elle est irréfutable.*

Avec elle le monde se divise entre États où les vitrines sont pleines et États où elles sont vides. Les premiers sont a priori chaleureux, amicaux, les autres froids et hostiles. Et il fallait toute l'hypocrisie de certains intellectuels ouest-allemands pour déplorer au lendemain de la chute du Mur en 1989 que leurs compatriotes de l'Est avancent « en une horde furieuse (...) en rangs serrés vers la bimbeloterie clinquante » des supermarchés de l'Ouest (Stefan Heym) ou regretter que le soulèvement civique ait été noyé par un vote en faveur de la banane et du chocolat (Otto Schilly) [1]. Mussolini définissait le fascisme comme l'horreur de la vie commode. Mais qui même parmi les prophètes de la nouvelle frugalité voudrait échanger notre prospérité actuelle contre la relative rareté qui formait jadis l'ordinaire ? Car sans ces artefacts merveilleux que sont nos baignoires, nos réfrigérateurs, nos meubles capitonnés qui nous épargnent de la peine et adoucissent notre condition, nous dépéririons. La meilleure preuve c'est que les peuples du Sud et de l'Est ne nous envient qu'une chose : ce ne sont pas nos droits de l'homme, notre démocratie et encore moins les raffinements de notre culture mais uniquement la plénitude matérielle et les prouesses de notre technologie. Le tiède enfer de nos pays « infectés de bien-être » est un rêve paradisiaque pour des millions d'hommes. Parce que notre mode de vie ne pourrait vraisemblablement pas s'étendre à l'ensemble de l'humanité, tel quel, sans dégâts majeurs pour l'environnement, parce qu'il pourrait disparaître un jour à la suite d'un krach, il demeure une exception prodigieuse (et hautement dispendieuse). Durant la guerre du Golfe, en Arabie saoudite, les troupes américaines protégeaient l'accès aux puits de pétrole, les forces

---

1. Citations tirées d'une correspondance de Tzvetan Todorov, *Lettre Internationale*, juin 1990.

arabes (Égyptiens, Saoudiens, Marocains) l'accès à La Mecque. Chacun ses lieux saints !

LES PÂQUES PERPÉTUELLES

On a dit du consumérisme qu'il consacrait l'instinct de propriété poussé à son extrême, l'assujettissement des hommes aux choses. Or nous vivons moins dans une culture de l'avoir que de la circulation : les biens doivent passer, leur destruction est planifiée, leur obsolescence programmée (Vance Packard). Alors que la possession suppose la permanence, nos objets n'ont que la séduction de l'éphémère, des séries courtes, ils se démodent vite, immédiatement supplantés par de nouveaux qui scintillent un instant avant d'être emportés à leur tour. Nous ne les achetons que pour les user et en racheter d'autres. La dépréciation doit être rapide, générale car notre richesse est liée à la dilapidation, non à la conservation. Dans la fauche sauvage des casseurs, lors des émeutes urbaines, dans leur plaisir à piller les magasins, à incendier les voitures, ne faut-il pas lire une profonde conformité à la logique du système ? Le saccage est un hommage involontaire rendu à notre société puisque les marchandises sont destinées à être supprimées et remplacées. Les vandales sont des consommateurs pressés qui brûlent les étapes et vont d'emblée au terme du cycle : la dévastation. Notre monde est peut-être matérialiste mais sur le mode étrange du désaveu puisqu'il nous pousse d'abord à nous défaire de ce qui nous appartient, à nous enivrer de la démolition autant que de l'acquisition des objets. Seuls durent vraiment les déchets promis à une sorte d'éternité grotesque : l'espérance de vie d'une couche de bébé serait, dit-on, de 72 ans et l'on a ouvert à San Jose en Californie un musée de l'ordure !

La disparition est euphorique parce qu'elle annonce l'aube d'un renouveau. Le prodigieux en l'occurrence, c'est que les choses meurent pour renaître : leur désintégration est techniquement calculée, leur durabilité nous assommerait, nous priverait de ce plaisir fou, un monde qui change afin que nous ne changions pas nous-mêmes. La consommation est une religion dégradée, *la croyance dans la résurrection infinie des choses dont le supermarché forme l'Église et la publicité les Évangiles.* Tout passe sauf le passage qui lui ne cesse jamais. Et c'est bien la fonction de la mode que de parodier la modernité : rupture et innovation. Mais la rupture est douce et l'innovation minuscule : c'est presque la même chose qui revient sous des masques divers. Il nous faut du neuf qui ressemble à l'ancien et nous étonne sans nous surprendre. Et la nouveauté joue essentiellement au niveau des accessoires, des petites modifications (dont la variété est parfois un obstacle paradoxal à l'achat). Cette agitation équivaut au final à une quasi-immobilité et plus les modes, les gadgets défilent à une vitesse étourdissante, plus l'ensemble paraît statique. On fonde un semblant de pérennité sur du périssable : et la fonction de ce tumulte superficiel est de tisser une continuité sans failles, de colmater les trous de notre histoire, de recoudre les morceaux disparates du temps, de nous distraire pour ne pas nous désorienter.

Il est un instant capital dans ce cycle : celui de l'apparition de l'objet célébré chaque semaine, chaque jour à la télévision et sur les médias. Nouvelle montre à quartz étanche dans un mitigeur de baignoire, nouveaux chaussons musicaux pour bébés, nouvelle enceinte acoustique qui met le son en relief, il s'agit encore et toujours de célébrer la rencontre de la surprise et du déjà-vu. Lorsque l'objet paraît, c'est son jour de gloire, son état de grâce, un sacre riche de promesses, il brille magnifiquement avant de se faner. C'est ici que l'ingéniosité techno-scientifique de notre société trouve sa légitimité. A l'immense bazar des choses existantes, le dieu Innovation rajoute heure après heure ces bibelots dont l'originalité se réduit en général à l'addition d'un détail censé faire toute la différence. C'est un processus sans fin qui consiste à moudre de l'inédit avec du connu, c'est une intarissable providence qui jette à profusion dans les catalogues, les devantures cette verroterie qui nous amuse, nous rassure. La fête du progrès ne s'arrête jamais, elle nous épargne la double impasse de l'angoisse — il n'y a pas de vide — et de la saturation, le désir est sans cesse relancé.

Dans les boutiques emplies jusqu'à la gueule de paquets et de cadeaux, les foules ne viennent pas seulement se vêtir, s'alimenter, se meubler, se chauffer, elles viennent goûter du bonheur, colmater leur inquiétude. Ce monde qui, dans son excentricité, atteint parfois à une sorte de beauté paradoxale ne nous pose aucune question, il n'apporte que des réponses, tend vers nous des mains toujours pleines. Ces foyers de ravissement que sont les galeries marchandes, les Megamarts de la Suburbia américaine témoignent d'une durée qui n'est pas celle de la vie ordinaire, suggèrent une perpétuité de ressources, une inépuisable fontaine de provisions et de bienfaits (le plus grand « shopping center » des États-Unis se trouve à Minneapolis et couvre l'équivalent de quatre-vingt-huit terrains de foot[1]). Et s'il y a pour beaucoup une tristesse du dimanche, c'est que tout est fermé ce jour-là, au moins dans la plupart des pays d'Europe, que l'activité est suspendue, les rideaux des magasins tirés : nous nous retrouvons livrés à nous-mêmes, à notre « sentiment d'insuffisance[2] », errant dans les rues désertées, sans animation. Et si le respect du dimanche,

---

1. Selon Pascal Dupont, *La Bannière étiolée,* Seuil, 1993, p. 220.
2. Karl Abraham, *Les Névroses du dimanche,* in *Œuvres complètes,* Payot, 1989, tome II, pp. 70-71.

comme le pensait Tocqueville, nous détourne peut-être des choses matérielles, il en attise aussi l'appétit, nous rend la semaine délectable puisque nous pouvons y dépenser et acheter à loisir.

SUBLIMES ÂNERIES

Dans une petite principauté au climat doux, nous raconte E.T. Hoffmann, vivaient de nombreuses fées qui accomplissaient dans les villages et les forêts « les plus agréables prodiges ». Un jour le nouveau souverain décide d'instituer les Lumières, ordonne « d'abattre les forêts, de rendre le fleuve navigable, de cultiver les pommes de terre, de faire construire des chaussées et de faire vacciner contre la variole ». Pour accompagner ces mesures, son premier ministre lui conseille de débarrasser l'État de « toutes personnes » qui « font la sourde oreille à la voix de la raison » et notamment les fées « ennemies des Lumières » qui n'hésitent pas à propager « sous le nom de poésie » un venin secret qui rend les gens inaptes au service des Lumières. La police fait irruption dans le palais des fées, les emmène en prison, confisque leurs chevaux ailés et les transforme en animaux utiles en leur coupant les ailes. Mais les fées, bien sûr, continuent de hanter la principauté et d'opposer leur charme et leur fantaisie à la lourde administration étatique [1].

Que Hoffmann n'a-t-il vécu à notre époque ! Il y aurait vu ce qui lui semblait inconcevable en son temps : la réconciliation du quantifiable avec le merveilleux, des

---

1. « Le Petit Zacharie », histoire citée et racontée par Michael Lowy et Robert Sayre, *Révolte et Mélancolie,* Payot, 1992, pp. 48-49.

Lumières avec le Romantisme. On est loin ici de l'esprit de calcul rationnel qui formait selon Max Weber l'ethos du capitalisme à ses débuts : la production marchande est mise au service d'une féerie universelle, le consumérisme culmine dans *l'animisme des objets*. Avec l'opulence et ses corollaires (les loisirs et le divertissement), une sorte d'ensorcellement à bon marché est mis à la disposition de tous. Les produits exposés à la vente dans nos temples commerciaux, avec une précision quasi millimétrique et selon un art savant de la présentation, ne sont pas des êtres inertes : ils vivent, respirent et, tels des esprits, ils ont une âme et un nom. C'est le rôle de la publicité que de leur donner une personnalité à travers une marque, que de leur *conférer le don des langues*, que de les transformer en petites personnes bavardes, insipides ou gaies et qui promettent en général une grande félicité. Il n'est pas d'entité aussi triviale — balai-brosse, sèche-mains, appareil électro-ménager — qu'elle ne fasse rire, pleurer, gémir, elle transfigure tout ce qu'elle touche. Il n'est pas étonnant qu'à la télévision comme à la radio, l'irruption d'un spot publicitaire éclate à la façon d'un coup de trompette, que le son monte, que le ton passe du sérieux à l'euphorie ; pas étonnant que dès le matin coulent par tous les canaux médiatiques des flots de gentillesse factice. Toutes ces splendeurs qu'on veut nous vendre s'offrent à nous comme autant de petits domestiques, prêts à nous aider, à nous libérer de l'effort, alléger nos soucis. C'est *Monsieur Propre* qui, pareil au djinn de la légende, sort tout armé d'un flacon et lave la maison du sol au plafond ; ce sont les biscuits Chipsters de *Belin* qui nous supplient de les croquer, c'est le pot de beurre *Elle et Vire* qui nous interpelle : « Pour garder ma tartinabilité, remettez-moi immédiatement dans le réfrigérateur après usage », c'est *Sansonette,* un déodorant qui fait soupirer d'aise votre vide-ordures, c'est votre four électrique qui geint, supplie que vous le nettoyiez avec

Décapfour, c'est un chœur entier d'hommes et de femmes de tous âges qui, un rouleau de papier hygiénique *Le Trèfle* à la main, chante les douceurs d'un monde parfumé à la vanille, à la lavande, au menthol.

Aux XVIᵉ et XVIIᵉ siècles, nous dit un historien, la conviction était ancrée en chacun que les calamités, les morts et surtout les maladies étaient l'œuvre de puissances occultes qui détenaient le pouvoir d'agir sur les éléments, de prodiguer santé et infirmité, bref que le monde était moins enchanté que possédé. Une certitude régissait tous les comportements, « que la nature n'obéit pas à des lois, que tout y est animé, susceptible de volitions inattendues et surtout d'inquiétantes manipulations de la part de ceux et de celles qui ont partie liée avec les êtres mystérieux qui dominent l'espace sublunaire et sont dès lors capables de provoquer folies, maladies et tempêtes [1] ». Nous ne sommes nullement sortis de cette pensée « prélogique » qui régit notre rapport aux objets quotidiens. On s'étonne parfois lorsqu'on voyage en Asie, de voir les chauffeurs de camion fleurir leur véhicule, lui adresser des marques de déférence et de respect qu'on adresse en général à une divinité. Cette manière de traiter une machine comme une possible extension de soi ou de lui attribuer « une émanation positive ou maléfique », selon l'expression du psychanalyste indien Sudhir Kakar, n'est pas propre aux peuples de l'Orient puisque nous plaçons nous aussi dans la moindre boisson gazeuse ou bonbon une voix et une vie [2].

Tous les outils qui nous entourent sont des fétiches, des substances dotées de forces qu'il faut savoir maîtriser. Au contraire de l'usager qui reste passif et n'a qu'à se laisser faire, c'est le produit qui est actif, convivial, chaleureux :

---

1. Jean Delumeau, *La Peur en Occident*, Pluriel, Fayard, 1978, p. 86.
2. Sudhir Kakar, *Enfance et société en Inde*, Les Belles Lettres, 1985, p. 86.

maison « intelligente », téléphone intuitif, montre parlante, voiture qui dit « ceinture » quand on oublie de l'attacher, appareils qui se déclenchent quand on claque des mains, réveille-matin qui obéit à la voix, l'objet est un ami ni plus ni moins. « Mange-moi », « bois-moi », « loue-moi », il nous intime l'ordre de le consommer avec toute l'impatience d'un partenaire qui s'abandonne. Il est à notre disposition, il nous désire ardemment. L'acquérir, c'est se donner les moyens d'améliorer son existence, d'agir sur le monde. Ces multiples marchandises qui font le bien en même temps qu'elles nous font du bien sont en réalité plus vivantes que nous. Si pour Galilée le langage de la nature était écrit sous forme mathématique, le langage de la consommation est écrit sous forme magique : il procède par syncrétisme sauvage, accueille dans son panthéon les résidus des mythes, légendes, religions et idéologies qu'il bricole à sa convenance. Tout notre univers technologique est hanté par l'occulte, les causalités folles ou fabuleuses. La publicité est aussi une forme souriante de la sorcellerie. Elle ne cesse de faire en sorte que les choses conspirent à notre contentement et élèvent chacun de nous au rang d'un monarque qui mérite un service parfait. « Personne ne prend autant soin de moi », comme le dit l'épilateur de *Calor*. De là que la femme et le bébé soient deux des motifs les plus fréquents des images publicitaires : l'appétit d'achat calqué sur un éros insatiable, l'invitation au bonheur incarnée dans des poupons extatiques. Couple indissociable admirablement réuni dans ce clip de *BMW* où un nourrisson cherche à saisir un beau sein gonflé avec cette légende : Souvenez-vous de votre premier airbag.

L'ASCÉTISME DU LOISIR

Jadis le désœuvré entendait prendre ses distances avec l'univers mesquin du labeur et de l'enrichissement. Dans son inaction ostentatoire transparaissait une très aristocratique révolte contre la régularité des jours et la réduction de l'être humain au salarié. Il dénonçait moins la morale bourgeoise qu'il ne s'en absentait et se distinguait de la foule affairée en ne faisant rien. Notre époque où les signes du travail et du loisir se confondent voit apparaître un nouveau type humain : le désœuvré hyperactif, toujours en alerte, lancé à l'assaut de la babylone du divertissement. Vacances intelligentes, farniente dynamique, hédonisme appliqué, une mobilisation permanente brise l'alternance classique de la frénésie et de la monotonie, de la fête et de la besogne. Et de même que le travail risque de devenir le dernier refuge de l'élite — le mépris patricien de la tâche se renversant en exaltation de l'ouvrage — il est possible que le temps libre soit bientôt la malédiction des pauvres, le destin de la plèbe condamnée aux pains et aux jeux.

Il y a de la rigueur et presque de l'ascétisme dans notre quête dévorante de toutes les occasions de s'amuser, une fausse indolence qui réconcilie deux morales antagonistes : celle de l'inutilité absolue et celle du stress. Se distraire aujourd'hui est un devoir : non seulement un entracte qui brise la pénibilité du travail mais potentiellement le seul temps de référence qui modèle en profondeur le rythme de nos existences (et la distraction a ses tribus, ses rites, ses journaux et même ses métropoles [1]). Pascal raillait gentiment ces nobles anxieux de s'évader d'eux-mêmes et qui se jetaient dans la chasse, la guerre, les plaisirs car « un roi sans divertissement est un homme plein de misères » (*Pensées*, édition Brunschvicg, 142). Nous avons tous accès de nos jours à cette dignité royale de l'ennui ; comme les princes de jadis le repos absolu nous est supplice. Rien de plus probant à cet égard que ces retraités qui continuent à se lever le matin à 6 ou 7 heures, conservant le dressage

---

1. *Marc Fumaroli a consacré un superbe passage à La Mecque américaine des jeux et du kitsch, « Las Vegas », in* L'Etat culturel, *Bernard de Fallois, 1991, pp. 214 sqq.*

horaire inculqué par une vie de bureau ou d'usine. Le loisir n'est pas la paresse et encore moins « cette paix essentielle des profondeurs de l'être » qu'exaltait Valéry, il se traduit par l'impossibilité de ne rien faire. Partout la hâte, la presse, l'alarme au service des plus grandes futilités : à la télévision la tyrannie de l'horloge, commandée par des impératifs publicitaires, donne à l'enchaînement des programmes un air d'urgence absolue. Le ludisme, la niaiserie s'y conjuguent avec l'éthique du forcing.

L'existence, disait saint Augustin, est un combat entre l'essentiel et « une ruée de pensées frivoles ». Nous avons deux fois renversé cette proposition : nous terrassons l'essentiel au nom de l'insignifiant et nous prenons l'insignifiant très au sérieux. Jusque dans ses moments de détente l'homme moderne reste « un travailleur sans travail » (Hannah Arendt) et forme cet hybride paradoxal : un oisif inquiet, un jouisseur stakhanoviste, un épicurien débordé. Le loisir moderne ? L'art de brasser du vent travesti en surmenage.

TOUT, TOUT DE SUITE

On l'aura compris, la logique consumériste est aussi et avant tout une logique infantile qui, outre le vitalisme prêté aux choses, se manifeste sous quatre formes : l'urgence du plaisir, l'accoutumance au don, le rêve de toute-puissance, la soif d'amusement[1]. La première culmine dans l'invention du crédit qui a, on le sait, bouleversé nos rapports avec le temps et court-circuité notre sens de la durée. Avec lui nous empruntons au futur qui devient notre nouveau

---

1. Georges Duhamel, dès 1930, dans son livre sur l'Amérique (*Scènes de la vie future*, 1930), Erich Fromm, Jean Fourastié, Edgar Morin et surtout Jean Baudrillard ont souligné la corrélation étroite entre enfance et consommation. Aucun toutefois n'a systématisé cette intuition, ne l'a replacée dans une histoire générale de l'individu. La plupart préfèrent lire dans la société marchande un vaste système de distinction sociale, une stratégie de l'élévation quand ce n'est pas un nouvel ordre de répression subtil mais tenace.

partenaire, il est une jouissance gracieusement anticipée de l'objet désiré. L'épargne, nous enseigne Daniel Bell, formait le trait dominant du capitalisme des origines : avec le crédit la morale puritaine des débuts s'est inversée en hédonisme militant où l'incitation à posséder sans temps mort ni entraves est devenue légitime et même recommandée. Comme dans le conte célèbre, il s'agit de supprimer tout intervalle entre l'énoncé d'un souhait et sa réalisation : seul importe non ce que je peux mais ce que je veux. « Où vous voulez, quand vous voulez », proclament les distributeurs automatiques d'une banque française. En abolissant tout ce qui dans la vie suppose attente, maturation, retenue, le crédit a rendu les générations de cette deuxième moitié du siècle terriblement impatientes. L'extraordinaire sentiment d'insouciance qui se dégage rétrospectivement pour nous des années 60-70 vient de ce qu'elles ont marié le rêve libertaire et le rêve publicitaire : la libération de toutes les pulsions plus la profusion des marchandises. Toute une classe d'âge s'est habituée à voir ses moindres fantaisies assouvies sans délai, le principe de plaisir a triomphé d'un monde qui non seulement se plie à nos lubies mais s'efforce par tous les moyens de les multiplier. Nous voici dressés non plus comme nos pères à économiser, calculer, renoncer mais à prendre et à réclamer. Qu'est-ce qu'un client ? Dans l'ordre du service, l'analogue de ce qu'est l'enfant choyé dans sa famille, un petit roi qui proclame : je désire et j'exige. Tout doit être accessible immédiatement : comme dans ce récit de Lewis Carroll où un personnage crie avant de s'être piqué avec une aiguille et cicatrise alors qu'il n'a même pas saigné, nous récoltons avant d'avoir semé quoi que ce soit. Le crédit escamote la souffrance d'avoir à payer pour obtenir ; et la carte à puces, en liquidant la matérialité de l'argent, donne l'illusion de la gratuité. Finies les pénibles comptabilités : notre gloutonnerie n'est gâtée par aucun déboursement intempestif. L'hypothèque de l'avenir est peu de chose au regard du chavirant bonheur d'avoir tout de suite ce que l'on convoite. Le paiement effectif — et il arrive un jour et même cruellement sous forme de rappels, de pénalités, d'huissiers, de saisies — est renvoyé dans ce lointain sans forme ni visage qui s'appelle demain et que la passion de l'instant terrasse sans merci. Nous passons avec nos banques de mini-pactes faustiens où l'on nous adjure comme Méphistophélès : signe et tout est à toi !

DU BONHEUR D'HÉRITER

La révolution du bien-être nous place chaque jour dans l'ambiance chaleureuse de Noël. Nous y retrouvons la joie qui est celle des petits au pied de l'arbre le 24 ou le 25 décembre : les cadeaux et les biens prolifèrent autour de nous, dispensés par une main aussi bienveillante qu'invisible. (Et les fêtes de Noël proprement dites se traduisent par une débauche d'achats, un dévergondage marchand unique dans l'année et qui laisse chacun sur le flanc.) Mais les offrandes octroyées par nos sociétés nous arrivent de façon impersonnelle et ce don anonyme nous épargne les humiliantes démarches des remerciements. L'ordre établi transpire le dévouement et la générosité par tous ses pores et il pousse la bonté jusqu'à nous dispenser de nous sentir en dette vis-à-vis de lui.

A cet égard la disproportion est totale entre le travail que nous effectuons et les biens que nous recevons en échange. Il existe en effet une injustice chronologique du progrès, comme l'avait compris Herzen, « puisque les derniers venus bénéficient de l'avantage de pouvoir profiter du travail accompli par leurs prédécesseurs [1] ». Notre prospé-

---

1. Cité par Hannah Arendt, *Du mensonge à la violence*, Presses Pocket, p. 130.

rité actuelle en Occident s'élève sur le sacrifice des générations antérieures qui n'ont pu jouir du même niveau de vie ni d'un stade égal de perfectionnement technique. Au regard de ce que chacun trouve en naissant — infrastructures diverses, réseaux urbains achevés, centres hospitaliers de pointe sans parler des redistributions de tous ordres opérés par l'État providence — nous sommes les enfants gâtés d'une histoire pour laquelle nous n'avons à acquitter d'autre prix que de venir au monde. Nous sommes moins des fondateurs que des bénéficiaires qui commençons par toucher un énorme héritage. Même pour les plus démunis, si nous comparons notre situation avec celle des siècles précédents (ou des pays du Sud), il n'y a aucun rapport entre ce que nous produisons par notre labeur et ce que nous recevons sous forme de gratifications, soins, éducation, transports publics, loisirs. (Juste historiquement ou géographiquement, la comparaison ne l'est pas socialement : les déshérités des pays développés ne se consolent nullement de savoir que le paysan du Sahel est plus pauvre qu'eux ou que leur sort est globalement préférable à celui des hommes du XVIIᵉ siècle. Ils ne se mesurent à juste titre qu'aux heureux et aux élus de leur société.) Les grandes conquêtes de la modernité, la réduction du temps de travail, l'élimination de la mortalité infantile, l'allongement de la durée de vie, l'atténuation de l'effort physique sont considérés désormais non comme des avancées extraordinaires mais comme des acquis. « Un écolier américain, disait Henry Ford, est entouré d'un plus grand nombre d'objets utiles que n'en possède tout un village esquimau. Nos ustensiles de cuisine, notre vaisselle, notre mobilier forment une liste qui aurait stupéfié le plus luxueux potentat d'il y a 500 ans [1]. »

---

1. Henry Ford, *Ma vie et mon œuvre*, cité par Peter Sloterdijk, *Critique de la raison cynique*, Christian Bourgois, 1987, p. 540.

Évidence aveuglante : ce que notre société honore à travers ses largesses et ses munificences, c'est le simple fait que nous existions. Comme dans ces jeux télévisés où l'on gagne toujours quelque chose même lorsqu'on perd, nous habitons bien l'univers de la récompense permanente sans réciprocité. Non seulement tous les échanges dans la galaxie marchande donnent lieu à des cadeaux, des rabais, des libéralités mais nous sommes aussi constamment félicités, remerciés pour avoir eu l'obligeance de naître. Notre apparition sur terre est un prodige qui justifie la mobilisation d'une armée de concepteurs, d'ingénieurs penchés sur nous dès nos premiers vagissements et qui cajolent en nous le futur client. « Rhône-Poulenc vous souhaite la bienvenue dans un monde meilleur. » Conséquence logique : on devrait nous payer pour vivre, l'existence devrait donner lieu à rétribution. (Dès les années 60, Marcuse exigeait la gratuité matérielle, prélude, selon lui, à l'autodétermination intégrale des êtres humains.) La chose est à l'étude et l'on a déjà proposé en France une sorte d'allocation minimale pour tous versée par l'État et qui achèverait de nous transformer en assistés perpétuels.

UNE INSATIABLE DEMANDE

Qu'est-ce que la technique elle-même, en tant que volonté de domination de la nature, sinon la réalisation de nos fantasmes d'enfance alors que, dépendants et fragiles, nous nous rêvions, par contrecoup, bébés omnipotents ? (A la sortie de la première du film américain *Chérie, j'ai agrandi le bébé,* histoire d'un savant distrait qui, à la suite d'un incident de laboratoire, voit son fils de deux ans grandir de plusieurs mètres et semer la terreur dans le voisinage, de nombreux petits garçons et filles interrogés par un reporter de la télévision [1] avouaient leur désir d'être développés de la sorte afin de pouvoir corriger leurs maîtres et maîtresses, battre leurs camarades et pour certains même tuer toutes les figures de l'autorité, parents et professeurs. Le contraste était frappant entre la candeur des visages et l'horreur des propos tenus. L'innocence de l'enfant, disait déjà saint Augustin, tient à la faiblesse de ses membres, non à ses intentions.) Or la technique, c'est son génie, permet d'échapper aux contraintes de l'espace et du temps, de jouir d'une illusion de quasi-ubiquité. De l'avion qui d'un coup d'aile nous transporte sous d'autres cieux et fait du voyageur une particule en apesanteur au-dessus du globe jusqu'à la conduite automobile qui nous rend maîtres d'un bolide de plusieurs tonnes, la technique décuple nos capacités réduites, souligne la disproportion qui sépare les forces réelles d'un homme des possibilités vertigineuses que lui donnent ses outils.

Elle nous investit d'une souveraineté absolue dont le symbole est matérialisé par ces chefs d'État qui d'un doigt, peuvent provoquer l'apocalypse nucléaire. Une chiquenaude allume un embrasement général, libère des énergies fantastiques. De même le vade-mecum du nouveau nomade planétaire, téléphone de poche, ordinateur portable, télécopieur, permet de contracter la terre à la manière d'une tête de Jivaro et d'appeler n'importe qui, n'importe où, n'importe quand. Avec ces appareils eux-mêmes miniaturisés et qui se réduiront peut-être bientôt à de minuscules récepteurs insérés dans le corps, on miniaturise le globe, on le ramène à la taille d'un jouet maniable à volonté. Le réel semble une pâte que l'on peut remodeler à sa convenance. Triomphe du micro : en rapetissant tout, il nous hausse à la taille d'un titan.

On dirait un conte de fées, s'exclame Freud, en évoquant

---

1. Antenne 2, janvier 1993.

l'invention des lunettes, du télescope, de l'appareil-photo, du gramophone [1]. Car ces créations mettent à la portée de chacun les pouvoirs jadis attribués aux seuls mages ou chamans. Tous les délires de grandeur, agir à distance sur le monde, vaincre la pesanteur, éprouver la toute-puissance de la pensée peuvent être satisfaits en appuyant sur une touche, en traversant une cellule photo-électrique. Même les portes s'ouvrent automatiquement devant nous : comme si notre conscience commandait directement aux objets. Qu'est-ce que le progrès aux yeux du consommateur ? La forme supérieure de la magie. Ces prothèses fabuleuses dont nous disposons ne sont pas seulement d'une très grande beauté et ingéniosité : leur sophistication est telle que nous ne comprenons pas leur fonctionnement et n'avons d'autre ressource que de leur faire confiance. Prendre l'avion, une voiture, un médicament, c'est croire dans leur solidité, leur efficacité, leur fiabilité. N'était le crédit accordé à tous ces auxiliaires et conforté par l'usage, nous n'oserions jamais les adopter. La technique est aussi un acte de foi. Pour un profane, il n'y a pas moins de mystère dans un téléviseur ou un transistor que dans la formule d'un envoûteur qui vous jette un sort (informatique, électronique sont par ailleurs ces termes cabalistiques chargés de désigner l'inexplicable). La complexité des opérations mentales nécessaires à la fabrication d'une simple puce d'ordinateur rend ces instruments impénétrables à leurs utilisateurs. Cela explique les relations de rage, d'adoration et de jeu que nous entretenons avec eux, les prières que nous leur adressons, les insultes et les coups que nous leur appliquons quand ils nous font l'affront de tomber en panne. Ces petits esclaves mécaniques nous mettent en fureur dès qu'ils se détraquent : nous exigeons d'eux un dévouement sans faille et voyons dans leur

---

1. Sigmund Freud, *Malaise dans la civilisation*, PUF, 1971, pp. 38-39.

dérèglement une mauvaise action dirigée contre nous. Nous ne sommes donc pas maîtres des instruments de notre maîtrise. Mais pour nous venger de leurs défaillances, de leur stupide et entêtant secret, nous disposons d'une ressource imparable : le remplacement. Reproductible en série, l'objet industriel est peut-être le siège d'une combinaison obscure mais il n'est pas sacré (seul son prix est un obstacle à son acquisition). Son destin est de passer et d'être changé. La technique nous fascine autant qu'elle s'est banalisée. Et nous ne manifestons aucune gratitude pour les progrès époustouflants de la vitesse ou de la médecine. Un retard de quelques dizaines de minutes en train nous scandalise, un ascenseur qui tarde à venir, un distributeur d'argent trop lent nous font hurler. Quant à l'incapacité de la science à contrer toutes les maladies, elle nous choque au-delà de tout : incurable est le seul mot obscène du vocabulaire contemporain. Nous ne voyons plus les améliorations incroyables réalisées depuis un siècle, nous ne percevons que les carences. Le miracle de l'invention perpétuelle est devenu routine. Le progressisme des choses attise notre fièvre : nous exigeons chaque jour dans tous les domaines des perfectionnements rapides. La technique nous entretient dans la religion de l'avidité : avec elle le possible devient souhaitable, le souhaitable nécessaire. Le mieux nous est dû. L'industrie, la science nous ont accoutumés à une telle fécondité que nous pestons quand les trouvailles se raréfient, quand il faut surseoir à la satisfaction. « C'est insupportable », nous exclamons-nous : grosse colère d'un enfant capricieux qui trépigne devant un jouet et s'écrie : j'en ai envie [1].

---

1. « Aujourd'hui que tant de choses ont changé, on s'étonne que tout n'ait pas changé », écrivait Jean Fourastié dans *Les Trente Glorieuses* (op. cit., p. 241). « Tout ce qui est acquis est très rapidement considéré comme naturel, indispensable, il paraît impensable d'en être privé. »

LA VIE EST UNE FÊTE

« Qu'est-ce que je peux faire ? J'sais pas quoi faire. » Cette fameuse apostrophe d'Anna Karina dans *Pierrot le Fou* de Jean-Luc Godard témoignait d'une France qui s'ennuyait sous de Gaulle et que Mai 68 allait réveiller. Le XXᵉ siècle aura inventé deux figures majeures de la mobilisation : le révolutionnaire et l'animateur professionnels. Le premier a cessé d'émouvoir les foules depuis que ses promesses de justice ont tourné au cauchemar ; mais le second semble promis à une fortune sans bornes. Des planificateurs de l'insurrection aux organisateurs de la distraction : toute l'histoire du siècle se déploie entre ces deux pôles. Ainsi va la fable démocratique : quand les pauvres s'enrichissent et se constituent en classe moyenne, ils ne consacrent leur temps libre ni à la politique ni à la culture mais avant tout au divertissement. La République s'assignait de nobles objectifs : affranchir le peuple de l'étau de la nécessité et l'élever à la dignité de sujet politique par le civisme et l'éducation. La sortie de la misère et de la grossièreté devait se confondre avec la réappropriation par chacun de son humanité plénière. Cette espérance n'a pas été tenue : pour une majorité de gens l'abêtissement délicieux des loisirs l'emporte sur les multiples moyens d'engagement et d'épanouissement personnels. Et en ce domaine nous n'avons probablement encore rien vu. Les hommes voulaient autrefois se délasser d'un travail harassant ; ils désirent fuir maintenant l'ennui d'un temps libre dont ils ne savent que faire. S'agit-il par exemple de traiter du problème des banlieues ? Immédiatement on se soucie d'occuper les jeunes par tous les moyens qui puissent les détourner de la violence, de l'autodestruction. Il faut fixer les masses agitées, inquiètes, combler le temps vide, chasser la monotonie. Et comme il y aura peut-être dans quelques décennies autant de travailleurs qu'il y a aujourd'hui de chômeurs puisque l'économie produit toujours plus avec moins de producteurs, il est vraisemblable que l'expansion illimitée des loisirs sera le seul moyen de maintenir une certaine cohésion sociale.

Il y a pour les modernes au moins deux façons d'échapper aux pesanteurs du quotidien : la guerre et le divertissement. La guerre est une affreuse boucherie mais elle peut aussi devenir une récréation qui arrache les hommes à la routine, une mise entre parenthèses de la grisaille conjugale et familiale, une grande vacance de l'ordre et de la légalité. Elle exalte autant qu'elle effraie, promet l'excitation permanente et une certaine forme d'impunité puisqu'elle autorise à tuer légalement. Mais pour nous autres Occidentaux qui ne croyons plus au sacrifice et ne mettons rien au-dessus de la vie, la carrière des armes n'attire désormais qu'un petit nombre de têtes brûlées, le prix d'un conflit étant trop cher payé pour une surprise somme toute minime (même nos militaires ne veulent plus mourir au feu et le Pentagone a adopté l'option zéro mort au combat). Notre idéal civique n'est plus celui préconisé par le jeune Hegel du soldat qui travaille, du travailleur qui fait la guerre. Les passions belliqueuses se sont réinvesties dans le goût des aises et à la morne atrocité des batailles, nous préférons les noces du confort et de l'amusement. A cet égard comment ne pas être saisi de vertige devant l'éventail de passe-temps que nos sociétés offrent à leurs membres ?

Prenez le petit écran : y a-t-il plus fabuleux vecteur du réenchantement ? Il est possible que nous soyons tous encore des puceaux de la télévision, que sa relative nouveauté en tant que technique explique les maladresses ou les mésusages que nous en faisons. Et il n'est pas interdit de rêver à une télévision qui serait aussi un outil de création spirituelle et qui conjuguerait son immense pouvoir d'attraction avec une authentique visée pédagogique. Il n'en reste pas moins qu'aujourd'hui, et à de rares et remarquables exceptions près, la télévision est en majorité affaire de divertissement. Et sur ce plan elle est imbattable. Qu'elle fonctionne 24 heures sur 24, se décline sur une multitude de canaux, dans toutes les langues, qu'elle cumule séries, films, émissions thématiques, variétés, jeux, vidéo-clips, conseils d'achat fait d'elle le médium récréatif par excellence. Bientôt, grâce à la compression numérique et aux « autoroutes de l'information », l'on pourra capter jusqu'à 500 chaînes chez soi, regarder la petite boîte s'apprendra comme un métier à plein temps. Et les générations futures devront demander l'assistance d'ordinateurs pour s'orienter dans ce dédale aux dimensions de la planète. *La télévision n'exige du spectateur qu'un acte de courage — mais il est surhumain —, c'est de l'éteindre.* Qui n'a jamais connu l'atroce, l'irrésistible tentation qui consiste à zapper frénétiquement des nuits entières sans pouvoir se soustraire au ruban continu des images ne connaît rien aux sortilèges de la petite lucarne. Il se passe toujours quelque chose dans le poste beaucoup plus que dans notre vie. Telle est l'hypnose télévisuelle qu'elle nous grille à sa lumière comme des papillons autour d'une lampe : elle produit à jets continus des flux de couleurs et d'impressions que nous tétons sans relâche. La télévision est un meuble animé et qui parle, elle remplit cette fonction de rendre la platitude supportable. Elle ne nous arrache pas à l'accablement, aux habitudes mais les convertit en aimable tiédeur, elle est la continuation de l'apathie par d'autres moyens et s'intègre à titre d'élément fondamental dans l'immense panoplie de la banalité.

LA TISANE DES YEUX

Ce qui séduit donc massivement en elle, au-delà des terreurs et des utopies qu'elle suscite, c'est qu'elle constitue la forme la plus simple du remplissage et assouvit par procuration notre soif de péripéties et de dérivatifs faciles. Combinant l'évasion maximum avec le minimum de contraintes, *ce médium a l'immense vertu d'être presque un mode de vie*. Il nous fixe à domicile, dépense des trésors d'ingéniosité pour capter notre attention, invite le monde entier dans notre salon : puisque l'univers vient à nous, à quoi bon aller vers lui ? Alors qu'une séance de cinéma implique encore déplacement, attente, obligation d'horaires stricts et de silence, côtoiement d'inconnus dans une salle, bref tout un rituel, j'attrape la télévision quand je veux, sans bouger de chez moi, je peux la regarder couché, vautré, debout, en mangeant, en travaillant, en bavardant, en somnolant. Les Américains ont inventé pour exprimer cette inertie le terme de *couch potato,* ce nouveau mutant affalé sur son sofa et dévorant des chips, gros bébé gavé par les yeux et la bouche et qui se laisse gentiment biberonner (la téléphagie serait un facteur d'empâtement, elle engendrerait un nouveau type humain, de nouveaux dysfonctionnements). La version junior du *couch-potato,* c'est l'enfant scotché sur l'écran, satellisé par les jeux vidéo devenus des sortes de baby-sitters électroniques, enfant lui-même absent et virtualisé dont la dernière prouesse serait de disparaître à son tour dans les images pour devenir un personnage du jeu. C'est que l'écran est « promesse permanente d'amusement [1] » qui

---

1. Neil Postman, *Se distraire à en mourir,* Flammarion, 1986, p. 161. Que la télévision transforme tout en spectacle même quand elle prétend être sérieuse est exact : elle peut toutefois devenir un formidable instrument de vulgarisation à condition d'inventer pour elle une écriture

supplante tout le reste, il n'interdit ni ne commande rien mais rend inutile, ennuyeux tout ce qui n'est pas lui. Il ne contrôle ni la pensée, ni la lecture, il les rend superflues.

C'est le charme de ce médium que d'autoriser une écoute flottante : on peut le laisser allumé en faisant autre chose comme dans ces appartements où un récepteur marche jour et nuit sans que nul n'y prête attention. A la limite, c'est un dieu lare de la maison, un compagnon des jours ordinaires. Kant disait de l'école qu'elle nous apprend d'abord à rester assis ; la télévision nous assigne à résidence mais sans rien exiger et sur le mode d'une dilution permanente de soi vers les images. Et pour ceux très nombreux dont la vie tourne autour de cette petite planète, qui ont réaménagé leur emploi du temps en fonction de cette dernière, elle est une maîtresse tyrannique peut-être mais aussi très accommodante qui exige de ses adorateurs le culte le plus nonchalant, le plus décontracté. L'esprit vogue d'un objet à l'autre, séduit par mille occurrences qui le captent sans le retenir, un rien le sollicite, un autre rien le détourne, délicieux papillonnage qui nous transforme en vagabonds, en puces sautillant d'une chaîne à l'autre. Telle est la pathologie spontanée de la télévision : on la regarde parce qu'elle est là et qu'elle fonctionne, qu'elle dispose d'un pouvoir de nivellement qui nous rend aptes, une fois accrochés, à regarder à peu près n'importe quoi avec une indulgence sans limites.

La télévision nous distrait de tout y compris d'elle-même. Loin d'instaurer la dictature de l'image, elle appauvrit notre perception, nous désapprend à regarder le monde.

---

appropriée. Les meilleures émissions culturelles ont une vertu apéritive pour parler comme Pascal : elles ne remplacent ni la lecture d'un ouvrage ni la vision d'un film mais savent mieux que tout autre moyen éveiller notre intérêt (à condition d'avoir la force d'éteindre le poste pour lire ou sortir).

Parce qu'il se veut accessible à tous immédiatement, ce visuel-là consacre l'exténuation de la vue (alors qu'une œuvre picturale, comme le souligne J.-F. Lyotard, dit à celui qui la contemple : « Vous ne me connaîtrez pas vite[1] »). Sa forme dévore ses contenus, liquide les contrastes, met le signe égal entre les films, les variétés et la publicité ; il est souvent difficile de distinguer un spot du déroulement d'un *sit-com* ou d'une série (la firme Nescafé a lancé en Amérique et en Grande-Bretagne un *soap opera* publicitaire qui remporte un énorme succès). D'où cette nausée éprouvée après plusieurs heures d'écoute ininterrompue quand, la tête farcie de sottises, d'intrigues insignifiantes, d'impressions disparates, on se remet lentement comme après un KO de cette lente hémorragie de soi par les yeux. On croyait s'ouvrir à l'immensité, on débouche hébété sur le vide. D'ailleurs le petit écran à plein temps est le lot des très jeunes enfants ou des retraités et des malades. Sa consommation croît avec l'âge, c'est-à-dire avec la sédentarité et la perte progressive de l'autonomie. Commencée dans le tintamarre et les cris, la télévision finit en tisane pour les yeux, calmant pour pensionnaires d'hospice, fétiche d'une humanité qui s'éteint lentement (et puisqu'il ne peut y avoir de bonne télévision 24 heures sur 24, que la qualité s'enlève toujours sur un fond d'imperfection, le meilleur usage du poste cathodique, tous les parents d'élèves le savent, c'est sa rareté).

C'est ce même rôle de *dame de compagnie* que remplit « la narcomanie musicale » omniprésente en Occident et qui concurrence toujours et partout la moindre possibilité de silence dans les lieux urbains. Musique d'attente au téléphone et sur les répondeurs, musique d'ambiance dans les parkings, les ascenseurs, le métro et même les téléphériques, remplissage radiophonique de certains quartiers ou

1. Jean-François Lyotard, *Que peindre ?*, La Différence, 1988, p. 110

rues lors des fêtes, « musak » de supermarché, vidéos bavardes se surajoutant au brouhaha d'une boutique ou d'un restaurant, moulinette mélodique qui convertit les airs les plus sublimes en scies, toujours et partout il faut qu'une moquette sonore émousse la dureté du monde, ménage des transitions, adoucisse les contacts. Mais si l'on sature l'espace de bruits, d'images, de couleurs (sans compter l'apparition prochaine de télébracelets et de télépoches qui permettront de n'être jamais seul avec soi-même), c'est aussi pour nous certifier que nous ne sommes pas abandonnés, qu'on pense à nous ; ce sirop sonore est une marque d'intérêt et presque d'affection. Ce n'est plus Big Brother, c'est *Big Mother*. Insupportable tapage sans doute ; mais comme dans ces cérémonies où l'on crie pour chasser les démons, ce bruissement continu est censé éloigner la mélancolie, dissiper la noirceur, briser l'isolement.

LA CONSOLATION UNIVERSELLE

Quoi qu'on en pense par ailleurs, il faut reconnaître dans le consumérisme et l'industrie du divertissement une création collective extraordinaire sans équivalent dans l'histoire. Pour la première fois, les hommes effacent leurs barrières de classe, de race, de sexe pour se fondre en une seule foule prête à s'étourdir, à s'amuser sans compter. On comprend pourquoi les magasins emplis de trésors aussi prodigieux que vains, les mille réseaux médiatiques et machines intelligentes qui nous assistent exercent une telle attraction sur les autres peuples de la planète. Dans ces cathédrales de la vie allègre, l'être humain se détourne du cauchemar de l'histoire (et de sa propre histoire), oublie les tempêtes du dehors, retrouve une simplicité indispensable. L'univers de la concurrence et de l'incertitude où nous sommes immergés serait intolérable s'il n'était tempéré par cette ceinture de sécurité, ces îlots de béatitude qui nous protègent de la peur et de l'hostilité. L'achat, la distraction, le vagabondage mental dans les espaces virtuels produisent une pénombre abêtissante peut-être mais si douce, si aimable qu'elle se confond pour nous avec la plus scintillante des lumières.

« I shop therefore I am », je fais des courses, donc je suis, tel est le cogito du consommateur toujours prêt à recourir à « cette trappe hédonique » pour chasser le cafard ou « le mal d'être »[1]. Arpenter les centres commerciaux, subir le doux rayonnement de ces cavernes édéniques, se laisser bercer par les voix suaves, les biens euphorisants, c'est se mettre aux abonnés absents, se délester de soi, jouir du bonheur d'être indifférencié. Je ne suis alors qu'un être sans qualités, ouvert à toutes les sollicitations, « une personnalité industriellement produite » (David Riesman), un patchwork d'influences diverses.

On comprend la double erreur qui obscurcit notre interprétation des sociétés marchandes : l'une qui dénonce en elle une nouvelle inquisition proche de l'enfer totalitaire ; l'autre qui les glorifie comme d'infaillibles moyens d'éducation à la liberté et au civisme. Double malentendu symétrique qui attribue à ce système les pires défauts ou les plus nobles vertus.

Si la première critique, aujourd'hui minoritaire, survit dans un anti-américanisme routinier[2], la seconde école qui

---

1. Dominique Roux, auteur de l'étude du même nom, nous révèle qu'aux États-Unis, en 1987, chaque personne consacre en moyenne six heures par semaine à faire les boutiques contre une heure pour la lecture ou le jardinage. La plupart de ces achats effectués dans des « malls » qui rassemblent deux à trois cents échoppes sont des actes impulsifs destinés à sortir de la solitude et à chasser l'ennui. La trappe hédonique a une vocation thérapeutique évidente.

2. Fondatrice de la culture de masse et des loisirs, paradis originel de la modernité, l'Amérique condense sur elle une partie de la haine que

domina la décennie passée compte encore de nombreux partisans. Pour cette dernière, le consumérisme saurait admirablement exploiter ce qu'il y a de plus fruste et de plus simple en l'homme pour le mettre au service des buts les plus élevés. La fantastique liberté de choix de l'acheteur inciterait chacun de nous à se prendre en charge, à se responsabiliser, à diversifier ses conduites et ses goûts et surtout nous préserverait à jamais du fanatisme et de l'embrigadement. Autrement dit quatre siècles d'émancipation des dogmes, des dieux et des tyrans aboutiraient ni plus ni moins à cette merveilleuse possibilité de trancher entre plusieurs barils de poudre à laver, chaînes de télévision ou modèles de jeans. Pousser son caddie entre les linéaires d'un supermarché, zapper frénétiquement sur sa télécommande serait une manière de travailler sans le savoir pour la concorde et la démocratie. On ne saurait imaginer plus magistral contresens : car l'on consomme précisément pour ne plus être des individus et des citoyens,

Criticism of Gilles Lipovetski (?)

_____

nous vouons à notre civilisation. Depuis Georges Duhamel fustigeant en 1930 « la fausse culture américaine » pire à ses yeux « que les dictatures fasciste et soviétique » jusqu'aux auteurs de l'école de Francfort et à Guy Debord sans oublier Heidegger dénonçant dans la Russie et l'Amérique « la même frénésie sinistre de la technique déchaînée et de l'organisation sans racines de l'homme normalisé » (*Introduction à la métaphysique*, Gallimard, pp. 48-49) l'américanisme est devenu synonyme de toutes les tares de notre époque. Difficile de démêler dans notre rejet du Nouveau Monde ce qui tient à des facteurs politiques objectifs — l'insolente réussite de ce rejeton de l'Europe qui a relégué son géniteur dans l'ombre — et ce qui relève d'une aversion pour le temps présent dont l'Amérique incarne tous les travers. La violence des diatribes portées contre la société américaine est fonction de l'immense séduction qu'elle exerce sur nous. Elle aura réalisé ce prodige d'inonder la planète de ses images et de rester pour cette raison même largement méconnue, d'autant plus secrète qu'elle s'exhibe. L'Amérique ne se confond évidemment pas avec l'américanisme même si elle est menacée par cette création venue d'elle-même comme toutes les autres cultures.

pour échapper un instant à la lourde contrainte d'avoir à faire des choix fondamentaux. Au contraire de celui qui forge sa vie, prend des décisions qui l'engagent et dont il ne peut prévoir toutes les conséquences, le consommateur lui ne se décide qu'entre des produits déjà existants, des options déjà formulées par d'autres et qu'il se contente tout au plus de combiner ou de croiser.

L'abondance pour quoi faire ? demandait David Riesman. Pour chasser l'inquiétude, se personnaliser à peu de frais en faisant allégeance à des standards produits en série et qui habillent, amusent, alimentent des millions de gens à côté de nous. « En Duvernois, je suis moi », dit une publicité. Délicieux soulagement : être soi consiste ni plus ni moins à enfiler un gilet, un chemisier, un tailleur que tout le monde peut acquérir également. Je ne suis convoqué à la grande fête de la dépense que dans la mesure où je ressemble à tous les autres, la quête d'authenticité coïncide avec les impératifs marchands de telle ou telle entreprise. Mais cette grégarité est heureuse et volontaire : il y a une réelle volupté du conformisme, volupté de faire nombre, de faire masse avec les autres. Pelotonné dans sa société berceau, l'homme occidental se dote d'une carapace qui le protège de ses propres inventions. C'est la raison pour laquelle le consumérisme n'a pas de vocation civilisatrice ; sa seule vertu, mais elle est immense, c'est de nous délasser, d'être un remède aux tensions et à la solitude. Comme il est agréable de se laisser mener par le bout du nez, d'être le jouet de stratégies commerciales diverses, quel repos dans cet abandon, quel bonheur dans cette passivité ! Sans ses niches de félicité, il n'y aurait rien pour récupérer de la violence, des vexations, de l'effort harassant. La consommation est consolation, une trêve dans la rivalité, un pansement contre les blessures infligées par le monde. Au moins dans ces moments radieux, je n'ai plus à répondre de moi, à prouver que j'existe, je suis sorti de « l'insécurité ontologique » (Eugen Drewermann) qui est le statut de l'individu en Occident.

LA ROUTINE EN CHANTANT

Bien sûr pas plus l'abondance que les loisirs ne nous comblent vraiment : ils enjolivent la banalité sans nous en affranchir. On peut s'étourdir à l'infini des petites idoles bavardes que la publicité plante dans notre quotidien, coller à la fiction haletante des médias, naviguer sur tous les réseaux informatiques et télévisuels du globe, on ne peut faire que cette profusion ne ressemble en fin de compte à de la camelote, à de la pacotille primitiviste. Ce réenchantement est parodique, ce romantisme pue le kitsch et le toc. Le consumérisme déçoit fatalement puisqu'il nous invite à tout attendre d'un achat ou d'un spectacle, excluant toute expérience intérieure, tout agrandissement de soi ou relation durable avec les autres, seuls générateurs d'une vraie joie. La personne rassasiée veut toujours autre chose que ce qu'on lui donne car ce qu'elle veut nul ne peut le lui donner. Imaginons un être qui vivrait sous la tutelle exclusive de la publicité, de la télévision, des appareils vidéo, dont le cerveau, la vie seraient imbibés de mille images et anecdotes de l'actualité (tels ces « Otakus » du Japon photographiés et filmés par Jean-Jacques Beineix, jeunes gens qui ne communiquent plus que par ordinateurs, écrans, objets et bandes dessinées, délaissant toute autre forme de rapport à autrui). Il subirait une double retraite et de la vie spirituelle et des passions fortes, se déroberait à l'élan d'une existence plus intense. Il serait une éponge absorbée dans un présent perpétuel et qui dégorgerait slogans, bribes, références avalés du soir au matin. Il serait un être « pauvre en monde » pour reprendre une expression de Heidegger, vivant au jour le jour dans une avidité à ne pas se construire qui l'abêtirait. Pourtant du sein même de son hébétude, de son état végétatif, un tel être resterait encore capable de remise en question, d'amélioration.

Car le vrai crime de la télévision comme de la publicité, c'est de ne jamais réussir à nous transformer complètement en zombies ! Même le spectateur tétanisé, le crétin le plus intégral sait encore faire la différence entre son récepteur et le monde extérieur. Il y a toujours une vie après le supermarché et la télévision, tel est le drame. Nous ne reprochons pas tant au consumérisme d'être débile ou superficiel que de ne pas tenir ses promesses, de ne jamais nous prendre en charge totalement. Et le sourire omniprésent de cette société n'est pas amitié ou sympathie : il est un remontant, une vitamine collée sur la face des gens pour conjurer l'abattement. Il faut toujours se réconforter, se rassurer. La structure maniaco-dépressive est peut-être la vraie structure de l'homme occidental engagé dans mille entreprises dont il craint toujours de percevoir trop brutalement la vanité : des phases d'enthousiasme suivies de phases de mélancolie. La bimbeloterie médiatico-marchande n'esquisse qu'un mirage de sacré : elle se montre incapable d'instaurer ce qui demeure l'apanage des religions, l'espace d'une transcendance. Malgré son engagement de nous racheter tous collectivement et personnellement, elle ne suffit jamais et il faut d'autres béquilles, d'autres narcotiques plus efficaces : tranquillisants, psychotropes, inhibiteurs d'angoisse qui effacent l'inconfort, la souffrance et jouent le rôle de régulateur social. Une fois obtenu ce que l'on désire, l'on désire ce que nul objet ne peut nous apporter : le salut laïque, la transfiguration, et l'on oscille entre l'accablement d'avoir trop et la peur de manquer de l'essentiel.

Mais cette idée que le bonheur peut s'acheter et réside dans l'apaisement des tensions a beau être erronée et génératrice de déceptions, nous y retournons comme à la

pente la plus facile. Lassitude devant l'ineptie des specta-
cles audio-visuels, fatigue des « années frime », des babioles
inutiles ? Peut-être. Mais ce n'est qu'un bref répit avant une
nouvelle course vers d'autres acquisitions, d'autres occasions de se détendre. Les rescapés de l'abondance souffrent
de n'être jamais complètement rédimés par leurs achats
mais ils y reviennent toujours, incapables de s'en désen-
gluer. Et il suffit que ressurgisse en Europe le risque de la
pauvreté ou de la rareté pour retrouver à nos lucarnes
jacassières, à nos artères de luxe une saveur folle. C'est
pourquoi « les désillusions du progrès » (Raymond Aron)
sont purement romantiques et n'ont jamais poussé personne à éteindre la télévision, à déserter les supermarchés.
C'est pourquoi l'on se révolte moins contre cette société que
contre le malheur de n'en pas bénéficier assez et que ses
bienfaits restent encore inaccessibles à trop de gens. Le
consumérisme est sans doute un « misérable miracle »
(Henri Michaux) qui nous abrutit, nous dépossède de nous-
mêmes ; nous y replongeons comme dans un bain de
jouvence, nous restons les proies consentantes et fascinées
de la féerie marchande. De là ce rapport paradoxal que
nous entretenons avec cette dernière : ni l'adhésion ni le
refus mais le malaise, c'est-à-dire l'impossibilité de renoncer à quoi que ce soit, à la critique de ce monde comme aux
avantages qu'il procure. De là encore cette oscillation entre
le dénigrement et l'éloge de la modernité, cette impossibilité
de trouver sa place entre les contempteurs et les adulateurs.

LE CONSOMMATEUR N'EST PAS UN CITOYEN

Dira-t-on pourtant que les « mediamaniacs » nourris aux
clips et aux spots sont devenus des acheteurs exigeants et
critiques, que les mouvements de consommateurs, récla-

mant qualité et honnêteté en sus de l'opulence, ont fait passer l'ivresse consumériste à l'âge adulte ? C'est exact et l'on ne se félicitera jamais assez de ce qui constitue un progrès objectif dans la défense de nos droits. Il n'en reste pas moins qu'un usager avisé n'est pas encore un citoyen, que faire des économies, courir les bonnes affaires, déjouer les pièges d'un contrat est sans doute très commode mais ne nous apprend nullement à prendre nos distances avec cette société. Comme le divertissement, la consommation ne nous éduque qu'à elle-même, sa valeur morale, pédagogique est faible. Pareillement la culture de masse nous distrait, elle ne nous émancipe pas, même si passent en elle des éclats ou des réminiscences des grandes œuvres. Et c'est en quoi les félicités marchandes sont compatibles avec toutes les formes de régime politique y compris les dictatures (de l'Arabie saoudite à Singapour). Être usager c'est s'occuper de la défense exclusive de ses intérêts, rester ancré dans sa particularité, fût-elle celle d'un lobby, alors qu'être citoyen, c'est tenter de dépasser son cas singulier, s'abstraire de ses conditions pour s'associer avec d'autres à la gestion de la vie publique, devenir avec eux co-partageants et co-participants au pouvoir. Il y a citoyenneté dès que l'individu accepte de suspendre son point de vue privé pour prendre en considération le bien commun, entrer dans l'espace public où les hommes se parlent à égalité et agissent les uns avec les autres. La libération de la nécessité matérielle n'est qu'une des conditions de la liberté, elle n'en est pas synonyme. De même les revues et associations de défense des consommateurs ont en commun avec les journaux et magazines ordinaires de nous obséder sur les objets, leurs qualités et leurs défauts au lieu de nous en affranchir. Il y a bien eu révolution mais à l'intérieur du monde de la marchandise : le contre-pouvoir des acheteurs signifie simplement qu'on maîtrise mieux les règles du jeu, non qu'on cesse de jouer.

Nous sommes les habitants du supermarché autant que de la cité et notre attachement à la démocratie est d'abord un attachement aux avantages immodérés de la prospérité. La consommation n'est pas responsable de la désaffection politique qui existait avant elle et a d'autres causes mais elle en est un facteur aggravant. Dans les pays développés, l'esprit démocratique est entièrement assujetti au marché et sacrifie au culte exclusif de la croissance et de la rationalité économique. Pour nos gouvernants, de droite comme de gauche, une bonne politique se résume au maintien de l'abondance et la liberté des citoyens est d'abord la liberté de s'enrichir (en période de crise, consommer est presque un devoir national, un geste de patriotisme élémentaire). Du bonheur, nous ne connaissons plus qu'une seule définition, le bien-être privé, et nous avons oublié la passion et le goût que les révolutionnaires français et américains, selon Hannah Arendt, plaçaient dans la « chose publique », joie et émulation à rivaliser dans l'excellence pour le développement des libertés politiques [1]. L'on sait que beaucoup de migrants considèrent déjà l'appartenance à une nation pauvre comme une forme de discrimination et de persécution ; et leur choix d'émigrer dans tel ou tel pays d'Europe ou d'Amérique est moins dicté par la nature des gouvernements que par l'ampleur des prestations sociales et des avantages qu'ils sont susceptibles d'y recevoir.

Il est vrai que notre idéal démocratique résulte d'exigences inconciliables : la libre réalisation de l'individu et la coopération à la vie de la cité, la réussite et la solidarité. Nos régimes n'obéissent plus, comme le voulait Montesquieu pour la République, au seul principe de la vertu et surtout de la vertu comme oubli de soi. C'est la richesse et le triomphe de la vie privée qui accompagnent chez

---

1. Hannah Arendt, *Essai sur la Révolution*, Gallimard, p. 166 sq.

nous la floraison des droits politiques et sociaux. Et l'on ne voit pas comment un système qui encourage l'abondance et l'épanouissement personnel peut susciter en même temps sans déchirement des réflexes de participation et de fraternité. (Que fait l'Occident pour installer la Russie dans le chemin de la démocratie et du pluralisme ? Il *l'achète* à coups de dollars et de prêts. Les appâts sonnants et trébuchants deviennent les conditions de l'État de droit et du parlementarisme.) Convives repus au banquet de l'Histoire, nous entendons gagner sur tous les tableaux, nous voulons la quadrature du cercle : des citoyens aisés, assoupis par les commodités et des citoyens actifs, concernés. Si dans la Grèce antique, selon Aristote, l'opulence était le préalable à la citoyenneté — seul un homme sans soucis matériels pouvait se consacrer à la *polis* — chez nous l'aisance semble acquise contre le civisme. Le confort reste bien l'invention la plus noble de l'homme occidental et la lutte pour le pouvoir d'achat est le dernier tabou auquel nul n'ose toucher. Il n'en reste pas moins que le confort, si grandiose soit-il, tend à reléguer tous les autres idéaux et à rétrécir considérablement le cercle de nos préoccupations. S'il est requis de chacun de nous comme l'a bien établi Claude Lefort d'être à la fois un citoyen, un patriote, une personne privée et un consommateur, bref de servir plusieurs maîtres qui ne s'aiment pas entre eux, l'éclipse relative du patriote et du citoyen à notre époque, au moins en Europe de l'Ouest, laisse face à face la personne et le consommateur, confrontation où le second sort souvent gagnant. Nos passions ont cessé d'être républicaines ou nationales, elles sont culturelles, commerciales ou privées. Et la désaffection civique n'est pas le seul effet du spectacle ou de la dégradation du débat public, elle est fondée en droit au même titre que le suffrage universel ou la Sécurité sociale. Est démocratique le gouvernement qui autorise ses citoyens à se désintéresser du sort de la démocratie. C'est dire qu'à chaque instant nos sociétés sont mises en position de préférer le bien-être à la liberté : comme si nous avions trop à perdre pour défendre notre indépendance en cas de danger. Parce que nous n'avons jamais mieux vécu sur le plan matériel, jamais nous n'avons été aussi peu prêts à mourir pour une cause, si juste soit-elle. Il est temps de reconnaître ceci : l'individu démocratique a beau parler le langage du cœur et de l'émotion, il se préfère à toute autre chose. Plus aucun idéal ne vaut qu'on se sacrifie pour lui, il n'y a rien au-dessus de la vie (même l'humanitaire est un dévouement pour la survie des autres, pas pour leur liberté).

LA LOGIQUE CANNIBALE

Le risque majeur du consumérisme, c'est moins le gaspillage que la gloutonnerie, le fait qu'il s'empare de tout ce qu'il touche pour le détruire, le réduire à sa merci. Il ne se dit plus seulement en termes de plaisir mais emprunte pour avancer ses pions le langage de la valeur, de la santé, de l'humanitaire, de l'écologie. La publicité se saisit de la politique et lui impose ses clips et ses slogans, la télévision prétend réparer nos amours blessés, rendre la justice, suppléer la police, rendre l'école caduque. Il y a longtemps que le consumérisme proprement dit s'est évadé du supermarché pour devenir une logique médiatico-marchande qui se présente comme la solution universelle à tous les problèmes. Elle tire sa fortune de nous suggérer que tout ce qui était difficile hier nous deviendra en un clin d'œil accessible, que le « fun » peut remplacer l'étude, bref elle développe en nous le goût des jouissances immédiates et faciles.

Elle manifeste en effet un talent sans pareil pour investir les secteurs en crise (la culture, l'éducation, la représentation politique), les étreindre et au final les travestir, les vider de leur substance. Triomphe de la société caméléon qui peut adopter tous les discours, y compris celui de sa critique, se substituer à toutes les idéologies car elle ne croit en aucune, rejouer en farces les grandes passions politiques et religieuses. Tout ce qui n'est pas elle, l'histoire, l'éthique, les rites, les croyances, goulûment elle les dévore. Elle est un estomac capable de digérer n'importe quoi, un code insubmersible qui récupère sa propre contestation afin de mieux ressusciter. C'est en se révoltant contre ses contenus qu'on lui obéit le mieux. Ironie suprême du consumérisme : nous laisser croire qu'il a disparu alors qu'il n'est plus un domaine qu'il ne contamine.

Il faut donc contenir cette logique marchande, l'encadrer, protéger les espaces encore préservés qu'elle tente d'accaparer. Mais ce système prospère sur la défaite ou l'affaiblissement de ses garde-fous. Et le jour où la télévision prendra la place du prétoire, de la classe, du divan, le jour où la lecture d'un spot publicitaire équivaudra dans les lycées à celle de Balzac ou de *Madame Bovary*, où Schubert ne sera plus que ce bruit de fond qui accompagne la tourte aux champignons Vivagel et Verdi la bande-son des serviettes hygiéniques Vania, alors ce jour-là l'ilote aura triomphé et c'en sera fini de la civilisation occidentale. C'est pourquoi la crise actuelle peut aussi avoir des effets positifs, exercer sur notre intempérance, notre frivolité une vertu modératrice, dussions-nous côtoyer les gouffres. « Là où croît le danger croît aussi la possibilité de ce qui sauve » (Hölderlin).

LA COCAGNE PUÉRILE

Le pari fou du consumérisme, c'est de vouloir « faire tourner les plus grands défauts des hommes à l'avantage public » (Mandeville), c'est d'essayer de transformer la cupidité, la voracité, l'égoïsme en vecteurs de civilisation. Pour la première fois peut-être dans l'histoire, une société autorise ses membres à oublier une partie des contraintes qu'elle leur impose afin d'utiliser cette énergie à se construire eux-mêmes. Et le danger bien sûr c'est de prendre pour modèle ce qui doit rester de l'ordre de l'exception, de faire du loisir la vraie vie, de l'interchangeable, de l'éphémère et du spectaculaire les valeurs absolues. Lorsqu'il définissait les Lumières comme la sortie du genre humain hors de l'état de minorité, Kant pouvait-il prévoir que cette majorité spirituelle et morale qu'il appelait de ses vœux irait de pair avec une puérilité persistante au point qu'on ne peut plus les penser l'une sans l'autre ? Car il est impossible d'être maître et responsable de soi à temps complet : il est des heures pour baisser les bras, s'abandonner à de petits édens artificiels qui nous aident à vivre. Et nous restons par certains côtés désespérément prémodernes, incapables d'accéder à cette sagesse que le XVIIIe siècle louait comme la plus haute destination du genre humain. C'est parce qu'il ne nous « civilise » pas, n'entraîne aucune amélioration de l'homme que le progrès matériel en un sens nous est indispensable. L'état d'enfance pour tous à tout instant et à volonté : telle est la réponse de la modernité aux douleurs qu'elle provoque. Ce devenir-infantile n'est pas un accident, un minuscule faux pas dans une dynamique tout entière tendue vers la mesure et la raison, il est inscrit au cœur même du système, il est consubstantiel à l'individu tenté par la capitulation au fur et à mesure qu'il doit s'édifier. *L'empire du consumérisme et de la distraction a inscrit le droit de régresser dans le registre général des droits de l'homme* : exquise déchéance, délectable facilité, sans nul doute. Mais passé un certain dosage, l'antidote à l'angoisse risque de se transformer en poison, de dégénérer en nouvelle maladie. Jusqu'où cette divine légèreté peut-elle aller sans effacer en nous le goût de la réflexion et de la raison ? Le triomphe du principe de plaisir fut la grande utopie des années 60 et nous vivons encore sur ce rêve. Comment limiter, tempérer cette fantasmagorie puérile qui proclame : tout est possible, tout est permis ?

PORTRAIT DE L'IDIOT EN MILITANT

Le XVIIIe siècle a distingué deux formes de bêtise : la première assimilée au préjugé, c'est-à-dire à tout ce qui est hérité sans examen, devait former la cible de la pensée progressiste avant que celle-ci à son tour ne sombre dans une autre forme de sottise plus opaque encore, celle qui accompagne l'idolâtrie de l'Histoire, de la Science et de la Technique. Mais les Lumières, dans le prolongement d'un certain christianisme conservateur, allaient parallèlement et sous couvert de louer l'état de nature, faire l'éloge de l'ignorant bienheureux, maintenu dans la moralité et la vertu par son abrutissement. Les humbles, les paysans, les indigents n'ont nul besoin d'instruction, laquelle devrait être réservée aux classes éclairées [1].

Il reste au siècle suivant quelque chose de cette apologie du rudimentaire dans la figure de l'Idiot. A une époque positiviste dévouée au savoir, à l'école, à l'industrie, il est beaucoup plus qu'une survivance ou un raté de l'intellect. Il n'a peut-être pas l'esprit délié comme les doctes mais dans son abêtissement il parle un langage plus originel que celui de la raison, le langage du cœur et même de l'âme. L'Idiot est un héros du sentiment authentique contre la civilisation pervertie. Dostoïevski allait donner ses lettres de noblesse à ce personnage en faisant du Prince Muychkine un être hors du commun, presque un avatar du Christ redescendu sur terre : adulte habité par une âme d'enfant, c'est l'épilepsie qui l'a rendu simple d'esprit comme si la maladie était le truchement d'une parole céleste. Car ce candide foudroie les autres avec son acuité, déclenche des tempêtes qui le rendent à la fois haïssable et envoûtant. « Ah prince, vous témoignez d'une ingénuité et d'une innocence telles que l'âge d'or n'en a pas connues ; et tout à coup votre profonde pénétration psychologique traverse un homme comme une flèche », lui dit un des protagonistes du roman. A travers lui parle une sagesse primordiale, presque divine qui fait scandale, pulvérise les agitations mondaines des hommes. Renversement romantique des

---

1. *Voir à ce propos Philippe Sassier,* Du bon usage des pauvres, *Fayard, 1990, pp. 139-140, qui analyse cette idée notamment chez Mandeville.*

valeurs : ce ne sont plus les puissants et les savants qui détiennent la vérité mais les marginaux. Le naïf, le demeuré rejoignent tous ces héros de la contre-modernité, l'enfant, le fou, l'artiste, le rebelle, le sauvage qui restent habités par quelque chose de fondamental.

Notre époque a cessé de révérer l'étude et l'instruction. Ses idoles sont ailleurs et s'appellent le clinquant, l'affairisme, l'esbroufe. Le plus populaire de nos médias, la télévision, réussit à cet égard sur certaines chaînes à repousser jusqu'à l'extrême les limites de la nullité au point qu'on doit se taire, fasciné ou accablé. Si la bêtise demeure l'obsession de ceux qui redoutent le radotage, les automatismes, la prétention suffisante, il ne reste plus grand-chose de la honte qui frappait, il y a peu encore, le cancre et l'ignare. Au contraire les voilà qui règnent en maîtres dans certains médias, nouveaux rois fainéants qui, loin de rougir de ne pas savoir, s'en félicitent au contraire chaudement. Pire encore : ils sont les porte-parole d'une sottise militante, hargneuse qui voue aux disciplines de l'esprit une haine tenace. Au mot culture, ils sortent leur Audimat et font huer par leur public tous les snobs, les pédants, les pisse-froid qui ne s'extasient pas devant le grand barnum médiatico-publicitaire. Non contents de ridiculiser l'école ou l'université, ils entendent les supplanter et prouver par leur seul exemple que le succès et l'argent ne passent plus par ces temples de la connaissance. Leur crétinisme opiniâtre ne souffre pas de voir son empire contesté, rien ne doit résister à leur niaiserie arrogante qui déploie toutes les armes de la veulerie, de la grossièreté, de la bassesse. Et leur débilité est irréfutable parce qu'elle exclut toute idée de distance et d'ironie. Le retour triomphal de l'illettré sur le réseau cathodique se fait sous le double signe de la fierté et du combat : il n'est plus le pauvre d'esprit, conscient de son infériorité mais la grande gueule qui aboie et fait taire ses contradicteurs. Si l'imbécile agressif devait un jour régner sans partage sur notre société, alors c'est l'être cultivé qui passerait pour un idiot, étrange spécimen de cette tribu en voie d'extinction qui révère encore le livre, la rigueur et la réflexion.

Chapitre 3

DES ADULTES TOUT PETITS, PETITS

> « J'ai le droit de répondre à toutes vos
> plaintes par un éternel moi. Je suis à part de
> tout le monde et n'accepte les conditions de
> personne. Vous devez vous soumettre à
> toutes les fantaisies et trouver tout simple
> que je me donne de pareilles distractions. »
>
> Napoléon à son épouse
> (Nietzsche, *Le Gai Savoir*).

> « C'est seulement à l'aide d'un personnel
> adéquat que nous pourrons faire retomber le
> monde entier en enfance. »
>
> W. Gombrowicz, *Ferdydurke*.

Au XVIIe siècle, si l'on en croit Victor Hugo, des confréries secrètes appelées les *comprachicos* faisaient dans toute l'Europe commerce d'enfants à l'usage des rois, des papes et des sultans. Ils achetaient les petits à leurs familles, en général misérables, et par toute une science orthopédique affreuse, les enfermaient dans des vases pour bloquer leur croissance, les rabougrir, les tourner en monstres, eunuques ou bouffons propres à exciter l'hilarité des foules [1].

---

1. Ainsi que le raconte Victor Hugo dans son extraordinaire roman *L'homme qui rit*, Paris, Nelson, 1952.

91

Notre époque a répudié ce type « d'industrie scélérate » et a su, au moins dans les pays démocratiques, entourer le jeune âge d'une série de droits et de protections. On peut se demander toutefois si elle ne pratique pas, à sa manière feutrée, d'autres métamorphoses tout aussi stupéfiantes, si nous ne vivons pas une mutation qui affecte notre définition même de l'humain. En d'autres termes si ne pèse pas sur chacun de nous une véritable invitation à l'immaturité, façon d'infantiliser les adultes et d'incarcérer les enfants dans l'enfance, de les empêcher de grandir.

LE BON SAUVAGE À DOMICILE

L'enfance comme la famille, nous dit Philippe Ariès dans une étude célèbre, est un sentiment récent en Europe[1]. Considéré à l'époque médiévale comme une petite chose fragile sans âme ni visage, une *res nullius* — la mortalité infantile est alors très élevée —, l'enfant n'accédait à l'humanité que fort tard. Il vivait jusque-là confondu avec ses aînés dans un état de promiscuité totale qui nous scandaliserait aujourd'hui, effectuant à leur contact son apprentissage de l'existence. Il faudra attendre le XVIIe siècle pour que commencent dans les classes aisées, avec le mouvement de scolarisation inauguré par les ordres religieux, la mise à part de l'enfance et la naissance de la famille comme lieu de l'intimité et des affections privées. Crédité d'innocence à l'image du petit Jésus — représenté jusqu'à la Renaissance comme un homme en miniature — le bambin sera dès lors préservé de toute influence délétère, isolé et placé sous le contrôle de pédagogues qui s'efforceront de le préparer à

---

1. Philippe Ariès, *L'enfant et la vie familiale sous l'Ancien Régime*, Seuil, 1973.

l'état adulte. Le souci éducatif s'impose avec son cortège de soins, de spécialistes, de méthodes appropriées et il connaîtra son apogée au XIXe siècle.

Nous avons rejeté ce double héritage ou plutôt nous l'avons remodelé autrement. Une autre tradition issue de Rousseau et Freud a refaçonné notre vision de l'enfance ; elle n'est pas seulement devenue la clef du développement de l'adulte, une clef à jamais perdue, nous enseigne la psychanalyse, elle est surtout un trésor que nous avons dilapidé et qu'il importe de retrouver par tous les moyens. De Rousseau date l'alliance entre l'enfant et le sauvage puisque l'un et l'autre vivent dans une communion immédiate avec les choses, dans l'appréhension limpide du vrai, dans une pureté que la civilisation et la société n'ont pas encore altérée [1]. De Freud nous retenons surtout l'accent placé sur les premières années de la vie : et l'enfance a toute la beauté d'une fondation qui nous hante jusqu'à notre dernier souffle. Dans cette étrange coalition, c'est Rousseau (mais un Rousseau réinterprété et déformé puisque chez lui l'heureux état de nature est irrémédiablement aboli) qui mène le bal. En anticipant notre intérêt pour les peuples primitifs, il annonce à sa manière, toujours fulgurante, deux des obsessions intellectuelles les plus intenses de la modernité : l'ethnologie et la pédagogie. Après lui quelque chose va se nouer au XIXe siècle qui mettra sur le même plan le fou, l'artiste, le rebelle, l'enfant et le sauvage, tous réfractaires à l'ordre civilisé, tous faisant signe vers une origine perdue sous les amas des conventions et les contraintes du système. « Je suis deux choses qui ne peuvent être ridicules : un sauvage et un enfant », dit Gauguin alors même

---

1. Là encore, je ne peux que renvoyer aux belles pages de Jean Starobinski in *J.-J. Rousseau, La Transparence et l'Obstacle*, op. cit., pp. 40 et 319, ainsi qu'à Peter Sloterdijk, *Critique de la raison cynique*, op. cit., pp. 85-86.

peuvent être ridicules : un sauvage et un enfant », dit Gauguin alors même qu'exilé volontaire dans les îles de l'Océanie, il rompt des lances avec une bourgeoisie qu'il exècre et dont il quête pourtant la reconnaissance [1]. Michelet lui-même en bon post-romantique fera du Peuple une substance composite mêlant le génie, la déraison et l'enfance [2], et Claudel célébrera en Rimbaud un « mystique à l'état sauvage » capable de par sa jeunesse de capter dans ses vers un élan divin [3]. L'enfant est le colonisé de la famille comme le primitif est l'enfant de l'humanité, le fou le paria de la raison et le poète le sauvage des sociétés développées, tous porteurs d'une flamme qui dérange l'ordre établi. Et puisque l'âge est une chute dans les mensonges du paraître et le monde industriel une déchéance loin des équilibres naturels, il faut se pencher sur ces traits de feu, boire à ces sources vives pour redécouvrir la vérité.

J'ai indiqué ailleurs comment le colonialisme, ultime produit de l'optimisme pédagogique, s'était fondé dans son idéologie sur la métaphore du maître et de l'élève. Il était du devoir des « races supérieures » de civiliser « les races inférieures » (Jules Ferry), les Européens avaient la mission de guider vers les Lumières l'indigène indolent, cruel ou primesautier, enlisé dans ses sensations et son ignorance [4]. L'anticolonialisme et son prolongement le tiers-mondisme se contenteront de renverser cette métaphore sans la changer : ils confieront aux jeunes nations du Sud le soin de racheter les métropoles du Nord, ils feront des ex-colonisés

---

1. On en lira le récit, mélange de calvaire et d'exaltation, dans le recueil *Oviri, écrits d'un sauvage*, Folio, Gallimard, 1972, textes établis et annotés par Daniel Guérin.
2. Sur Michelet, voir Roland Barthes, *Œuvres complètes*, Seuil, 1993, tome I, p. 459.
3. Paul Claudel, Préface aux *Poésies complètes*, Livre de Poche, 1960.
4. Pascal Bruckner, *Le Sanglot de l'homme blanc, op. cit.*, pp. 223 sqq.

le seul avenir spirituel des anciens colonisateurs. En obtenant leur indépendance les premiers offraient à leurs gouvernants d'antan la chance de retrouver leur âme. Il était donc dans l'intérêt de l'Occident matérialiste d'être fait prisonnier par ses propres barbares, de se régénérer dans le berceau de ces cultures qu'il avait opprimées. Mais dans les deux cas, c'est la référence à l'infantile qui triomphe : c'est parce qu'on le dit sous-développé que l'Africain, l'Indien, le Chinois nous surpassent, ces « arriérés » sont des prématurés, leur retard est une avance car ils touchent encore aux origines du monde quand nous en sommes déjà au crépuscule. C'est ainsi que les civilisations fatiguées se fabriquent des oasis de jouvence rétrospective. Et de même que notre fascination pour les peaux bronzées naît de la certitude que l'indigène mène une vie plus proche de la grande santé que nous, l'enfant est désormais notre « bon sauvage à domicile » (Peter Sloterdijk), celui qui délivre des paroles essentielles et nous conduit vers les rives enchanteresses de la candeur. En dépit ou plutôt à cause de sa faiblesse, il sait tout mieux que nous, il est habilité presque à devenir le parent de ses parents. A notre époque où « la pédagogie est devenue théologie[1] », nous lui confions le soin d'instruire l'adulte, nous conférons à sa puérilité une valeur telle qu'elle se renverse en supériorité. Il est à la fois notre passé et notre avenir, *l'Âge d'Or en culottes courtes*.

Il n'éveille pas seulement la nostalgie d'un Éden aboli, il nous invite aussi par son seul exemple à redécouvrir cette splendeur disparue. Puisque grandir c'est déchoir et trahir les promesses des jeunes années, il faut vénérer l'éternel enfant qui sommeille en soi et ne demande qu'à renaître. Plus l'individu devient conscient de sa responsabilité et des

---

1. Jean-Baptiste Pontalis, « L'Enfance », *Nouvelle Revue de Psychanalyse*, Gallimard, 1979.

charges qui pèsent sur lui, plus il projette son insouciance perdue sur le petit qu'il a été. Cet état magique est un absolu dont il est exclu : mûrir c'est mourir un peu, devenir orphelin de ses origines. Oscar Wilde, à la fin du siècle dernier, dans *Le Portrait de Dorian Gray* allait donner à ce constat une illustration fantastique : vieillir est un péché, voire un crime. Le délabrement du visage reflète celui de l'âme.

On isolait hier la jeunesse pour la préserver des souillures de l'âge ; on tenterait plutôt aujourd'hui de la préserver des affres de la maturité tenue d'emblée pour une punition. Il fut donc un temps où l'enfance n'était qu'imbécillité et fragilité, où il fallait sans relâche polir ses mœurs, former son caractère, contenir ses débordements ; nul n'oserait de nos jours, surtout à l'école, dire de nos petits sauvageons qu'ils sont mal dégrossis. Leurs moindres niaiseries sont vénérées comme un trésor de profondeur, un abîme de poésie spontanée, leurs griffonnages font l'objet d'un culte réservé aux chefs-d'œuvre. (Et l'on connaît ces mille réformes pédagogiques destinées non à éduquer l'enfant, ô sacrilège, et encore moins à le guider mais à promouvoir sa libre expression, son « génie ».) Il ne faut surtout pas brider nos petits chéris. Ces Vandales en socquettes ont tout à nous apprendre parce qu'ils vivent sous la grande lumière des commencements. Ce dont sont persuadés les *Children's Liberationnists* qui appellent la peuplade ingénue des bambins à s'affranchir de la domination adulte, à revendiquer son autodétermination conforme aux « droits de l'homme de l'enfant [1] », ou ceux, plus radicaux encore, qui fustigent la famille et l'école et plaident pour une enfance constella-

---

1. Voir à ce sujet l'excellent chapitre d'Irène Théry sur les nouveaux droits de l'enfant, in *Le Démariage,* Odile Jacob, 1993, notamment pp. 342-343.

tion, mobile qui brise les égoïsmes et met en échec les machines despotiques du pouvoir [1].

HIS MAJESTY THE BABY

Nous n'avons pas fini de mesurer les conséquences de cette révolution qui brouille à nouveau, comme à l'époque médiévale mais de façon inverse, les frontières entre les âges. Il y a dans notre sollicitude pour l'enfant une évidente volonté de maîtrise, le souhait de façonner une descendance parfaite, de fabriquer dès le stade utérin des petits prodiges à notre convenance. Mais nous affectionnons par-dessus tout chez nos petites têtes blondes ou brunes deux choses : le règne de la légèreté et la prépondérance du caprice. C'est l'insouciance en effet qui est l'apanage de cette période bénie, le fait de n'avoir à répondre de rien puisqu'une autorité tutélaire nous prend sous son aile et nous protège. Et surtout l'enfant échappe à la malédiction du choix. Être de la pure virtualité, il baigne dans la piscine merveilleuse des possibles. Cet état de parfaite disponibilité, d'attente exaltante dure à peine : la croissance est là qui, en approfondissant une voie, ne cesse de raréfier les promesses. Mais pendant quelques années (du moins dans notre illusion rétrospective) l'enfant aura été un bouquet de potentialités, un premier matin du monde qui porte en lui tous les destins imaginables. Par rapport à nous qui sommes « faits », il semble en suspens, sans forme définie, incarnant l'espérance d'un nouveau départ pour l'humanité

---

1. C'est la thèse que défendent René Scherer et Guy Hocquenghem dans un livre étrange et beau qui mêle une évidente inspiration fouriériste à un éloge de la pédophilie, *Co-Ire*, Recherches, 1976.

(ce pour quoi tant de parents espèrent corriger leurs propres échecs à travers leur progéniture).

Enfin nous chérissons chez nos petits garnements un égoïsme sacré et sans remords, ce sentiment d'être les créanciers des adultes auxquels ils n'ont pas demandé de naître. Étroitement asservi aux autres de par sa constitution, le petit faune est un seigneur à qui tout est dû : « La maladie, la mort, le renoncement aux jouissances, les limites imposées au propre vouloir ne doivent pas valoir en ce qui concerne l'enfant », note Freud ; « les lois de la nature ainsi que celles de la société doivent s'arrêter devant lui, il doit de nouveau être le centre et le noyau de la création, His Majesty The Baby tel que jadis on croyait l'être [1]. » Bref en délivrant l'Enfant Roi qui survit derrière les rides de l'homme mûr, je me sacre monarque, je fais en sorte que tous mes désirs soient légitimes parce que venant de moi, je confère à mon narcissisme une souveraineté absolue.

Ainsi saisit-on toute l'ambiguïté de cette survalorisation des premières années : on célèbre moins le droit des enfants que le droit à l'enfance pour tous. L'enfant réel en effet est celui qui nous assigne à notre mortalité — la naissance des enfants, disait Hegel, est la mort des parents —, celui qui un jour prendra notre place et dans lequel nous contemplons notre future disparition. Mais vénérer l'enfance en tant que telle, c'est au contraire clamer le droit à l'irresponsabilité pour tous de 7 à 77 ans, s'installer à demeure dans une quarantaine délicieuse pour ne jamais rejoindre la planète rébarbative des Grands.

Qu'on nous entende bien : personne ne désire effectivement redevenir bambin ou poupon. On veut plutôt cumuler

---

1. Sigmund Freud, « Pour introduire au narcissisme », in *La Vie sexuelle*, PUF, 1969, p. 96. Freud parle ici du point de vue des parents qui projettent leur narcissisme sur l'enfant.

les privilèges de tous les âges, l'aimable frivolité de la jeunesse avec l'autonomie de la maturité. On se souhaite le meilleur des deux mondes. (Et l'on ne veut pas plus du statut de l'adolescence laquelle est un modèle de crise, de remaniement de l'identité alors que le bébé respire l'épanouissement et l'équilibre.) On exalte donc moins l'enfantin que l'infantile, on érige la régression en mode de vie comme dédommagement aux duretés du destin [1]. Et puisque l'enfance n'existe que dans l'inconscience de soi, « la nescience » [2], jouer à l'enfant quand on est majeur ne peut être synonyme que de singeries, grimaces de grandes personnes qui voudraient cumuler savoir et naïveté, force et irréflexion. Nous ne disons plus comme Dostoïevski que les enfants sans péché « existent pour toucher nos cœurs, les purifier » mais qu'ils nous montrent la voie, qu'ils sont nos guides en étourderies, toquades, fantaisies. L'humain tout entier se résume à ce ravissement originel : en sortir, c'est connaître l'exil, loin de la vraie vie. Nous sommes les survivants de notre première jeunesse, nous sommes en deuil du petit que nous avons été, et nous vieillissons sans grandir.

DE L'ENFANT CITOYEN AU CITOYEN ENFANT

Ultime symptôme de ce glissement : déclarer, comme l'a fait l'ONU le 20 novembre 1989, que l'enfant est déjà une

---

1. Sur la détresse du moi et la tentation infantile, lire de Conrad Stein, « Majesté et Détresse », in *Pédiatrie et Psychanalyse,* sous la direction de Danielle Brun, PAU, 1992.
2. « C'est le destin commun de l'enfance et de l'innocence que de n'exister que par rétrospection : sur le moment la jeunesse est substantiellement et ontiquement jeune ; c'est à cette inconscience qu'on reconnaît l'authentique jeunesse. » (Vladimir Jankélévitch, *Traité des vertus,* « L'Innocence et la Méchanceté », Flammarion, 1972, tome III, p. 1196.)

personne humaine en titre, un citoyen de plein droit et que le cantonner au statut de mineur en raison de son âge est une discrimination de même nature que celle qui frappe les Noirs, les Juifs ou les femmes. Tout a été dit sur cette campagne relayée à l'époque en France par le ministre de la Famille Hélène Dorlhac : qu'il s'agit là malgré la bonne volonté des législateurs d'un cadeau empoisonné fait à l'enfance qu'on livre pieds et poings liés à toutes les manipulations ; qu'on ne peut sans démagogie déclarer compatibles l'état de mineur et le plein exercice des droits qui suppose la capacité juridique et qu'enfin cette nouvelle approche risque une fois encore d'éluder les devoirs des éducateurs et des parents[1]. De notre point de vue la convention de l'ONU est aussi un révélateur de la manière dont les adultes se projettent sur les petits. Dire comme elle le fait que mouflets et mouflettes sont déjà des grandes personnes, seule la taille les sépare de leurs aînés, c'est sous-entendre que rien n'empêche celles-ci d'être des marmots poussés en graine, que la réversibilité peut être totale. C'est placer dans l'enfant une sagesse, une raison dont on ne veut plus pour soi-même, l'accabler d'une responsabilité qui l'écrase, car à l'évidence il ne peut répondre de soi, pour mieux nous en décharger. Dans la régression infantile, il y a toujours un personnage en trop et c'est l'enfant lui-même, titulaire de prérogatives que nous quêtons pour nous et qu'il semble usurper à nos dépens, l'enfant coupable de vouloir s'accaparer l'enfance au lieu de nous la céder. Ce que l'on réclame en fait, c'est moins la reconnaissance du petit d'homme comme sujet que le droit pour tous à la

---

1. Irène Théry a bien montré le danger et la démagogie d'une telle convention (*Le Démariage*, op. cit., dernier chapitre). Voir également sur le sujet les interventions très éclairantes d'Alain Finkielkraut et d'André Comte-Sponville, in *Autrement*, septembre 1991, n° 123.

confusion des âges [1]. De l'enfant citoyen au citoyen enfant dans ce chassé-croisé se joue tout un destin possible de l'individu contemporain. En prêtant à nos chérubins sapience, discernement et mesure, nous nous délestons de nos obligations envers eux.

Cette mentalité, il est vrai, est la contrepartie d'un véritable luxe des pays riches : l'âge a cessé d'être pour nous un verdict. Il n'est plus de seuil au-delà duquel l'être humain serait hors d'usage et l'on peut aujourd'hui recommencer sa vie à 50 ou 60 ans, modifier son destin jusqu'aux derniers instants, contrebalancer la disgrâce de la retraite qui met au rebut des personnes intellectuellement et physiquement capables. « Vieillir, c'est se retirer graduellement de l'apparence », disait Goethe. Il est hautement positif que les hommes et les femmes en grand nombre souhaitent de nos jours *persister dans l'apparence,* en état de bonne santé relative et sans pâtir de discriminations.

Cet élargissement des possibles est celui d'une société où les plus de 60 ans représenteront en France en l'an 2010 plus de 27 % de la population. Un mouvement s'organise chez les gens du troisième âge qui, forts de leur pouvoir d'achat, se constituent en groupes de pression et militent contre l'exclusion, la dépossession progressive de leurs moyens physiques et pour le droit au plaisir. C'est là un immense progrès puisqu'à cette volonté de vivre pleinement correspond le recul du seuil d'entrée dans la vieillesse (qui commençait il y a deux siècles à 35 ans !). Il sera passionnant de voir dans les années à venir si ce mouvement s'alignera sur le modèle infantile de la réclamation et

---

1. Comme le dit la psychanalyste Liliane Lurçat : « Les enfants commettent désormais des crimes d'adultes : ceux qu'ils voient commettre à l'écran. On a dit que le XXe siècle était celui des enfants. C'est faux ; c'est celui de la fusion des âges. » (*Le Nouvel Observateur,* 2 décembre 1993.)

de la récrimination, si les sexagénaires formeront l'ultime catégorie des enfants gâtés de la société ou si, au contraire, forts de leur volonté légitime de reconnaissance, ils tenteront d'élaborer un autre schéma fondé sur la dignité, la sérénité et la transmission de la mémoire[1].

Or le premier droit dont devrait bénéficier l'enfant, c'est celui d'être protégé contre la violence, l'arbitraire et parfois la cruauté de ses aînés. Mais c'est aussi le droit contradictoire d'être respecté dans sa nature et son insouciance et d'être doté des moyens de sortir progressivement de sa condition à mesure qu'il grandit. Si on veut « le mûrir pour la liberté », comme le disait Kant à propos du peuple, il faut l'éclairer et l'instruire et non l'abandonner à une splendide indolence. Il est donc dangereux de détruire les abris (école, famille, institutions) à travers lesquels il maîtrise lentement le chaos de la vie[2] et indispensable de l'apprivoiser à la responsabilité en lui offrant des tâches à sa mesure, en lui donnant la maîtrise graduelle de sphères de plus en plus larges. (Et non pas en lui demandant de parodier les adultes, de se réunir par exemple en conclave pour mimer la vie parlementaire, de se déguiser en journaliste pour interviewer une personnalité. Notre époque privilégie un seul rapport entre les âges : le pastiche réciproque. Nous singeons nos enfants qui nous copient.) Il faut évidemment placer l'impubère chaque fois qu'on le peut en position de répondre de ses actes à condition de définir un domaine précis qui reste à sa portée et de lui offrir une sanction qui entérine le progrès ou l'échec[3]. Tel

---

1. Voir à ce propos l'excellent article de Jean-François Collanges dans *Réforme*, 6 juin 1993.

2. Voir Hannah Arendt, *La Crise de la culture*, Idées, Gallimard, 1972, chap. v, et le beau commentaire qu'en donne Jean-François Lyotard, *Lectures d'Enfance*, Galilée, 1991, pp. 82-83.

3. Sur la propédeutique à la responsabilité, voir Alain Etchegoyen, *Le Temps des responsables*, Julliard, 1993, pp. 192 et 208.

est le paradoxe de l'éducation : disposer le petit d'homme à la liberté à travers l'obéissance à des adultes qui l'aident à ne plus être assisté et l'accompagnent dans son émancipation progressive. Dans l'éducation, l'autorité est le sol sur lequel s'appuie et s'arc-boute l'enfant pour s'en détacher ensuite et le maître idéal est celui qui apprend à tuer le maître (alors que beaucoup d'éducateurs sont tentés par l'abus de pouvoir, le plaisir de régner sur des âmes malléables qu'ils décrètent inaptes à la maturité pour mieux les dominer). L'enfance est un monde complet, un état de perfection qui ne manque de rien, qui nous émeut parfois jusqu'aux tréfonds. Nous pleurons d'admiration et d'attendrissement devant ce petit peuple et nous répugnons à altérer par nos leçons et nos commandements ce prodige incarné. Ce sont souvent les grandes personnes qui paraissent à côté de lui empotées, laides, défectueuses. Mais puisque « l'innocence est faite pour être perdue » (V. Jankélévitch), il importe aussi de respecter en chaque enfant un humain en devenir qu'il faut fortifier en développant son caractère et sa raison. Toute contrainte n'est donc pas oppressive qui aiguise l'esprit et l'oblige à se déployer à l'intérieur de certaines règles ou, pour être plus précis, la contrainte est la condition même de la liberté.

Ne pouvant parler de soi, l'enfant est la proie éternelle de ceux qui parlent à sa place : dans sa mystérieuse limpidité, il légitime les utopies les plus radicales comme les plus conservatrices, il représente la pureté comme le mal, la subversion comme la docilité. Il est *ce secret en pleine lumière* à qui nous dressons des autels et des bûchers, que nous habillons en ange ou en démon. Et notre société oscille en ce qui le concerne entre le laxisme et l'autoritarisme, le laisser-faire et la maison de correction, le jouet et le fouet. Elle l'idéalise dans l'exacte mesure où elle le diabolise et vice versa. Et quel meilleur exemple de la fusion entre l'infantile et le victimaire que la promotion récente du fœtus au rang de sujet de droit, nouvel alibi des conservateurs américains et européens ainsi que du Vatican ? Le fœtus : l'innocence absolue jointe au dénuement le plus extrême, l'archétype de la précarité et de la faiblesse réunies, une âme à qui auraient été déniés les privilèges de l'incarnation. Au lieu que le petit d'homme, comme l'a bien vu Hanna Arendt, soit celui qui, de par sa naissance, introduit du nouveau dans le monde et offre à l'humanité la chance d'un recommencement, il n'a pour charge, dans l'image idyllique que nous en donnons, que de confirmer l'enfance comme légende. Tant il est vrai qu'à travers cette légende nous esquissons surtout le portrait de ce que nous voudrions être : des adultes physiquement aptes mais bénéficiant par ailleurs de tous les privilèges des mineurs. Des êtres dotés de droits mais sans devoirs ni responsabilités.

DUR, DUR D'ÊTRE UN ADULTE !

Multiples sont dans nos sociétés les signes les plus visibles d'une volonté de rajeunissement général, d'un glissement collectif vers le berceau et les hochets : nombreux films à succès dont les héros sont des nourrissons, virtuoses d'avant les dents de lait, bébés mannequins, jeunes idoles multimillionnaires à 7 ans, fantasques et cabotines comme de vieilles stars (l'on sait combien le cinéma américain de Shirley Temple à Judy Foster est prodigue de vedettes à barboteuse qui paradent sur l'écran à l'âge où d'autres sucent des sucres d'orge), chanteur miniature de 4 ans, homoncule aphone devenu la coqueluche des foules en ânonnant son mal de vivre : « Dur, dur d'être un bébé[1]. » Cette irruption enfantine sur la scène du

---

1. Il s'agit du petit Jordy, 4 ans en 1993, produit et dirigé par ses parents et dont les chansons et les clips ont fait un malheur en France et à l'étranger.

rock, des variétés, du septième art, jusque-là réservée aux adolescents, cette floraison d'acteurs et de crooners de poche touche massivement tous les publics. Partout marmots et marmousettes font assaut de mignardises pour nous attendrir. Les bébés sont les dieux en modèle réduit de notre univers et ils ont détrôné les *teen-agers* déjà bons pour la retraite. L'impérialisme poupon ne connaît plus de bornes, les petits messieurs et demoiselles nous régentent en bavettes et layettes !

Les grandes personnes ne demeurent pas en reste pour retomber en enfance, inverser la flèche du temps, la retourner comme les doigts d'un gant. Voyez un de nos mythes contemporains, la pop-star américaine Michael Jackson, qui tout à son aspiration à devenir un ange, un homme d'avant la chute travaille à gommer la double malédiction de l'âge et de la race (au point d'évoquer une créature étrange à mi-chemin de Bambi et Dracula). Dans sa folle tentative, ce chanteur faustien témoigne de la passion contemporaine pour la jeunesse éternelle, le désir d'immortalité. « Vieillir c'est bientôt fini », proclame la couverture d'un magazine [1]. Incroyable nouvelle ! Si la vieillesse n'est déjà plus qu'une question de temps, s'il est possible non seulement d'effacer les rides, de gommer les plis, de corriger les silhouettes, de réimplanter les cheveux, de retarder la sénescence mais surtout de faire reculer l'horloge biologique, alors l'ennemi ultime, la mort, devrait prochainement être terrassée. Ce sont toutes les définitions du normal et du pathologique qui sont bouleversées : ne pas être malade est la moindre des choses. Il faut d'abord nous guérir de cette maladie mortelle qu'est la vie puisque celle-ci s'arrête un jour. On ne distingue plus entre les fatalités modifiables — freiner le délabrement physique, prolonger

---

1. *Le Figaro-Magazine,* 14 novembre 1992.

l'existence — et les fatalités inexorables, la finitude et la mort. Celle-ci n'est plus le terme normal d'une vie, la condition en quelque sorte de son surgissement, mais un échec thérapeutique à corriger toutes affaires cessantes. Les machines, la science prétendaient nous libérer de la nécessité et de l'effort ; c'est du devenir dont nous aspirons à nous affranchir désormais. La modernité nous fait miroiter la possibilité prochaine d'une maîtrise du vivant afin de procéder à « une seconde création » qui ne devrait plus rien aux hasards de la nature. Ce ne sont plus ces ambitions qui nous paraissent folles mais le retard ou les entraves mises à leur réalisation.

D'un point de vue plus prosaïque, cette furieuse aspiration à l'irresponsabilité se traduit, à la télévision ou à la radio, par la suprématie du « niveau caca-boudin » (plaisanteries organiques ou scatologiques, blagues de potaches, pour ne pas mentionner, dans certaines émissions de variétés, ces personnalités déguisées en lycéens, écoliers, poupons ou prodiguant des conseils érotiques en suçant tétines et biberons, etc.). Comme si les spectateurs galvanisés par des pitres survoltés étaient invités à se défouler collectivement, à oublier quelques heures durant usages et conventions pour s'abandonner à de longues tranches de crétinisme heureux. Comme dans ce film américain déjà signalé où un bébé de deux ans frappé par une décharge électro-magnétique devient un géant de plusieurs mètres qui enjambe maisons et bâtiments, écrase de ses petits pieds voitures et bus, terrorise la ville entière, nous avons tous grandi par mégarde sans évoluer moralement et nous ne reculons devant aucun moyen pour prolonger une enfance qui persiste en nous par surimpression. Et puisque la vraie vie est avant, nous effectuons sur nous-mêmes un *véritable détournement de majeurs,* remontant le cours du temps vers le pays de la juvénilité éternelle.

On objectera qu'il s'agit là d'excentricités trop voyantes

pour être significatives. Mais pour que ces bizarreries passent, il faut que nous soyons déjà tellement imprégnés d'enfantillage qu'il baigne l'ensemble de notre environnement et s'offre à nous avec le caractère d'une évidence qu'on ne voit plus. Comme si l'audace d'avoir osé parler à la première personne devait se payer d'un terrible châtiment, le nouvel Adam occidental rétrograde, s'abîme délicieusement dans la bêtise, le gâtisme, les pitreries pittoresques des petits, pourvu qu'il ait les bénéfices de cette période sans les servitudes qu'elle suppose. Le « puérilisme » dans nos sociétés n'est pas celui des mondes traditionnels, il est mimétique et parodique, un écart par rapport à une norme admise de sagesse et d'expérience. Aucune relation entre ce penchant au retour en arrière et ce que Sudhir Kakar, parlant de l'Inde, appelle « le moi-sous-développé » : structure psychologique qui se traduit chez les Indiens, à la suite de la relation fusionnelle entre la mère et l'enfant et de chacun avec sa caste et ses dieux, par une difficulté à se conduire en personne autonome, à s'adapter aux situations nouvelles, à s'arracher à l'univers de la hiérarchie et de la soumission. Répétons-le : l'infantilisme en Occident n'est en rien l'amour de l'enfance mais la quête d'un état hors du temps où l'on brandit tous les symboles de cet âge pour s'en griser, s'en étourdir. Il en est la contrefaçon, l'usurpation grimaçante, il la disqualifie autant qu'il piétine la maturité et il entretient une confusion préjudiciable entre l'enfantin et le gamin. Le bébé devient l'avenir de l'homme quand l'homme ne veut plus répondre ni du monde ni de soi.

LES DEUX IMMATURITÉS

Contrairement à une idée héroïque trop souvent répandue, il n'est pas d'humanité possible sans régression, sans gâtisme ni gazouillis, sans d'exquises rechutes dans la bêtise. Le morne piétinement de la vie, pour être supportable, doit s'accompagner aussi d'une indéfectible puérilité qui se rebelle contre l'ordre et le sérieux. Mais il est un bon usage de l'immaturité, une façon de se tenir au plus près des enchantements de l'enfance qui alimente en nous un élan vivifiant contre la sclérose et la routine. A chaque étape de la vie, en effet, nous sommes guettés par deux risques : celui du renoncement qui veut se donner pour une sagesse et n'est souvent que l'autre visage de la peur ; celui de la caricature qui nous incite à contrefaire la jeunesse, à simuler un enthousiasme éternellement juvénile. Comment mûrir sans se résigner, garder une fraîcheur d'esprit sans retomber dans le simplisme adolescent ?

Or ce que nous disent les instants de grâce de l'existence, ces merveilleux moments où l'extase nous submerge, c'est qu'il est deux enfances possibles dans une vie : la première qui nous quitte à la puberté et une autre enfance de l'âge mûr qui survient par éclats, visitations ardentes et nous fuit dès que nous tentons de la capter. L'enfance est une seconde candeur que l'on retrouve après l'avoir perdue, une rupture bienfaisante qui nous irrigue d'un sang neuf et brise la carapace des habitudes. Il est donc une façon de se mettre en posture enfantine qui est un gage de renouvellement contre la vie pétrifiée et fossile : une capacité de réconcilier l'intellectuel et le sensible, de sortir de la durée, d'accueillir l'inconnu, de s'étonner de l'évidence. Faire toutes ses enfances, comme le demandait saint François de Sales, c'est rester proche de la fécondité des premières années, briser les limites du vieux moi en le plongeant dans un bain lustral.

Telle est peut-être une vie réussie : une vie en état de renaissance, de rebondissement perpétuels où la faculté de recommencer l'emporte sur le caractère acquis et le souci de se conserver. Une vie où rien n'est figé, irréversible et qui accorde, même au destin en apparence le plus rigide, une marge de jeu qui est la marge de la liberté. Alors l'enfance n'est plus un refuge pathétique, l'inavouable travestissement où tombe le vieil adulte flétri mais le supplément d'une existence déjà épanouie, le joyeux débordement de celui qui, ayant accompli sa route, peut se retremper dans la spontanéité et le charme des premiers temps. Alors l'enfance comme grâce quasi divine peut frapper le visage du vieillard autant que la sénilité précoce s'imprimer sur celui du jeune homme. « Il n'est pas plus surprenant de naître deux fois qu'une » (princesse Bibesco).

HALTE À CUCULAND

Cette pédagogie à rebours a son espace privilégié qui est comme un condensé de toutes les mythologies de l'époque : Disneyland, terre promise de la mièvrerie, Babylone du sirupeux. Conçu à l'origine par son fondateur en 1955 comme « un parc enchanté où adultes et enfants pourraient se distraire ensemble », le pays des merveilles est une île vers laquelle nous voguons pour nous laver de nos tracas. Ce phalanstère est une parenthèse à l'intérieur de ce monde, et nous y entrons avec un passeport qui symbolise bien le passage d'une frontière. Tout est calculé pour nous arracher au cours habituel des choses : les membres du personnel s'appellent en anglais les *Cast Members* comme s'ils étaient les acteurs d'une pièce qui se joue avec notre participation, ils n'ont que des prénoms et sont astreints au sourire, à la bonne humeur permanente, conditions de base dans cette enceinte du bonheur obligatoire. Ici personne n'a d'état civil, vilaine habitude des sociétés historiques, nous sommes au pays de Nulle Part, dans un interstice du siècle où tous les êtres sont égaux dans le ravissement.

La planète Disney a reconstruit en miniature tous les continents, climats et paysages mondiaux (même si le style dominant reste celui de l'Amérique, de ses régions, de son épopée). On y passe sans transition de la préhistoire aux voyages interstellaires, de la terre des Indiens et des trappeurs au château de la Belle au bois dormant, de l'île des Pirates à la Cité futuriste, le tout sur un arrière-plan de flèches, de minarets, de toits de palais, de bulbes, de clochetons. C'est une heureuse combinaison des siècles, des croyances et des mœurs où tout ce qui divise artificiellement les hommes a été gommé. Avec un art consommé de la reconstitution, Disneyland remet au monde époques et cultures qui coexistent en bonne intelligence dans cet espace bienveillant. Et sur les tipis du Peau-Rouge comme sur l'auberge de Cendrillon, une même tonalité à base d'ocre, de rose et de pastel fond les contrées recréées dans une même patine suave et caressante, fabrique de la concorde avec du divers. Dans cette encyclopédie puérile de l'histoire mondiale (où même la nature est réélaborée), les siècles et les nations lointaines peuvent revenir mais dépouillés de leur aspect inquiétant : cet heureux pot-pourri est façonné selon les lois de l'asepsie. Il n'offre que le parfum frelaté des époques révolues, non leur vérité.

L'entreprise d'édulcoration culmine à *Fantasyland* dans l'attraction « Un tout petit monde », hymne à la douceur des enfants de la planète : il s'agit d'une croisière à bord de bateaux plats sur une rivière souterraine et, de chaque côté de la berge, des poupées vêtues de leur costume national dansent et chantent des ritournelles exaspérantes dans des décors représentant leur pays d'origine. Défilent ainsi les savanes de l'Afrique, la tour Eiffel, Big Ben, le Taj Mahal dans un cosmopolitisme primaire qui a toutes les allures d'un prospectus touristique bon marché. Qu'il s'agisse d'une collection de poncifs n'a d'ailleurs aucune importance. L'essentiel est d'exorciser la violence éventuelle des coutumes distantes, l'essentiel est de célébrer l'étranger sans qu'il paraisse étrange. (Aux États-Unis, le *niceism*, la gentillesse un peu sucrée est le contrepoint forcé de l'orgie de brutalité et de sang qui explose à toute heure sur les chaînes de télévision. La sentimentalité accompagne comme son double la sauvagerie dans la vie quotidienne.) Ainsi les pirates de Caribbean Island ont beau se saouler au rhum, hurler, ripailler, s'affronter au sabre (ce sont des *audioanimatronics*, des automates d'une grande ingéniosité, à apparence humaine, animale ou végétale), leurs cris restent bon enfant, il est difficile de les prendre au sérieux. Disney suggère le mal pour mieux le neutraliser, réduit le globe à la dimension d'un fabuleux joujou, lui ôte tout caractère d'inquiétude, de péril. Races, civilisations, croyances, peuplades peuvent se côtoyer sans risques puisqu'on les a vidées au préalable, nettoyées de leurs aspérités, réduites à leur aspect folklorique. Ces différences, sources de différends, n'ont plus d'importance et n'arrêtent pas le large courant de sympathie et de bonté ardente qui circule ici. Réduit à merci par le parc à thèmes, le monde extérieur n'est plus qu'une impureté anodine, un déchet puisqu'il en existe un double où la mort, la maladie, la méchanceté sont annulées, où rien ne pèse, rien n'a d'importance.

LA SÉDUCTION DU KITSCH

En apparence le royaume enchanté marque l'apothéose du conte de fées : on y retrouve nos personnages familiers mêlés à ceux de Walt Disney. Ils sont tous là comme s'ils venaient de sortir de l'écran d'un dessin animé ou des pages d'un livre : ils viennent à notre rencontre, nous esquissons avec eux un pas de danse, rions avec Bambi, Djumbo l'éléphant volant ou les Sept Nains et nous pouvons même nous vêtir comme eux, porter par mimétisme une paire d'oreilles de Mickey, nous déguiser pendant quelques heures en héros de fables. Mais cette familiarité est trompeuse et l'on est aussi loin ici du conte classique européen que du premier Walt Disney, autrement plus corrosif et caustique. Si les fantômes, les reines cruelles, les têtes de mort sont présents, c'est à titre de concession à l'univers de nos légendes : ils ne remettent jamais la bonne humeur en question. Seule règne la logique optimiste du *happy end* : Pinocchio, Blanche-Neige, le Capitaine Crochet, le Chapelier Fou, le Chat de Chester défilent mais embaumés dans leurs stéréotypes, détachés des histoires de Grimm, Carroll, Perrault, Collodi qui leur donnaient sens et épaisseur. Le conte de fées, comme l'a bien marqué Bruno Bettelheim, est le passage de l'angoisse éprouvée à l'angoisse surmontée à travers un récit qui raconte à l'enfant ses propres complexes et pulsions inavouables [1]. C'est un guide subtil qui oriente fantasmes et ambivalences vers un dénouement cohérent. En ce sens il a bien une fonction éducative, il discipline le chaos intérieur nonobstant les violences qu'il déploie et qui ont effrayé bien des éducateurs.

Rien de tel dans le domaine magique de Mickey : là tout est lisse, propre, impeccable, toute liaison narrative est oubliée, l'histoire est désarticulée, elle n'est plus qu'une suite d'attractions qui se décomposent en saynètes, petits tableaux, épisodes semés au hasard. La fiction ne peut que se consommer et se contempler, plus se raconter. La force de Disney est d'avoir su, par le biais de cette présentation, recycler toutes les mythologies de l'enfance en une seule, la sienne, depuis les Mille et une Nuits jusqu'à Lancelot du Lac. Et ce melting-pot des imaginaires européens et orientaux, en éludant leur ambiguïté, élude aussi leur pouvoir d'envoûtement.

C'est donc moins l'enfance qu'exalte ce vaste enclos que l'ensemble des signes et représentations qui se sont fixés sur elle : moins l'enfantin que le puéril. Cette construction

---

1. Bruno Bettelheim, *Psychanalyse des contes de fées,* Pluriel Poches, p. 191.

pharaonique est tout entière dédiée à la grande divinité moderne : « le cucul transcendantal » (Witold Gombrowicz), le sucré, le gnangnan d'où est exclu tout élément équivoque. Déroute du freudisme : l'enfance n'est pas ici polymorphe mais asexuée, dégoulinante de bonté telle que les adultes aiment à se la représenter, miroir de leurs propres rêves. L'enfant lui-même s'y retrouve dans une version idéalisée de son univers grâce à un formidable travail d'expurgation : c'est une enfance de synthèse que l'on y savoure ici, congelée et figée. Tout prend donc l'allure d'un parcours initiatique mais comme initiation à rien sinon à la clémence, à l'aménité du monde et des choses, toutes chargées de tenir à distance l'univers cruel des hommes et de leurs passions. Le roman d'apprentissage tourne court.

Et pourtant la magie fonctionne : l'on s'émerveille malgré tout de ces poupées chantantes, de ces mannequins animés, de ces décors de carton-pâte, de ces mélodies insipides qui finissent par s'imprimer dans la mémoire. Ce ne sont pas seulement les petits prodiges d'invention (par exemple le bal des spectres par hologramme dans la Maison Hantée), les exploits architecturaux, la multitude des effets spéciaux qui placent l'entreprise Disney bien au-delà de ses concurrents en la matière. C'est qu'il y a une terrible séduction du kitsch lorsqu'il est couplé à l'enfance, une sorte de redoublement vertigineux, un pouvoir d'attraction abyssal du niais et de la guimauve quand ils se déroulent dans le décor d'une vaste nursery. Nous le savons depuis Flaubert, la bêtise est l'une des formes de l'infini ; et le mauvais goût peut devenir une mystique s'il est associé au douceâtre, au gentillet. Cette molle sentimentalité réconcilie tous les âges : elle rassure, apaise, forme un rempart puissant contre les atteintes du réel. « Disneylandiser » le monde et l'histoire, c'est les édulcorer pour les escamoter.

Bien sûr cet excès de prévenances, de mignardises finit par engendrer un persistant malaise, une envie compensatoire d'imprévu, de dureté, d'affrontement. Et l'on étouffe au final sous ce despotisme de la douceur qui vous accable de sourires et de bienveillance : on en ressort empoissé de fadeur, assommé de fausse amitié. Pour que la chimère fût parfaite, il faudrait que nous quittions les lieux métamorphosés à notre tour en personnages de bandes dessinées, rapetissés et rajeunis, figés en Pluto, en Merlin, en Alice ou en Donald. Au moins avons-nous goûté quelques heures durant l'élixir d'innocence qui nous transforme tous en stéréotypes de petits garçons et de petites filles. Et dans cette Arcadie mielleuse où nul n'est méchant durablement, tout se termine pour le mieux dans l'éternel sourire de Mickey, le rictus figé de la mièvrerie.

BE YOURSELF

Qu'est-ce qu'être adulte, idéalement parlant ? C'est consentir à certains sacrifices, renoncer aux prétentions exorbitantes, apprendre qu'il vaut mieux « vaincre ses désirs plutôt que l'ordre du monde » (Descartes). C'est découvrir que l'obstacle n'est pas la négation mais la condition même de la liberté laquelle, si elle ne rencontre aucune gêne, n'est qu'un fantôme, un vain caprice puisqu'elle n'existe aussi que par l'égale liberté des autres fondée dans la loi. C'est reconnaître qu'on ne s'appartient jamais complètement, qu'on se doit d'une certaine manière à autrui lequel ébranle notre prétention à l'hégémonie. C'est comprendre enfin qu'il faut se former en se transformant, qu'on se fabrique toujours contre soi, contre l'enfant

114

qu'on a été et qu'à cet égard toute éducation, fût-elle la plus tolérante, est une épreuve qu'on s'inflige pour s'arracher à l'immédiateté et à l'ignorance. En un mot devenir adulte — si tant est qu'on y parvienne jamais — c'est faire l'apprentissage des limites, c'est en rabattre de nos folles espérances et travailler à être autonome, capable de s'inventer autant que de s'abstraire de soi.

Or l'individualisme infantile, à l'inverse, est *l'utopie du renoncement au renoncement.* Il ne connaît qu'un mot d'ordre : sois ce que tu es de toute éternité. Ne t'embarrasse d'aucun tuteur, d'aucune entrave, évite tout effort inutile qui ne te confirmerait pas dans ton identité avec toi-même, n'écoute que ta singularité. Ne te soucie ni de réforme ni de progrès ni d'amélioration : cultive et soigne ta subjectivité qui est parfaite du seul fait qu'elle est tienne. Ne résiste à aucune inclination car ton désir est souverain. Tout le monde a des devoirs sauf toi.

Telle est l'ambivalence du *Be Yourself* : pour être soi, encore faut-il que l'être puisse advenir, que les possibles s'actualisent, que l'on ne soit pas encore ce qu'on sera un jour. Or on nous invite à nous valoriser sans médiation ni travail et l'idée de payer de sa personne pour gagner son droit à l'existence est entrée dans un irrémédiable déclin. Donné à moi-même, je n'ai plus qu'à m'exalter sans réserves : la valeur suprême n'est plus ce qui me dépasse mais ce que je constate en moi-même. Je ne « deviens » plus, je suis tout ce que je dois être à chaque instant, je puis adhérer sans remords à mes émotions, envies, fantaisies. Alors que la liberté est faculté de se dégager des déterminismes, je revendique de les épouser au plus près : je ne pose aucune borne à mes appétits, je n'ai plus à me construire, c'est-à-dire à introduire de la distance entre moi et moi, je n'ai qu'à suivre ma pente, à fusionner avec moi-même. De là un usage souvent équivoque du terme d'authenticité : il peut signifier que chacun est à lui-même

115

sa propre loi (Luc Ferry) [1] mais en venir aussi à légitimer le simple fait d'exister, l'affirmation de soi comme modèle absolu : être est un tel miracle qu'il nous met à l'abri de tout devoir ou impératif. Ce que l'on peut reprocher à certaines philosophies contemporaines de l'individu, ce n'est pas de trop exalter ce dernier, c'est de ne pas l'exalter assez, d'en proposer une version amoindrie, de prendre la dégénérescence pour une preuve de santé ; c'est enfin d'oublier que l'idée de sujet suppose une tension constitutive, un idéal à atteindre et que l'imposture commence quand on donne l'individu pour acquis alors qu'il reste à faire.

JE LE MÉRITE

Si nulle notion n'est plus riche et mobilisatrice que celle du droit à, c'est qu'en permettant la critique de ce qui est au nom de ce qui doit être, elle nous pousse à réclamer à l'État et aux institutions un nombre incalculable de bienfaits sans avoir à nous justifier. Attitude désinvolte qui prend la société de consommation au pied de la lettre et la traite comme une gigantesque corne d'abondance au risque de la voir de nos jours se déliter pan par pan. Dans l'État providence, la providence a dévoré et dévalorisé la majesté de l'État : celui-ci n'est plus qu'une instance donatrice et redistributive à qui l'on arrache pied à pied d'innombrables concessions. Conçu au départ pour répartir sur l'ensemble de la nation les tâches de la solidarité nationale, il n'en a

---

1. Luc Ferry, *Le Nouvel Ordre écologique*, Grasset, 1992, p. 265. Sur le même sujet voir également l'article d'Alain Renaut, « Politesse et Sincérité », in *Faut-il être ce que l'on est ?*, Éditions Esprit, 1994, pp. 135 sqq.

pas moins encouragé en chacun le goût de l'assistance et de la réclamation sans fin : cet indispensable facteur de paix sociale nous invite à voir nos exigences comme toujours fondées et les privations comme intolérables. Triomphe de la génération « Je le mérite », j'ai droit à tout sans contrepartie, selon l'expression forgée par Michael Josephson : état d'esprit d'une large fraction de la jeunesse américaine refusant toute espèce de normes ou d'obligations qui pourraient freiner la recherche du succès ou du confort [1]. Les noces du droit, de l'État providence et du consumérisme concourent donc à façonner un être vorace, impatient d'être heureux tout de suite et certain, si la félicité tarde, qu'on l'a floué, qu'il a droit à compensation pour son rêve écorné. Là réside le lien commun entre l'infantilisme et la victimisation : l'un et l'autre se fondent sur la même idée d'un *refus de la dette*, sur une même négation du devoir, sur la même certitude de disposer d'une créance infinie sur ses contemporains. Ce sont deux manières, l'une risible, l'autre sévère, de se mettre en marge du monde en récusant toute responsabilité, deux façons de se retrancher du combat de la vie, la victimisation n'étant jamais qu'une forme dramatisée de l'infantilisme.

Ainsi veut-on tout et son contraire : que cette société nous protège sans rien nous interdire, qu'elle nous couve sans nous contraindre, nous assiste sans nous importuner, nous laisse tranquilles mais nous tienne aussi par les mille rets d'un rapport affectueux, bref *qu'elle soit là pour nous sans que nous soyons là pour elle.* « Fichez-moi la paix, occupez-vous de moi. » L'autosuffisance dont nous nous targuons est semblable à celle de l'enfant qui s'ébat sous la tutelle d'une mère omniprésente et nourricière qu'il ne voit plus à force d'être enveloppé par elle. On se tient au milieu des autres

---

1. William Raspberry, « En Amérique enseigner l'éthique », *Libération,* 12 novembre 1990.

comme si on était seul, on survit dans cette fiction : un monde où autrui n'existerait que pour m'assister sans que je sois pour autant son obligé. On prend à la collectivité ce qui nous convient, on lui refuse son concours pour le reste. Érigé en norme absolue, le principe de plaisir, c'est-à-dire la volonté de n'en faire qu'à sa tête, nous affaiblit et dégénère en hédonisme médiocre, en fatalisme. Il s'oppose moins alors au principe de réalité qu'au principe de liberté, à la faculté de ne pas subir, de ne pas consentir à l'ordre des choses. La souveraineté du caprice, quand elle est menée sans limites, ne pulvérise pas seulement le principe de l'altérité : elle affaiblit les fondements du sujet. Ou pour le dire autrement, un certain individualisme débridé se contredit dans son principe même et dresse le décor de sa propre défaite.

DES VIEUX GALOPINS AUX JEUNES VIEILLARDS

Qu'est-ce que la génération des années 60 ? Celle qui a exalté la jeunesse au point de prendre pour mot d'ordre : ne faites jamais confiance à quelqu'un de plus de trente ans, qui a théorisé le refus de l'autorité et consacré la fin de la puissance paternelle. Celle aussi qui a balayé toute règle ou tabou au nom de la toute-puissance du désir, convaincue que nos passions, même les plus incongrues, sont innocentes et que les multiplier sans fin, nier l'angoisse et la culpabilité, c'est approcher au plus près de l'allégresse, de la grande joie.

On ne dira jamais assez combien ces années en dépit d'un terrorisme de la jouissance parfois aussi étouffant que le puritanisme furent un temps d'euphorie et de légèreté. Alors nulle maladie n'était incurable, nulle folie des sens ou combinaison érotique n'était dangereuse et l'on n'invoquait le Grand Soir que pour mieux passer de longues nuits d'étreintes enfiévrées. La coalition de la richesse des Trente Glorieuses et d'un État protecteur assurait aux jeunes gens le double statut et de contestataires écoutés et de polissons gâtés donnant à leurs moindres humeurs une coloration subversive. Il y avait une ivresse à renverser l'ancien ordre autoritaire d'autant que les murailles des interdits, déjà bien vermoulues, cédèrent presque sans combat. Heureuse époque où l'on pouvait soutenir sans rougir : plus je fais l'amour, plus je fais la révolution ! Même le gauchisme, à de rares exceptions près, ne fut qu'une manière primesautière de s'engager pour des idées pures sans se soucier des personnes ou des causes. Jongler avec des doctrines extrêmes, des slogans radicaux, convoquer à Paris, Berlin ou San Francisco ces fantômes qui avaient nom Prolétariat, Tiers-Monde, Révolution n'était la plupart du temps qu'un jeu sans gravité ni tragique, une manière épique d'insérer sa petite histoire dans la grande. Et la transition de l'ultra-gauchisme au conformisme des années 80 fut moins un reniement qu'une profonde continuité : personne ne fit réellement le deuil d'idéaux soutenus du bout des lèvres. Sous la langue de plomb de l'idéologie, il fallait entendre une autre musique : l'émergence tonitruante de l'individu dans l'univers démocratique. Le « tout politique » n'était qu'une rhétorique d'emprunt pour mieux parler de soi. Comment s'étonner que dans ce climat de ravissement, il y eut une incroyable fécondité artistique (surtout sur le plan musical) que la jeunesse actuelle se contente souvent de répéter ou de plagier ?

Mais cette génération indulgente n'a rien voulu transmettre à ses enfants que le refus de l'autorité assimilée à l'arbitraire. Et les rejetons du baby-boom firent de leur carence un dogme, de leur indifférence une vertu, de leur démission le nec-plus-ultra de la pédagogie libérale. Suprématie des papas potes, des mamans copines niant toute différence entre eux et leurs rejetons et n'offrant à ceux-ci qu'un credo ultra-permissif : fais ce qu'il te plaît ! Ce pour quoi ces « adultes juvéniles » (Edgar Morin) n'ont pas armé leurs petits pour les tâches qui les attendaient et croyant accoucher d'une humanité nouvelle ont fabriqué des anxieux, des êtres désemparés souvent tentés par le conservatisme afin de compenser cet abandon. De là chez leur progéniture cette demande d'ordre, ce raidissement moral, souvent superficiel, le besoin de repères à tout prix. De là encore ces vieux adolescents qui pantouflent chez leurs géniteurs jusqu'à trente ans, s'incrustent au domicile parental tout en suppliant parfois leurs aînés de les aider à se révolter contre eux (requête pathétique qui rappelle l'indignation de Marcuse contre la société bourgeoise, coupable de n'être plus répressive). Cette vérité qui veut que chaque classe d'âge s'élève sur le meurtre symbolique de la précédente, les garçons et les filles d'aujourd'hui, dans leur majorité, n'ont pu l'éprouver. Pour eux tout fut acquis et non conquis. Et c'est le drame des éducations trop libérales, sans interdit ni encadrement, que de n'être pas des éducations.

Étrange chassé-croisé de ces familles modernes éclatées où les jeunes vieux exigent de leurs pères et mères Peter Pan qu'ils assument enfin leur âge et leurs responsabilités. Mais ventripotents, dégarnis, myopes, les enfants du baby-boom, souvent devenus notables et rangés, restent rivés à leurs chimères ; vieux galopins jusqu'à la tombe, côte à côte avec de jeunes gâteux qui se vieillissent prématurément, conscients que leurs parents, en refusant de grandir, leur ont volé leur jeunesse.

DEUXIÈME PARTIE

Une soif de persécution

Chapitre 4

L'ÉLECTION PAR LA SOUFFRANCE

> « Dieu est juste : il sait que je souffre et que je suis innocent. »
>
> Rousseau, *Les Rêveries du promeneur solitaire.*

> « Tant de gens se sont crus traqués et ont écrit une littérature de traqués sans tracas. »
>
> Jean Genet.

> « On croirait que les gens sont envieux des malheurs qui vous arrivent. »
>
> Christine Villemin.

Dans un chapitre de ses *Essais de psychanalyse appliquée*[1], Sigmund Freud s'attache au caractère de certains êtres qui, à la suite de maladies ou de revers subis dans leur enfance, se croient exempts des sacrifices qui affectent l'humanité commune. Ils ont suffisamment enduré pour ne plus se soumettre à aucune privation et leur comportement, note Freud, n'est pas sans analogie avec celui « de peuples entiers chargés d'un lourd passé de malheurs ». Ils peuvent commettre une injustice puisqu'une injustice a été commise

---

1. Folio, Gallimard, 1971, p. 106 sqq.

à leur égard : ils sont des exceptions à qui la vie doit réparation. « Nous croyons tous, conclut Freud, être en droit de garder rancune à la nature et au destin en raison de préjudices congénitaux et infantiles, nous réclamons tous des compensations à de précoces mortifications de notre narcissisme, de notre amour-propre. Pourquoi la nature ne nous a-t-elle pas octroyé le front élevé du génie, les nobles traits de l'aristocrate ? Pourquoi sommes-nous nés dans la chambre du bourgeois et non dans le palais du roi ? »

LE MARCHÉ DE L'AFFLICTION

Ce que Freud esquisse ici, retrouvant les intuitions de Rousseau, c'est ce phénomène en passe de devenir, avec l'infantilisme, l'autre pathologie de l'individu contemporain : la tendance à pleurer sur son propre sort. Mais pourquoi les hommes seraient-ils plus malheureux aujourd'hui qu'avant ? Nous étions en Europe, hier, notamment à gauche, dans une pensée victimaire positive. Qu'était le socialisme sinon la version temporelle du christianisme, le serment fait aux exploités d'un monde plus juste où ils deviendraient enfin les premiers ? Ce *parti pris des misérables* progressait par une lutte commune contre un système oppressif et les douleurs privées, placées sous la juridiction de cette lutte, se frayaient un chemin dans une cause qui les dépassait et rejaillissait ensuite sur chacun sous forme de gains et d'avantages multiples. L'émancipation collective et personnelle ne faisait qu'une.

Mais dès lors que disparaissent les grandes excuses historiques qui nous permettaient d'attribuer nos misères au capitalisme et à l'impérialisme, dès lors que s'est évanouie la division Est-Ouest et qu'il n'est plus un seul adversaire identifiable, les ennemis prolifèrent, s'éparpillent en une multitude de petits Satans qui peuvent prendre tous les visages. Ce qui nous rendait libres depuis 50 ans, c'était la conjonction de la prospérité matérielle, de la redistribution sociale, des progrès de la médecine et de la paix assurée par la dissuasion nucléaire ; c'est à l'abri de cette quadruple enceinte que nous pouvions dire « je » en toute insouciance. Que ces piliers vacillent, que le chômage frappe, que se désintègre le mince filet de garanties tissé par l'État providence, que la guerre revienne en Europe, que le sida enfin renoue la vieille alliance du sexe et de la mort, et l'individu, touché dans ses œuvres vives, passe de la désinvolture à la panique. Nous sortons à peine du cocon délicieux des Trente Glorieuses et nous abordons une période de tempêtes avec un esprit hérité d'une époque d'opulence, imprégnés de réflexes qui ne correspondent plus à la réalité. Et puisque la classe rédemptrice par excellence, la classe ouvrière, a perdu son rôle messianique et ne représente plus les opprimés, chacun est en mesure de revendiquer pour lui seul cette qualité : les nouveaux damnés de la terre, c'est moi ! Ainsi, survivant à la mort des doctrines révolutionnaires, la victimisation prospère sur leur cadavre, devient folle, change de direction, essaime à travers le corps social à la manière de métastases.

D'autant qu'elle acquiert la dimension d'un véritable marché contemporain de « l'émancipation du judiciaire » dans nos sociétés [1]. Cette montée en puissance du droit comme mode de régulation des conflits s'inscrit aussi dans une crise de la politique : l'affaiblissement des appareils médiateurs traditionnels (partis, syndicats) qui permettaient d'agir en commun et d'alléger le fardeau, la fin de la culture ouvrière et de ses capacités intégratrices, l'essouffle-

---

1. Laurent Cohen-Tanugi, « La démocratie majoritaire et l'État de droit », in *L'Interrogation démocratique*, Centre Georges-Pompidou, 1987, pp. 89 sqq.

ment du pacte républicain fondé sur l'école et l'armée, enfin l'indistinction croissante de la droite et de la gauche sapent la crédibilité de nos gouvernants. Si les classes moyennes, guettées par la paupérisation, deviennent des « classes anxieuses » (Robert Reich), si tant de gens se sentent désemparés, c'est que les amortisseurs et arbitrages classiques se sont estompés, laissant chacun face à des problèmes de plus en plus lourds. Plus rien ne semble atténuer la brutalité du système économique et social surtout depuis que l'État providence, « réducteur d'incertitudes » (Pierre Rosanvallon), affronte de nouvelles turbulences. Alors jaillissent toutes les conditions favorables à la parole victimaire laquelle dispose en outre d'un allié à l'influence croissante : l'avocat. C'est lui désormais le tiers adultérin qui s'introduit entre l'individu et son malaise, allié indispensable mais qui peut aussi, par calcul et intérêt, pousser à la multiplication des droits subjectifs indus au détriment du bien commun.

En ce domaine l'Amérique montre la voie, c'est-à-dire les pièges à éviter puisque la victimologie y est en passe de devenir un fléau national [1]. On connaît les anecdotes aussi confondantes que grotesques dont regorgent les annales judiciaires : un tueur en série doit-il répondre de ses méfaits ? Il plaide la surexposition à la télévision et à son déchaînement d'images violentes. Un père tue sa fillette ? Elle l'avait bien cherché : en fait c'est elle qui le tuait avec son caractère insupportable. Une femme développe-t-elle un cancer du poumon après quarante ans de tabagisme acharné ? Elle assigne en procès trois compagnies de cigarettes pour manque d'informations sur les dangers du tabac. Une autre met-elle par mégarde son chien à sécher

---

1. Je m'inspire ici d'une longue enquête de John Taylor parue dans la revue *New York* du 3 juin 1990 et intitulée « Don't blame me » ainsi que du livre de Pascal Dupont, *La Bannière étiolée,* op. cit., pp. 152 sqq.

dans le four à micro-ondes ? Elle poursuit les fabricants coupables à ses yeux de n'avoir pas indiqué sur la notice que l'appareil n'est pas un séchoir. Le meurtrier du maire de San Francisco veut-il expliquer son geste ? Il aurait absorbé trop de mauvaise nourriture (« *Junk food* ») qui l'aurait momentanément plongé dans un état de démence. Une mère a-t-elle supprimé son enfant ? Son avocate invoque un déséquilibre hormonal qui impose l'acquittement immédiat. Une voyante a-t-elle perdu ses talents divinatoires ? Elle poursuit son coiffeur qui lui aurait administré un shampooing responsable de la disparition de ses facultés. Un président d'université est-il surpris en train de donner des coups de téléphone obscènes à des jeunes femmes ? Il souffre hélas de doses anormales d'ADN dans ses chromosomes qui occasionnent ces accès de turpitude inusitée. Sans compter les assassins à personnalités multiples qui ne se reconnaissent jamais dans celui qui a porté les coups ou ces malfaiteurs qui dénoncent leur arrestation comme une forme particulièrement sournoise de discrimination : pourquoi moi et pas les autres ?

Dans chaque cas, les circonstances atténuantes, parfaitement légitimes dans un État de droit, deviennent des circonstances disculpantes qui devraient dédouaner l'inculpé avant tout examen. Partout l'industrie des droits prolifère [1], chacun devient le porte-parole de sa particularité, y compris l'individu, *la plus petite minorité qui soit,* et s'arroge la permission de poursuivre les autres s'ils lui font de l'ombre. « Si vous pouvez établir un droit et prouver que vous en êtes privé, alors vous acquérez le statut de victime » (John Taylor). Le phénomène s'amplifie dans le cas de groupes ou de communautés qui, au nom de la défense de leur image, s'insurgent contre toute allusion péjorative à

---

1. Richard Morgan, *Disabling America, The rights industry in our times,* Basic Books, New York, 1984.

leur égard : ainsi les « Dieters United », association de défense des gros et des obèses, ont organisé à San Francisco des piquets de protestation devant les cinémas où se jouait *Fantasia* de Walt Disney. Motif : la danse des hippopotames en tutu ridiculisait les gros. Toutes les causes, même les plus farfelues, deviennent plaidables, l'univers juridique se dégrade en une vaste foire où les avocats racolent le client, le persuadent de son malheur, forgent des litiges de toutes pièces et lui promettent des gains importants s'ils trouvent un tiers payeur.

NOUS SOMMES TOUS DES MAUDITS

Pures extravagances américaines, dérapages d'un système où les prérogatives de la défense sont mieux assurées que chez nous ? Sans doute. Et nous semblons prémunis en France de ces excès dans la mesure où nous restons une démocratie politique centrée autour de l'État alors que l'Amérique est une démocratie juridique où le droit limite et encadre l'État. Enfin nous bénéficions ici d'une protection sociale inexistante outre-Atlantique où l'explosion juridique compense les lacunes de l'État providence [1]. Mais l'Amérique se tient face à l'Europe comme un immense défi auquel celle-ci ne sait répondre que par le rejet le plus radical ou le mimétisme le plus servile ; la première a cela de passionnant qu'elle anticipe les maladies de la modernité comme une loupe, un verre grossissant qui rend lisibles des pathologies que nous ne savons pas discerner. Parce qu'elle fut en avance dans la lutte contre les discriminations, elle est à la fois modèle et repoussoir ; en nous dévoilant ses impasses, elle nous permet de les éviter. Mais nous aurions

---

1. Je renvoie, là encore, aux distinctions faites par Laurent Cohen-Tanugi in *Métamorphoses de la démocratie*, Odile Jacob, 1989, pp. 120 sqq.

tort d'arguer de la distance ou de traditions différentes pour nous croire prémunis de tels dérèglements.

Car depuis une trentaine d'années, une mutation capitale, très proche de l'évolution américaine, affecte notre pays : sous l'effet des aléas technologiques et thérapeutiques, générateurs d'accidents graves survenant à une échelle inconnue jusqu'ici, nous passons d'un système de responsabilité axé sur la faute, c'est-à-dire sur la désignation d'un responsable, à un système d'indemnisation centré sur le risque et où prime le souci de dédommager les victimes, de rétablir les équilibres rompus. Et puisque toute l'évolution du droit français tend à garantir au nom de la solidarité la réparation des préjudices (surtout pour le consommateur et l'usager), l'on cherche moins à prouver une infraction ou une faute grave qu'à trouver des personnes solvables, si lointaine que soit leur implication dans le litige. Bref de même qu'en droit civil on peut être « responsable sans responsabilité » (François Ewald) — il suffit d'être couvert c'est-à-dire assuré quitte à disqualifier toute espèce de sanction [1] —, le statut de victime se voit investi par le législateur, à juste titre d'ailleurs, d'une dignité particulière [2].

_____

1. Que l'assurance qui nous immunise contre les conséquences de nos actes encourage un déni de responsabilité, de nombreux auteurs l'ont souligné avec raison. Parmi les plus récents on lira Alain Etchegoyen, *Le Temps des responsables,* Julliard, 1993, et Jean-Marie Domenach, *La Responsabilité,* Philosophie, Hatier, 1994, pp. 30-31.

2. Dans une étude passionnante sur les nouvelles frontières de la responsabilité civile, Laurence Engel, auditrice à la Cour des comptes, exprime sa crainte de voir le modèle américain du droit de la responsabilité s'installer en France avec toutes ses dérives. Parlant de la protection du consommateur, elle écrit : « Le critère ultime n'est plus la responsabilité au sens strict mais la possibilité d'assurer à la victime une compensation monétaire jugée légitime : sera donc désigné comme responsable celui qui a les moyens de financer cette compensation soit parce qu'il est assuré, soit directement. » (*Notes de la Fondation Saint-Simon,* février 1993, p. 12.) Conséquence directe : les juges remontent

Déjà en France la loi de 1985 sur les accidents de la route impute automatiquement la faute à l'automobiliste, déchargeant le piéton de toutes ses imprudences (et ce au nom de la disproportion entre le véhicule terrestre et la personne privée). De même le Conseil d'État, passant outre l'adage selon lequel « les larmes ne se monnayent pas », admet maintenant que peuvent être prises en compte les douleurs morales et les divers troubles émotionnels. Déjà la prescription, ce délai qui permet d'annuler les poursuites, va pour certains crimes bien au-delà des dix ans fixés par la loi, déjà les juges peuvent modifier les clauses d'un contrat afin de trouver un alibi juridique pour dédommager à tout prix. Et partout, sous la pression des mœurs, se multiplient les « procès-retard [1] », les recours en justice, se rouvrent les dossiers au nom d'une ambition grandissante de réparer les flétrissures morales, même plusieurs décennies après. « Le droit, disait Kant, ne vient pas à l'existence par les seuls moyens du droit », et les grands changements dans la législation résultent d'abord de la pression des opinions publiques.

Or sur ce plan, de part et d'autre de l'Atlantique, les mentalités sont assez proches. Nous avons en France une classe politique qui, au moindre soupçon de corruption, hurle à l'innocence diffamée, au complot médiatique, à la tyrannie des juges. Nous avons nos syndicalistes ouvriers et surtout paysans qui peuvent se permettre de mener des jacqueries de type insurrectionnel, d'occuper des bâtiments publics, de les dégrader, de brûler dossiers et archives, de

---

sans fin la chaîne des personnes impliquées jusqu'à en trouver une capable de payer (c'est la notion de *deep-pocket liability*). Laurent Cohen-Tanugi et Maria Ruegg, dans un article un peu vif, ont contesté la présentation faite par Laurence Engel de l'enfer juridique américain et de ses possibles répercussions (*Le Débat*, n° 76, pp. 137 sqq.).

1. Odon Vallet, « Quand les mœurs changent le droit », *Le Monde*, 20 janvier 1994.

souiller les rues en répandant purin, et même fruits et légumes, de frapper sauvagement sur les forces de l'ordre sans être inquiétés outre mesure, la crise du monde rural ou le cas échéant de la pêche, de la mine, du transport routier semblant justifier a priori les déprédations commises. Et les mêmes s'insurgent, tempêtent, menacent si par hasard on les convoque devant un tribunal pour répondre de leurs gestes. Peut-être la France verra-t-elle la vieille logique ouvriériste, excusant d'avance toute attaque contre le capital et le patronat, rejoindre la nouvelle tendance juridique importée du monde anglo-saxon et triompher dans la multiplication des lobbies, chaque catégorie socio-professionnelle en position de monopole dans un secteur s'efforçant d'extorquer le maximum de bénéfices sans souci de l'intérêt collectif. La dérive s'aggraverait si, dans la vacance de la division droite/gauche, notre pays, sur le modèle américain, se transformait en un agrégat de communautés, de particularismes, si les divisions ethniques, religieuses, tribales, régionales l'emportaient sur l'esprit de citoyenneté, si chaque minorité, pour défendre ses acquis, se posait en martyr de la collectivité.

« Halte au génocide », clament de concert paysans et marins pêcheurs, les uns continûment subventionnés par l'État depuis de nombreuses années, les autres pour protester contre la chute des cours du poisson. Les survivants de l'Holocauste ou du Rwanda apprécieront cet usage extensif du mot. L'homme d'affaires et politicien Bernard Tapie s'exclame durant l'été 1993 : « Je me sens comme un Juif traqué par la Gestapo », alors qu'il est mis en examen par les magistrats de Valenciennes (il s'excusera par la suite de cette comparaison) et au même moment en Italie le socialiste Bettino Craxi, poursuivi par la justice dans le cadre de l'opération Mains Propres, utilisait la même métaphore. De jeunes musulmans manifestent-ils à Grenoble en février 1994 pour protester contre l'interdiction du foulard islamique à l'école : ils arborent un brassard représentant en jaune sur fond noir le croissant de l'islam assorti de cette mention : « A quand notre tour ? », allusion évidente à l'étoile jaune que les Juifs devaient porter sous l'Occupation. Et quand des militants islamistes, soupçonnés de sympathie pour le FIS algérien durant l'été 1994, sont placés en détention dans une caserne du nord de la France, ils déploient immédiatement sur les murs de l'établissement une banderole qui dit : « Camp de concentration ».

Pourquoi tout le monde veut-il être « Juif » aujourd'hui et surtout les antisémites ? Pour accéder fantasmatiquement au statut de l'opprimé, parce que nous avons en Europe une vision chrétienne des Juifs qui fait d'eux les crucifiés par excellence. Pour hausser enfin le plus petit conflit au niveau d'une réédition de la lutte contre le nazisme. Toute l'extrême droite en France comme aux États-Unis ou en Russie reprend à son compte cette rhétorique victimaire : reléguées au second plan les tirades flamboyantes sur la suprématie blanche, la supériorité de la brute blonde. Le discours, défensif, est celui de l'asservi, de l'esclave qui se bat pour sa survie : les vrais Juifs c'est nous (sous-entendu : les autres sont des usurpateurs). De quoi souffrent les Français, par exemple ? D'épuration ethnique bien entendu et ce par la faute des immigrés qui répandent le crime et l'insécurité[1]. Et la France entière est victime d'un génocide selon Jean-Marie Le Pen, puisque l'État au

---

1. Jean-Marie Le Pen au défilé du 1er mai 1993 à Dijon : « Il se constitue dans notre pays une véritable zone occupée dans laquelle des citoyens français se voient privés d'un certain nombre de leurs droits essentiels touchant à leur liberté et à leur sécurité et qui est proprement intolérable. L'insécurité qui règne dans nos villes et dans nos banlieues et qui provoque un véritable phénomène d'épuration ethnique des Français de souche n'est qu'une conséquence et non une cause. »

moment où la gauche gouvernait « imposait un art socialiste ou conforme digne du docteur Goebbels[1] ». Il s'agit chaque fois de reprendre le vocabulaire de la Seconde Guerre mondiale en le renversant. On prête un serment de « résistance à l'invasion » mais c'est l'invasion des métèques et des immigrés, on fustige « les collabos du FLN », c'est-à-dire les divers gouvernements de droite et de gauche qui ont fait venir des Algériens en France, on en appelle à une « seconde épuration » mais c'est pour juger les traîtres à la patrie (les derniers présidents de la République) qui ont ouvert les portes de notre beau pays aux envahisseurs[2].

Le procédé n'est pas nouveau et la palme en ce domaine revient toujours au discours le plus plaintif. Voyez l'expert en *inversion victimaire*, le grand Céline, l'antisémite forcené, l'anarchiste collaborateur qui, dans la tradition des pamphlétaires d'extrême droite, se lamente en 1957 sur sa condition, vomit l'arrogance des vainqueurs, s'autodésigne comme le paumé, l'écrasé, le perdu, étale sa bonté envers les vieux et les bêtes et fait apparaître les épreuves des Juifs comme des broutilles à côté du calvaire qu'il endure (grâce à quoi il peut continuer à les exécrer en toute bonne conscience). L'écrivain proscrit se livre à l'exercice le plus répandu de nos jours : il sanglote sur lui-même. S'il n'a pas le prix Nobel, c'est qu'il est un vrai Français lui, pas un de ces métèques qui ont tout envahi : « ... Encore je me serais appelé Vlazine... Vlazine Progrogrof... je serais né à Tarnopol sur le Don... mais Courbevoie, Seine! Tarnopol sur le Don j'aurais le Nobel depuis belle... mais moi d'ici

---

1. *Le Monde*, 20 janvier 1993. Le Front national a organisé en 1987 un colloque intitulé : « Une âme pour la France : pour en finir avec le génocide culturel. »
2. Meeting du Front national à la Mutualité le 26 octobre 1994 avec Bruno Gollnisch et Roger Holeindre.

même pas séphardim... on ne sait pas où me foutre (...) la Vrounze aux Vrounzais (...) Naturalisé mongol... ou fellagha comme Mauriac, je roulerai auto, tout me serait permis en tout et... j'aurais la vieillesse assurée... mignotée, chouchoutée, je vous jure... » *(D'un château l'autre)*.

De façon générale pour qu'une cause passe dans l'opinion publique, il faut apparaître comme un tyrannisé, imposer de soi une vision misérabiliste seule à même de vous gagner les sympathies : à ce titre aucune formule n'est assez excessive, la montée verbale aux extrêmes est recommandée, le moindre tracas doit être élevé à la hauteur de l'outrage suprême. Comment s'étonner dans ces conditions que de plus en plus de détenus dans les prisons françaises, loin de compatir aux malheurs de ceux qu'ils ont blessés, volés ou tués rejettent la faute sur la société ? Pourquoi les délinquants se sentiraient-ils comptables de leurs délits quand c'est la nation entière qui rejette toute idée de faute et ne propose que des modèles d'irresponsabilité radieuse ? Comment croire au châtiment quand nul n'a plus le sentiment de l'infraction et pourquoi pratiquer une vertu que la majorité ridiculise[1] ? Comment oublier aussi qu'au moment où la loi Évin a limité le droit de fumer dans les lieux publics ou quand ont été instaurés la ceinture de

---

1. Selon un rapport de M. Maillard, aumônier à la prison de Loos-lès-Lille, un changement d'état d'esprit serait intervenu chez les détenus depuis une quinzaine d'années : ils n'ont plus le sentiment d'être incarcérés pour payer une dette mais se vivent comme des exclus, des êtres blessés qui attendent leur libération conditionnelle : « Tout le régime carcéral fait que le détenu est affronté à sa peine et jamais à son crime ou à son délit. (...) Il y a toute une stratégie du discours des détenus pour minimiser leur responsabilité dans leurs actes, pour arriver à faire en sorte que leur peine soit réduite. Mais cette stratégie renvoie toujours la faute sur l'autre et sur la société en particulier. » Les détenus, soucieux d'avoir une peine la plus courte possible, parlent peu des victimes qu'ils ont lésées mais beaucoup d'eux-mêmes en termes de victimes. (Je dois la connaissance de ce rapport à Antoine Garapon.)

sécurité dans les voitures, le port obligatoire du casque pour les deux-roues ainsi que le permis à points, tant de bons esprits ont hurlé au retour de l'ordre moral, au totalitarisme insidieux, au pétainisme, pas moins ? Combien alors, sous couleur de pourfendre le nouvel hygiénisme, se sont drapés dans la bure du damné, du maudit, revendiquant le droit de fumer où ils le veulent, de conduire à la vitesse qu'ils désirent, prêts à descendre dans la rue pour défendre ces libertés fondamentales ? De telles mesures, au demeurant modestes et utiles — puisqu'elles réglementent le sang-gêne et la muflerie qui régissent les relations entre automobilistes ou entre fumeurs et non-fumeurs et limitent la loi du plus fort —, appelaient des jugements divers, de l'acquiescement nuancé à la réprobation argumentée. Mais ceux-là mêmes qui accusaient l'État d'infantiliser les citoyens en régentant leurs mœurs tombaient eux-mêmes dans le rôle de l'enfant pleurnicheur, qui veut n'en faire qu'à sa tête et trépigne quand on le lui interdit ! Rien en tout cas — pas même la folie tatillonne de certains Américains en matière de lutte contre le tabac — ne justifiait les cris d'orfraie poussés par certains en Europe. Témoin ce qu'écrit *The Independant,* le journal londonien, en août 1993, commentant la mort de ce grand fumeur qu'un cardiologue avait refusé d'opérer avant qu'il ne cesse complètement sa consommation de tabac : « Les douze millions de fumeurs britanniques sont en passe de devenir des parias sociaux ; ils sont déjà confinés dans certaines zones, bannis de la plupart des lieux publics (...) désormais, ils n'auront droit qu'à des soins de seconde main (...) c'est du fascisme sanitaire : le droit à la survie pour les plus forts, l'élimination des plus faibles. » Fascisme ! Le grand mot est lâché. Qu'est-ce que le fascisme à l'époque du laxisme infantile ? Une forme de régime totalitaire fondée sur l'embrigadement des personnes et le culte de la pureté raciale ? Vous n'y êtes pas du tout : le fascisme est tout ce qui freine ou contrarie le penchant des individus, tout ce qui restreint leurs caprices. Et qui alors n'est pas écrasé, n'est pas en droit de se lamenter? Pourquoi les citoyens des pays démocratiques veulent-ils absolument se persuader qu'ils vivent dans un État totalitaire, que la corruption, la publicité, la censure équivalent ici à l'Ouest aux assassinats ou aux tortures ailleurs, bref qu'il n'y a aucune différence entre eux et les martyrs du reste de la planète? N'est-ce pas prendre à bon compte la pose du résistant sans courir aucun risque? Ne peut-on désavouer le moralisme (d'ailleurs très relatif) de nos sociétés sans invoquer aussitôt les deux abominations du siècle, nazisme et stalinisme? N'est-il pas temps de réapprendre à *bien peser les mots pour bien penser le monde* au lieu d'élever des broutilles au rang d'ignominies et de corrompre insidieusement le langage?

Aucune relation directe, bien entendu, entre les différents exemples énoncés précédemment, entre la panique de certains salariés ou artisans poussés à la surenchère par leur précarité et les effets rhétoriques d'un tribun ou d'un dirigeant aux abois sinon que du haut en bas de l'échelle sociale, des notables aux marginaux, tout le monde se bat désespérément pour occuper « la place la plus désirable », « la place de la victime »[1]. Ce sont donc bien les usages et l'état d'esprit qui en France nous poussent sur la pente d'un dolorisme généralisé. Ainsi se dessine l'un des visages possibles de l'individu contemporain : celui d'*un vieux poupon geignard flanqué d'un avocat qui l'assiste*. L'alliance des nourrissons séniles que nous sommes et du clergé chicaneur des hommes de loi, voilà peut-être l'avenir qui nous attend.

---

1. René Girard, *La Route antique des hommes pervers*, Grasset, 1985.

" Sincerity + Authenticity "

NE ME JUGEZ PAS !

Dans la Quatrième Promenade de ses *Rêveries*, Rousseau distingue la vérité selon le monde de la sincérité selon soi. La première dépend de l'opinion, du paraître, des fausses valeurs en usage dans la société, la seconde est fondée sur la voix intérieure du sentiment. Or le cœur ne saurait mentir, il est le berceau du Bien et c'est pourquoi Rousseau ne se reconnaît qu'un seul tribunal : celui de sa conscience. Au nom de cette bonne nature interne, il décide lui-même des fautes dont il doit se repentir et de celles dont il peut s'exonérer : un mensonge fait à une jeune fille dans sa jeunesse le torture plus que l'abandon de sa progéniture dont le monde et les mondains voudraient l'accabler. Car il ne connaît qu'une idole : « la sainte vérité que son cœur adore » beaucoup plus réelle que « les notions abstraites de vrai et de faux [1] ». « Il faut être vrai pour soi, c'est l'hommage que l'honnête homme doit rendre à sa propre dignité. » Au soir de sa vie, Rousseau, apurant les comptes, se déclare quitte des blâmes qui pèsent sur lui et, prenant la postérité à témoin, prononce son acquittement. Car il est fondamentalement bon et quiconque en doute et le croit malhonnête est « lui-même un homme à étouffer [2] ». Ses défauts lui sont venus de l'extérieur, il s'est quelquefois trompé mais « le désir de nuire n'est pas entré dans (son) cœur [3] ». (Le calvaire de Rousseau, c'est d'avoir voulu incarner, dans sa propre existence, l'utopie de l'homme naturel et ce au prix d'une grande misanthropie. Celui qui

---

1. *Les Rêveries du promeneur solitaire*, op. cit., p. 83.
2. *Les Confessions*, op. cit., tome II, p. 438.
3. Idem, p. 103.

se croit vertueux et rejette le péché sur les autres finit dans le ressentiment et la haine de l'humanité.)

Ce que le père de l'*Émile* inaugure ici, avec un art consommé de la sophistique, c'est tout le courant moderne du relativisme : si seule compte l'authenticité, chacun est habilité, au nom de soi, à se soustraire aux lois communes qui le déposséderaient de sa fidélité à lui-même. Ne me jugez pas : il faudrait être moi pour me comprendre ! Chacun devient une exception à laquelle le code devrait s'adapter, chacun déduit le droit de sa propre existence. La loi, au lieu de contenir les appétits d'un ego immodéré, est requise d'en épouser au plus près les méandres. Or la douleur lorsqu'elle nous frappe donne à ce relativisme un fondement objectif : elle nous purifie et nous gratifie de ce cadeau inespéré, la candeur retrouvée. Et cette candeur n'est pas seulement l'absence de mal : elle est l'impossibilité de la méchanceté, de la vilenie. Elle n'est pas l'innocence relative de l'homme faillible par nature mais l'innocence absolue comme statut ontologique, l'innocence de l'ange qui ne peut jamais pécher. Tout acte émanant de moi ne peut être mauvais puisque j'en suis la source et que sa provenance le sanctifie : je reste pur, même lorsque par mégarde j'ai commis une faute. C'est le cas de dire avec Rousseau encore : « Dans la situation où je me trouve, je n'ai pas d'autres règles que de suivre mes penchants sans contrainte (...) je n'ai que des inclinations innocentes. » En ce sens *la victimisation est la version doloriste du privilège*, elle permet de refaire de l'innocence comme on refait une virginité ; elle suggère que la loi doit s'appliquer à tous sauf à moi et esquisse une société de castes à l'envers où le fait d'avoir subi un dommage remplace les avantages de la naissance. L'inconduite des autres à mon égard est un crime, mes propres manquements des peccadilles, des péchés véniels qu'il serait indélicat de souligner. La démocratie se résume désormais à la permission de faire ce que l'on veut (pourvu d'apparaître comme un spolié) et le droit comme protection des faibles disparaît derrière le droit comme promotion des habiles, de ceux qui disposent d'argent, de relations pour plaider les causes les plus invraisemblables.

Tel est le risque : que la posture de la victime confine à l'imposture, que les perdants et les humbles soient délogés au profit des puissants passés maîtres dans l'art de poser sur leur visage le masque des humiliés. Sous les formes les plus sophistiquées de l'État de droit réapparaîtraient les brutalités de l'arbitraire, et le mouvement qui voudrait concéder plus de chances aux désavantagés se traduirait par un renforcement pervers du fort. Prenez par exemple la pétition envoyée au chef de l'État français en janvier 1994 par une centaine de médecins lui demandant de gracier deux de leurs collègues injustement condamnés selon eux dans l'affaire du sang contaminé. L'objet d'une telle requête est d'affirmer que la Science, au nom des incertitudes thérapeutiques, doit demeurer au-dessus des lois et qu'à l'avenir aucun chercheur ou praticien ne devrait être inquiété, même pour des erreurs graves. Le drame de la transfusion serait l'impôt inévitable que l'humanité doit payer pour l'avancée du savoir médical. Le pire dans cette pétition, c'est qu'elle tend à expulser les malades atteints pour y installer à leur place les médecins incriminés posant eux aux vraies victimes [1].

Partout les influents, au nom d'excellents arguments, voudraient faire contrebande de condition, laisser aux obscurs le triste privilège de répondre de leurs fautes et d'être jugés en conséquence : démission qui, si elle devait se généraliser et s'étendre à l'ensemble des classes moyennes, porterait en elle la fin du pacte démocratique. Tous nos

---

1. On ne peut que recommander sur le sujet le livre très convaincant d'André Glucksmann, *La Fêlure du monde*, Flammarion, 1994.

actes essaiment et se répercutent sur autrui en une multitude de résonances. C'est de cette dilution dont nous tentons de tirer profit pour nous désolidariser d'eux et dire : ce n'est pas moi ! Mais « les conséquences de nos actions nous saisissent aux cheveux, indifférentes à ce que dans l'intervalle nous soyons devenus meilleurs » (Nietzsche). Lorsque les élites se veulent au-delà du bien et du mal et refusent toute espèce de sanction, c'est l'ensemble du corps social qui est invité à bannir l'idée même de responsabilité (c'est exactement le risque de la corruption : ridiculiser l'honnêteté, faire de celle-ci une exception aussi vaine que désuète).

Ainsi doivent s'entendre les plaidoyers pathétiques cités plus haut, de tous ceux qui veulent se soustraire aux rigueurs de la loi. Nul doute que ne subsiste en France un arbitraire policier particulièrement brutal et qui place le simple citoyen sous le régime des suspects. Nul doute que la mise en examen accompagnée de publicité ne bafoue la présomption d'innocence. Nul doute qu'il ne se commette encore d'épouvantables erreurs judiciaires et que la machine juridique avec sa pompe glacée, son cérémonial complexe, son langage aussi incompréhensible que du latin d'Église ait de quoi effrayer le profane. Il est vrai enfin que l'obligation de réserve des juges (qui cache souvent un respect des nantis et un mépris des pauvres), le dédale des procédures, le piège des interrogatoires donnent à l'ensemble de cette institution une apparence d'inhumanité. Mais ce détachement qui prétend échapper aux préjugés, aux passions, aux séismes intimes de l'âme est précisément ce qui rend la justice indispensable. Elle est le tiers dépassionné qui introduit de la raison et de l'arbitrage et fait du juge, comme le dit l'*Éthique à Nicomaque*, l'incarnation du droit : elle pèse le pour et le contre à égale distance des emportements partisans. De cet effroi naturel qui saisit tout homme lorsqu'il a affaire aux tribunaux, redoutant d'être broyé par un mécanisme qui le dépasse, on en arrive à ce syllogisme pervers : puisque des innocents parfois sont condamnés à tort, si je suis poursuivi à mon tour, c'est que je suis innocent. Dès lors c'est toute la justice qui est soupçonnée d'être le lieu du despotisme, l'embryon d'une nouvelle Inquisition.

VERS LA SAINTE FAMILLE DES VICTIMES ?

Il est excellent que toute la jurisprudence actuelle aille dans le sens d'une meilleure protection des sinistrés, des exclus. Mais les bonnes intentions ainsi manifestées ne sont pas sans ambiguïté. A cet égard l'exemple de la loi de 1985 sur les accidents de la route est instructif : un piéton peut donc bien commettre toutes les étourderies, traverser en dehors des feux ou des clous, courir sur la route, il est assuré d'être couvert (même lorsqu'il commet « une faute inexcusable », notion qui n'est presque jamais retenue par les tribunaux). Une telle loi suppose donc que seule la personne motorisée (le fort) doit être vertueuse, le faible ayant toujours raison, que, dans la confrontation qui les oppose, le premier part avec un handicap, le second avec un atout. On n'en vient plus à évaluer un dommage précis mais à poser des statuts qui ont préséance sur toute autre considération. Autrement dit, si ce système devait se répandre, les individus ne seraient plus jugés mais *préjugés*, absous a priori non en raison de ce qu'ils ont fait mais de ce qu'ils sont : blanchis avant tout examen s'ils se tiennent du bon côté de la barrière, accablés en cas contraire. Sous couleur de défendre les faibles, on installerait d'emblée certaines catégories hors du droit commun, on les soustrairait au devoir de prudence, de précaution. Dans cette optique, la justice deviendrait à côté de la politique un moyen de réparer les inégalités sociales et le juge se poserait en concurrent direct du législateur[1].

Il est vrai que la grande aventure des temps modernes, c'est l'émergence des dominés sur la scène publique, la possibilité pour eux d'accéder à tous les privilèges d'une citoyenneté ordinaire. Que de plus en plus de groupes ou de minorités diverses (handicapés, infirmes, personnes de petite taille, obèses, homosexuels, lesbiennes, etc.) luttent par l'activisme juridique ou politique contre l'ostracisme dont ils sont l'objet est parfaitement légitime et la France à cet égard accuse un retard certain par rapport au Nouveau Monde (l'on sait combien nos villes, par exemple, sont hostiles aux invalides). Mais le combat contre la discrimination doit se faire au nom du principe selon lequel la loi s'applique à tous avec les mêmes droits et les mêmes restrictions. Si elle pose en préalable que certains groupes, parce que défavorisés, peuvent bénéficier d'un traitement particulier, ces derniers, bientôt suivis par d'autres, seront tentés de se constituer en nouvelles féodalités d'opprimés. *S'il suffit d'être dit victime pour avoir raison, tout le monde se battra pour occuper cette position gratifiante.* Être victime deviendra une vocation, un travail à plein temps. Or un ancien enfant maltraité et qui commet un homicide à l'âge adulte n'en reste pas moins un meurtrier même s'il excuse son geste par sa jeunesse malheureuse. Parce que historiquement certaines communautés ont été asservies, les individus qui les composent jouiraient donc d'un *crédit de méfaits* pour l'éternité et auraient droit à l'indulgence des jurys. La dette

---

1. Faut-il avoir peur du pouvoir des juges et craindre que la création jurisprudentielle ne délégitime la souveraineté populaire ? Philippe Raynaud met en garde contre la figure du juge comme « oracle de vérité » et demande de ne pas céder à une conception angélique du droit qui méconnaîtrait les conflits et les attributs de souveraineté (*Le Débat*, n° 74, mars-avril 1993, pp. 144 sqq.).

de la société envers telle ou telle de ses parties se transformerait automatiquement en clémence, en mansuétude pour toute personne appartenant à l'une d'elles même bien au-delà de la date où cette partie cesse d'être persécutée. Que reste-t-il de la légalité si elle reconnaît à certains le privilège de l'impunité, si elle devient synonyme de dispense et se transforme en machine à multiplier les droits sans fin et surtout sans contrepartie[1] ?

C'est bien une ambiance de guerre civile miniature qui pourrait s'installer, dressant l'enfant contre les parents, le frère contre la sœur, le voisin contre le voisin, le patient contre son médecin, tissant entre chacun des relations de méfiance. Dans le domaine de la santé, par exemple, que reste-t-il de la notion de risque — « le hasard d'encourir un mal avec espérance, si nous en réchappons, d'en obtenir un bien » (Condillac) — si tout aléa thérapeutique doit ouvrir droit à indemnisation systématique ? Comment engager un traitement à haute toxicité si le malade intente procès aux moindres séquelles ou effets négatifs ? Comment concilier l'obligation de moyens, le souci du patient et la possibilité de l'innovation ? Comment éviter l'apparition d'une médecine défensive où la crainte du litige conduirait à renoncer aux techniques de pointe impliquant des dangers particuliers ou provoquerait une diminution de certaines vocations (tels les anesthésistes, les réanimateurs, les chirurgiens) ? Comment en un mot éviter une situation à l'américaine où le coût très élevé des assurances pour les obstétriciens en butte à des procès de toutes sortes rend le prix des accouchements prohibitif et contraint de nombreux nécessiteux à se contenter des services d'une sage-femme[2].

---

1. « Les droits à tuent le droit puisqu'ils ne sont pas excès mais dilution du droit », dit très justement Irène Théry (*Le Démariage,* op. cit., p. 354).

2. Frank Nouchi a donné une excellente synthèse sur « Les balbutiements de la nouvelle responsabilité médicale », *Le Monde,* 6 avril 1994.

Bref, si le contentieux devait se multiplier à l'infini, le monde commun deviendrait la communauté de nos désaccords, la loi ne serait plus ce qui relie les hommes, comme le voulait Montesquieu, mais au contraire l'agent de leur séparation. Et la politique, subordonnée au judiciaire, se réduirait à l'arbitrage entre droits subjectifs incompatibles les uns avec les autres.

echt

Tout type de préjudice, même le plus farfelu, pourrait être pris en compte, à la limite une crise d'angoisse devrait avoir son prix, être tarifée, justifier la recherche d'un coupable. Il nous faut un persécuteur et solvable par-dessus le marché puisque nous avons la chance de vivre à une époque ou « les boucs émissaires sont solvables » (Pierre Florin). La peur du dommage deviendrait elle-même un dommage comme c'est le cas aux États-Unis [1]. Les petits échecs et malheurs quotidiens ne seraient plus les épisodes normaux de l'existence mais des scandales qui ouvriraient un droit à compensation. Le mal de vivre exigerait remboursement. Si les faux crucifiés, les pestiférés de luxe pullulent à notre époque, c'est aussi qu'ils peuvent rentabiliser leurs désagréments. Le catalogue des chagrins s'énumère en termes de revenus. (On reconnaît là une pensée chère à Richard Nozik : toute atteinte est un dommage qu'on peut compenser par un péage.) Et sous le débraillé de l'affect émerge une vision marchande de la peine laquelle est pensée en termes de profits, d'intérêts. Alors la tentation serait grande pour chacun de s'inventer des parents tortionnaires, une enfance atroce (que l'on redécouvrirait au besoin par une psychothérapie intensive), de cultiver ses

" Repressed memory," sexual "abuse", etc.

---

1. « Les juges autorisent en effet les Américains à intenter des procès avant même que le préjudice ne soit advenu dès lors qu'ils ressentent une certaine angoisse. (...) La peur du dommage devient elle-même un dommage immédiat et tangible. » (Laurence Engel, *Notes...*, op. cit., p. 13.)

misères comme des plantes en pot afin d'en retirer bénéfice, de cumuler les débâcles comme d'autres des magots. Des fœtus aux chauves sans oublier les maigres, les blonds, les myopes, les voûtés, les fumeurs, la sainte famille des victimes ne cesserait de s'étendre pour englober bientôt le genre humain dans son entier. Pourquoi, pendant qu'on y est, ne pas appliquer, à la manière des écologistes radicaux, la qualité de victime au monde inanimé, arbres, pierres, sol dont on se proclamerait le défenseur [1] ?

Là encore le poids des avocats sera décisif puisqu'il s'agit en France simultanément d'élargir leur rôle dans le déroulement des procès sans tomber par ailleurs dans les abus du système américain. (En Amérique, les avocats fixent le montant de leurs honoraires selon le volume des indemnités obtenues et sont donc tentés par la surenchère, la « retape » systématique du client ; en France leurs attributions plus limitées freinent cette propension à engager des procès à tort et à travers dans l'unique but d'extorquer de l'argent. Toutefois la loi Sapin-Vauzelle de 1992 permet aux avocats de demander des compléments d'enquête aux juges d'instruction. C'est un progrès réel quoique minime et en France la maîtrise du procès continue à appartenir aux juges et non aux parties : par exemple le contre-interrogatoire des témoins, une figure célèbre dans les plaidoiries américaines, est chez nous rarissime.) Si jadis les agitateurs politiques allaient persuader les ouvriers de leur nature potentiellement subversive, les hommes de loi pourraient se transformer en créateurs de litiges artificiels, suggérant à chacun qu'il est un malheureux qui s'ignore, démarchant cliniques et hôpitaux pour débusquer d'éventuels plaignants. Tel est le paradoxe de notre situation : d'un côté le

---

1. Luc Ferry a bien montré comment cet écologisme radical était en vérité un anthropocentrisme qui n'osait pas dire son nom, in *Le Nouvel Ordre écologique*, Grasset, 1992.

droit à la réparation est ici encore embryonnaire, la marge de manœuvre de la défense très restreinte, l'accès à la justice difficile pour les défavorisés ; l'État, l'administration, les hôpitaux forment des monstres intouchables contre lesquels l'individu n'a pratiquement aucun recours ; de façon plus générale l'ordre judiciaire dans l'Hexagone est encore une autorité de second rang et demeure sous la coupe du pouvoir exécutif même si mentalement les juges se sont déjà affranchis de cette tutelle. D'un autre côté le droit à la responsabilité, jurisprudentiel et donc susceptible d'évolution, pourrait nous entraîner vers certains excès de la société américaine alors même que nous n'en connaissons aucun des avantages. Là réside probablement un des défis de l'avenir : *réussir en France la synthèse de l'esprit républicain et de la démocratie à l'anglo-saxonne*, quand le droit viendra de plus en plus en complément de l'action politique pour réparer les injustices que celle-ci n'atteint pas. Il ne s'agit pas seulement d'opposer l'activisme judiciaire à la représentation classique mais de cumuler leurs bénéfices réciproques pour assurer une meilleure protection des citoyens. Double tâche aussi délicate qu'impérative : mener à son terme la révolution juridique en cours mais l'encadrer par de véritables garde-fous (en édictant par exemple des critères d'irrecevabilité pour décourager les plaintes abusives) faute de quoi elle avorterait avant même d'être appliquée [1].

---

1. Laurence Engel, suivant en cela François Ewald, propose de dissocier la question de la responsabilité de celle de l'indemnisation, de ne jamais oublier de prendre en compte la sécurité et les besoins des victimes ; en d'autres termes de faciliter la réparation des dommages tout en renforçant la sanction et en maintenant la notion de faute, solution dont elle admet le caractère paradoxal (*Notes...*, op. cit., pp. 31, 37, 38).

DÉMONOLOGIES EN TOUS GENRES

La chute des idéologies nous a privés d'un recours commode : imputer notre infortune à l'impérialisme, au capitalisme, au communisme. Le réflexe du « c'est la faute à » est devenu plus difficile. On aurait tort de croire cependant que la disparition de ces épouvantails entraîne nos sociétés vers plus de sagesse. Au contraire : maintenant que se sont évanouis les grands boucs émissaires, il est tentant de les ressusciter de façon souterraine et de rapporter sa fatigue, son mal-être à la fourberie de quelque entité obscure qui nous impose sa logique secrète. On connaît ce genre de raisonnement. La sexualité paraît-elle libre ? C'est qu'une censure plus sournoise encore pèse sur nos pulsions et pénalise les vrais libertins. Croyons-nous jouir d'une totale liberté de mouvement ? Stratagème machiavélique du pouvoir pour mieux nous contrôler. Et il n'est pas jusqu'à notre richesse elle-même qui ne témoigne d'une sorte de fascisme sournois, d'un décervelage totalitaire.

L'*homo democraticus* entretient vis-à-vis du despotisme un rapport ambigu : il l'exècre mais regrette aussi sa disparition. A la limite, il semblerait presque inconsolable de n'être plus opprimé : alors faute d'ennemis réels, il s'en forge d'imaginaires ; il se délecte à l'idée qu'il vit peut-être vraiment sous une dictature, que le fascisme va lui tomber du ciel, perspective qui le remplit de crainte autant que d'espoir. Ainsi pour William Burroughs comme pour Allen Ginsberg, « la première des drogues hallucinogènes en Amérique n'est pas le yaga ou la mescaline mais l'hebdomadaire *Time* suivi de la télévision. Il y a bien " complot " mais c'est celui du pouvoir, monstre qui s'empare de vous, cancer dont les métastases vous rongent jusqu'à l'os. (...) On est d'autant plus asservi à son bourreau qu'on lui est reconnaissant de ne pas avoir eu recours à la violence. » Un État bien rodé n'a pas besoin de police. « La conspiration c'est tout ce qui filtre sous votre crâne et s'y insinue à votre insu à travers les images, sous les codes et messages du langage. Mon corps est " une machine molle " envahie de parasites [1]. »

---

1.   *Pierre-Yves Pétillon*, Histoire de la littérature américaine, *Fayard,* 1993, p. 244.

Le succès d'un tel discours vient de son caractère invérifiable : rien ne le confirme car rien ne le dément non plus. Il installe celui qui le tient dans le double emploi du veilleur et du guerrier. Lui n'est pas dupe : contre tous les naïfs, il combine les prestiges de la lucidité et de l'intransigeance. Il sait le système d'autant plus satanique qu'il paraît tolérant. Mais son cri de guerre : Vous êtes tous des esclaves qui s'ignorent, nous rassure. Il croit nous dévoiler l'apocalypse, il nous désigne une vague cabale aussi malfaisante qu'insaisissable et qui rassemble tout le négatif, l'incompréhensible. L'invocation de ces forces de l'ombre nous soulage : puisqu'une causalité diabolique façonne nos destins malgré nous, nous n'avons plus à répondre de nos actes : nous sommes disculpés, nos peines ont une origine qui n'est pas nous. Mieux vaut invoquer d'extravagantes conjurations à base d'images sublimi-nales et de substances invisibles que d'accepter la triste, la banale vérité : à savoir que nous façonnons notre histoire même si, selon la formule consacrée, nous ne savons pas l'histoire que nous façonnons. Nous voici revenus, par le biais d'une fantastique élucubration, à la candeur du séraphin.

UNE SOIF DE PERSÉCUTION

Qu'est-ce que l'ordre moral aujourd'hui ? Non pas tant le règne des bien-pensants que celui des bien-souffrants, le culte du désespoir convenu, la religion du larmoiement obligatoire, le conformisme de la détresse dont tant d'au-teurs font un miel un peu trop frelaté. Je souffre donc je vaux. Au lieu de rivaliser dans l'excellence, l'enthousiasme, hommes et femmes rivalisent dans l'étalage de leurs disgrâces, mettent un point d'honneur à décrire les tour-ments particulièrement effroyables dont ils seraient l'objet. Mais cette idolâtrie que nous vouons à la douleur va de pair avec une terreur de l'adversité ; ce n'est pas l'école de l'endurance mais celle de la douilletterie. Et qu'est-ce que le *reality-show* à la télévision sinon l'exhibition du cœur dolent, la promotion de la victime en héros national auquel chacun de nous est invité à s'identifier, l'idée que seuls accèdent à la dignité les êtres qui ont pâti ? La souffrance est l'analogue d'un baptême, d'un adoubement qui nous fait entrer dans l'ordre d'une humanité supérieure, nous hisse au-dessus de nos semblables. Les stars du malheur peuvent alors brandir leur *brevet de malédiction* comme un lignage à l'envers, une royauté obscure qui les installe dans la caste majestueuse des exclus. *La soif de persécution est une envie perverse d'être distingué, de sortir de l'anonymat* et, à l'abri de cette forteresse d'affliction, d'en imposer à ses semblables. « Dieu s'occupe de moi », dit une sentence peinte sur un mur des hospices de Beaune et je ne suis singulièrement éprouvé que parce que je suis singulièrement aimé. L'infortune est l'équivalent d'une élection, elle ennoblit qui la subit et la revendiquer, c'est s'arracher à l'humanité courante, retourner son désastre en gloire. Ça n'arrive qu'à moi, dit l'être éprouvé, à savoir : je suis l'objet d'une exécration qui s'attache spécifiquement à ma personne et fait de moi un être choisi entre tous (envers de cette croyance : penser qu'on est protégé par sa bonne étoile, qu'on a la baraka). Ainsi l'écrivain Knut Hamsun, crevant de faim dans la Norvège du XIXe siècle, voyait dans sa misère un signe divin : « Était-ce le doigt de Dieu qui m'avait désigné ? Mais pourquoi précisément moi ? Pourquoi pas tout aussi bien pendant qu'il y était un homme dans l'Amérique du Sud ? Plus j'y réfléchissais, plus il me semblait inconcevable que la Grâce divine m'eût choisi justement comme cobaye pour expérimenter ses caprices. C'était une assez singulière manière d'agir que de sauter par-dessus tout un monde pour m'atteindre moi. (...) Je trouvais les plus fortes objections contre l'arbitraire du Seigneur qui me faisait expier la faute de tous[1]. »

---

1. Knut Hamsun, *La Faim*, Cahiers Rouges, Grasset, p. 17.

Il y a, comme le remarquait Aimé Césaire à propos de l'esclavage, une beauté spéciale du dégradé, de l'avili, du décrié, une grandeur de ceux qui n'étant rien pensent qu'ils deviendront tout et lisent dans leur déchéance la promesse du Royaume. Mais ce n'est pas de cet orgueil secret du proscrit qu'il est question ici ; bien plutôt de cette étrange figure contemporaine du *paria professionnel* qui pullule dans les pays riches et traverse toutes les classes sociales y compris les plus élevées. C'est une élite triée sur le volet et qui aux quartiers de noblesse traditionnels ajoute le plus grand de tous : l'aura du réprouvé. Par un curieux retournement les heureux et les puissants veulent aussi appartenir à l'aristocratie de la marge. Ils tirent un lustre particulier d'être regardés comme des bannis, ils ne tiennent pas le discours du dominant mais de l'opprimé : le vrai notable aujourd'hui est celui qui pose au dissident ; le vrai maître celui qui, pour régner, appelle à piétiner les maîtres, se présente comme un esclave. (On voit bien par exemple comment la dénonciation de la société du spectacle à la télévision, cette façon de médire médiatiquement des médias, permet d'acquérir plus de pouvoir dans le spectacle.) J'ai signalé plus haut cette dilection secrète pour la figure du Juif, ce philosémitisme douteux qui peut basculer si vite en son contraire. D'autres emprunts sont possibles : l'histoire est une malle sans fond où puiser à pleines mains un vaste répertoire de théâtre où les figures de la servitude n'attendent que nous : on peut y endosser la défroque du prolétaire, du colonisé, du guérillero, du *boat-people,* de la femme et de l'enfant battus. Mais pourquoi vouloir à tout prix ressembler à un exploité quand on est un nanti ? Par mauvaise conscience de riche ? Ou plutôt pour gagner sur tous les tableaux, cumuler l'aisance du bourgeois et le prestige sulfureux qui s'attache aux damnés, éclairer sa banalité d'un arrière-fond tragique ? On voit ainsi beaucoup de quidams ordinaires, par ailleurs bons pères ou bonnes épouses, tenir absolument à passer pour des exclus, des rebelles alors qu'ils mènent une existence conforme et dépourvue du moindre drame. Ils n'ont subi aucun tort particulier mais font tomber sur leur personne la lumière grandiose du supplice. Si le Christ dans nos civilisations est l'incarnation de la victime, en se déclarant pestiféré, on manifeste qu'on est soi-même d'origine divine, on donne à l'inertie de sa vie la beauté d'une épopée.

Il y a plus : si la douleur met en valeur celui qui la ressent, il est une façon ostentatoire d'exagérer ses moindres soucis qui permet de déployer sur ses proches une tenace volonté de puissance (ainsi que Nietzsche l'avait génialement compris dans le culte chrétien de l'ascète et du pénitent [1]). La plus minime adversité est alors grossie à la taille d'un événement majeur, transformée en bastion où l'on s'enracine pour faire la leçon aux autres tout en se soustrayant soi-même aux critiques. Manière hautaine de se tenir à la marge de toutes les marges, dans une extériorité absolue où la déchéance revendiquée coïncide avec l'arrogance suprême et se transforme en stratégie de domination. Se dire persécuté devient une manière subtile de persécuter autrui.

Tel est le message de la modernité : vous êtes tous des déshérités en droit de pleurer sur vous-mêmes. Vous avez survécu à votre naissance, à votre puberté, vous êtes les rescapés de cette vallée de larmes qui s'appelle l'existence (aux États-Unis se développe une véritable littérature de la survie où ceux qui ont traversé une épreuve, si minime soit-elle, viennent la raconter aux autres). Le marché de la

---

1. Ainsi dans le fragment 113 d'*Aurore*, Nietzsche montre dans la torture de l'ascète « une secrète volonté d'asservir », une envie de se distinguer pour mieux subjuguer son prochain. Il discerne en outre dans le goût chrétien de se mortifier, de se faire mal « une volupté de la puissance », « le vaste champ de débauches psychiques auxquelles s'est livré le désir de puissance » (*Aurore*, Pluriel, pp. 82-83).

victime est ouvert à chacun pourvu qu'il puisse étaler une belle écorchure béante et *le rêve suprême est de devenir un martyr sans avoir jamais souffert autre chose que du malheur de naître un jour.* Dans nos pays l'individu se pense par soustraction : des pouvoirs, des églises, des autorités, des traditions jusqu'à se réduire à ce socle minuscule, le moi, indépendant de tous et de tout, isolé, allégé mais aussi infiniment vulnérable. Seul face au pouvoir de l'État, face à ce grand Autre qu'est la société, inquiétante, immense, incompréhensible, il s'effraye d'être réduit à lui-même. Il n'a plus alors qu'un recours : refaire du sens à partir de ses blessures qu'il amplifie, agrandit dans l'espoir qu'elles lui conféreront une certaine dimension et qu'enfin on prendra soin de lui.

LE CONFORT DANS LA DÉFAITE

On aurait tort, toutefois, suivant un lieu commun de l'époque, de stigmatiser dans cette attitude le stade ultime de l'individualisme. C'est exactement le contraire : de tous ses rôles possibles l'individu contemporain tend à n'en retenir qu'un seul : celui du bébé plaintif, calamiteux, grognon. Mais on ne joue pas au gamin souffreteux impunément. Il y a un prix à payer pour la comédie du maltraité et ce prix c'est la diminution de la vitalité, l'exténuation de nos forces, le retour à l'état de dénuement volontaire. Et il y a bien de nos jours en Occident production d'un nouveau modèle humain, comprimé, étiolé, nanisé et qui se définit par le consentement à sa faiblesse, le goût de se renier, de se retirer de la vie. Il est deux manières de traiter un échec amoureux, politique, professionnel : ou l'imputer à soi-même et en tirer les conséquences qui s'imposent, ou en accuser un tiers, désigner un responsable acharné à notre perte. « Je souffre :

certainement quelqu'un doit en être la cause, ainsi raisonnent les brebis maladives » (Nietzsche, *Généalogie de la morale,* Troisième Dissertation). Dans le premier cas, on se donne un moyen de surmonter l'échec, de le transformer en étape sur le chemin de l'accomplissement personnel, en détour nécessaire pour approfondir une voie. Dans le second on se condamne à le répéter en rejetant la faute sur l'autre et en écartant toute introspection.

Ainsi, dire qu'on n'est jamais coupable revient à dire qu'on n'est jamais capable [1]. Le but de l'existence n'est plus de s'accroître ou de se dépasser mais de se préserver chichement. Au lieu d'exalter tout ce qui agrandit l'homme et surtout la domestication de ses propres peurs, on sombre dans le conformisme du gémissement lequel épouse l'unique souci de la survie, du bonheur dans la petitesse, tous volets fermés. La victimisation est le recours de celui qui, en proie à la peur, se constitue en objet d'apitoiement plutôt que d'affronter ce qui l'effraie. Vouloir éliminer la souffrance à tout prix, c'est l'aggraver, obséder chacun sur un mal qui ne cesse de s'étendre à mesure qu'on le traque. Entre la résignation au malheur qui fut l'odieux message des classes dirigeantes et de l'Église au XIXe siècle et notre allergie folle à la moindre douleur, il y a peut-être moins de différence qu'on ne croit : dans les deux cas, c'est un même fatalisme qui nous pousse ici au renoncement, là à la dépossession par l'appel à toutes sortes d'intercesseurs (avocats, médecins, experts) censés nous protéger de toute atteinte. S'il est sage d'éviter la souffrance, il est une difficulté minimale inhérente à notre condition, une dose de danger et de dureté incompressibles sans lesquels une existence ne peut s'épanouir. Refuser ces risques-là, c'est se souhaiter du berceau à la tombe la sécurité du rentier.

---

1. Je reprends ici une distinction de J. R. Seeley cité par Christopher Lasch, *Le Complexe de Narcisse,* Robert Laffont, 1980, p. 31.

Comment ne pas voir que nos revers, nos petits nau-frages, nos pires ennemis même nous sauvent à leur manière, nous aguerrissent, nous contraignent à éveiller en nous des gisements de ruse, de dynamisme, de vaillance insoupçonnés ? On mesure la force d'un caractère au nombre d'avanies, d'affronts qu'il peut encaisser sans tomber : les obstacles l'exaltent, l'hostilité l'encourage, il s'élève au-dessus des autres terrassés par la crainte et la pusillanimité. L'oppression, aimait à répéter Soljenitsyne, produit des personnalités plus vastes que les insidieuses douceurs du libéralisme. Mais sans aller jusqu'à se souhai-ter de l'oppression, il est dangereux de s'attendrir sur ses chagrins, d'enfermer les gens dans leur rôle de victimes, ce qui leur interdit d'en sortir. Dire « j'endure atrocement » quand on endure à peine, c'est se désarmer à l'avance, se rendre incapable d'affronter un vrai tourment (de là cette propension à médicaliser les difficultés, à éliminer tous les malaises par des pilules, la promotion du tranquillisant en remède universel). La reconnaissance de la fragilité de chacun ne doit pas tuer l'esprit de résistance ; et nous avons besoin aujourd'hui de pensées qui exaltent l'énergie, l'allé-gresse, la joie. Nous avons besoin d'alacrité, de gaieté, de sérénité. A la rhétorique victimaire qui s'épuise dans son propre énoncé, il faut opposer la parole politique qui oriente les doléances vers une issue raisonnable, leur offre un exutoire viable, permet d'exprimer son mal en termes mesurés afin de le surmonter. Le ressassement stupéfait de nos problèmes, cette espèce d'onanisme mental nous inter-dit de distinguer entre le transformable qui relève de notre seule volonté et l'immuable qui ne dépend pas de nous. Toute malchance est vécue comme un arrêt inéluctable du destin. L'individu n'est grand que s'il participe à quelque chose qui le dépasse — notamment la souveraineté civique — et ne reste pas emmuré en soi mais il capitule devant les soins dont on l'entoure et, croyant gagner un surplus d'assurance, il récolte une fragilité accrue. On le sait depuis Tocqueville, c'est un contresens que de confondre individualisme et égoïsme : le second est un trait éternel de la nature humaine, le premier une formation récente dans l'histoire des cultures. Plût au ciel que l'individu contemporain soit au moins égoïste, qu'il ait au moins en lui ce minimum de vitalité, d'instinct de conservation. *Nous vivons là le paradoxe d'un égoïsme qui finit par tuer l'ego* à force de vouloir le préserver à tout prix, le mettre à l'abri de la moindre contrariété.

La preuve : plus la sécurité s'étend, plus s'étend le besoin de se prémunir contre une adversité polymorphe qui peut surgir de partout. Moins il s'expose, plus l'homme contemporain se sent en danger. La crainte de la maladie se propage au fur et à mesure des avancées de la science, les progrès de la médecine engendrent une angoisse irrationnelle pour toute espèce de pathologie, nous en venons alors à « souffrir de la santé » comme le disait déjà Georges Duhamel en 1930[1]. Bref les périls imaginaires prolifèrent alors même que nous maîtrisons mieux les périls réels. Au-delà d'un certain seuil, les instruments de notre libération se convertissent donc en auxiliaires de notre abaissement. Et nous vivons le crépuscule de la grande révolte libertaire des années lyriques : la revendication d'autonomie abdique dans une quête frénétique d'assistance, le courage de s'affirmer débouche sur la culture d'un petit bonheur frileux à base d'assoupissement et de protection. Celui-là même qui se voulait souverain sur soi et sur le monde devient esclave de ses propres frayeurs et n'a d'autre ressource que d'appeler à l'aide et de survivre appuyé sur

---

1. Dans une étude du Credoc, « La maladie grave fait de plus en plus peur », n° 51, 31 août 1990, R. Rochefort souligne fortement combien les progrès de la médecine amplifient les craintes devant la maladie grave perçue de plus en plus sous la forme de la malédiction.

toutes sortes de béquilles. Or être libre, c'est d'abord jouir des liens d'affection et de réciprocité qui nous rattachent à nos semblables et font de nous des personnes reliées, des personnes chargées. Nous sommes lourds de toutes les entraves qui, en freinant notre indépendance, la renouvellent et l'enrichissent. Être sujet, c'est aussi être assujetti à autrui, ne jamais se croire quitte à son égard, entrer dans ce réseau de dons, d'échanges, d'obligations que constitue le commerce humain. Mais que reste-t-il de l'individu et de sa responsabilité lorsque, délesté de toute dette envers les autres, il ne peut plus répondre de lui-même ? Comment se faire le gardien des autres quand on ne supporte plus d'être le gardien de soi ? « Si je ne suis pas pour moi, qui sera pour moi ? Mais si je ne suis que pour moi, suis-je encore moi ? » (Hillel).

Chapitre 5

LA NOUVELLE GUERRE DE SÉCESSION

(Des hommes et des femmes)

> « L'érection est en elle-même déjà un phéno-
> mène d'agression. »
>
> Robert Merle, *Les hommes protégés.*
>
> « Les deux sexes mourront chacun de son
> côté. »
>
> Proust, *Sodome et Gomorrhe.*

On les voit déambuler ensemble dans les rues, pousser
des enfants en landau, rire, manger et danser dans les lieux
publics, s'embrasser même. Mais derrière les sourires et les
baisers, sous l'apparence amicale, ordonnée de la vie
quotidienne se déroule une guerre sournoise, totale, impitoyable. Les camps en présence ? L'homme et la femme tout
simplement. D'un côté la coalition des conservateurs, des
médias, des hommes d'Église, des industries du cinéma et
de la culture de masse, tous unis contre les femmes pour les
arracher au travail, les renvoyer à la maison, à leur rôle de
mères et d'épouses. De l'autre la troupe désunie de ces
mêmes femmes, jeunes et moins jeunes, à la fois victimes et
complices de leurs oppresseurs, punies sans pitié pour avoir
osé relever la tête et réclamer l'égalité des droits.

Cet affrontement ponctuel n'est pourtant qu'un épisode d'une guerre immémoriale qui dresse depuis l'aube des temps un sexe contre un autre. Car le mâle, affublé de cette arme mortelle qui s'appelle le pénis, est fondamentalement agressif : « La violence, c'est le pénis ou le sperme qui en sort. Ce que le pénis peut faire, il doit le faire en force pour qu'un homme soit un homme [1]. » Doté de cette malédiction qui lui pend entre les jambes, l'homme n'a donc qu'une obsession : tuer, annihiler. Il est porteur de barbarie comme la nuée porte l'orage : « La sexualité mâle, ivre de son mépris intrinsèque pour toute vie, spécialement pour la vie des femmes, peut devenir sauvage, s'élancer à la poursuite de ses proies, utiliser la nuit comme couverture, trouver dans les ténèbres sa consolation, son sanctuaire [2]. » Faire l'amour pour un homme est presque toujours synonyme de brutalité, de meurtre : « La culture américaine — films, livres, chansons, télévision — apprend aux hommes à se considérer comme des tueurs, à identifier le sexe avec l'acte de tuer, avec la conquête et la violence. Ce pour quoi tant d'hommes trouvent difficile la distinction entre faire l'amour et violer [3]. » Quel est le trait commun qui relie le Troisième Reich à *Penthouse* ? C'est la pornographie, que certains libéraux s'obstinent à défendre et qui est

1. Andrea Dworkin, *Pornography, Men possessing women*, E. P. Dutton, 1989, citée par Pascal Dupont, *La Bannière étiolée*, op. cit., p. 281.
2. Andrea Dworkin, *Letters from a war zone* (Secket and Waeburg, Londres, 1988, p. 14), citée par Katie Roiphe, *The morning after*, Little Brown, New York, p. 179.
3. Marilyn French, *The war against women*, Hamish Hamilton, Londres, 1992, p. 179.

pire que Hitler[1]. Car l'industrie du X n'est rien d'autre qu'un « instrument de génocide » ou pour le résumer d'un mot « Dachau introduit dans la chambre à coucher et célébrée[2] ». Mais voyez aussi Picasso, Balthus, Renoir, Degas : ces artistes acclamés suintent la haine des femmes qu'ils dépeignent en petites filles lascives, en danseuses sottement éthérées ou qu'ils découpent en morceaux, qu'ils mutilent à des fins de moquerie, de dégradation comme l'ensemble de la sculpture abstraite au XXe siècle[3]. Le viol résume donc la tonalité générale des relations entre les sexes : « Depuis les temps préhistoriques jusqu'à aujourd'hui, je crois, le viol a joué une fonction particulière : ce n'est rien de moins qu'un processus d'intimidation par lequel tous les hommes maintiennent toutes les femmes dans un état de peur[4]. » Oui, l'immense majorité des hommes pour ne pas dire la totalité maltraite les femmes d'une manière ou d'une autre et il est recommandé à ces dernières de se méfier tout particulièrement de ceux qu'elles aiment : la relation amoureuse n'est rien d'autre qu'un « viol enjolivé par des regards suggestifs[5] », un rapport de pouvoir déguisé[6] et seul le découragement rend acceptable de vivre en paix avec l'homme de sa vie[7].

---

1. Catherine McKinnon, citée par Katie Roiphe, *The morning after*, op. cit., p. 141 : « Même Hitler ne savait pas transformer le sexe en instrument de meurtre à la façon dont le fait l'industrie pornographique. »
2. Andrea Dworkin, 1981, citée par Lynn Segal in *Dirty Looks, Women, Pornography, Power*, B.F.I. Publishing, Londres, 1993, p. 12.
3. Marilyn French, *The war against women*, op. cit., pp. 165-166.
4. Susan Brownmiller, *Against our will, Men, Women and Rape*, Bentham, New York, 1975, p. 5, citée in Katie Roiphe, *The morning after*, op. cit., pp. 55-56.
5. Andrea Dworkin, citée par Charles Krauthammer, « Defining Deviancy up », *The New Republic*, 22 novembre 1993, p. 24.
6. Marilyn French, *The war...*, op. cit., p. 184 et 189.
7. Susan Faludi, *Backlash, La guerre froide contre les femmes*, Éditions des Femmes, 1993, p. 88.

Victime d'un vaste complot qui soude contre elle la télévision et les institutions[1] et qui vise ni plus ni moins qu'à son anéantissement[2] la femme constitue donc le paradigme de l'opprimé : esclave de l'esclave, prolétaire du prolétaire, elle incarne la plus abyssale souffrance et se tient devant l'homme comme un Juif devant un SS. La haine que lui voue l'élite phallique est si radicale, sa volonté d'extermination si forte que « dans la plus grande partie du monde, les femmes et avec elles les enfants sont devenus une espèce en danger[3] » !

LA DICTATURE FEMELLE

C'est faux, rétorquent indignés des politiciens, des pasteurs, des intellectuels, des pères de famille, des professeurs : le vrai martyr dans un couple, c'est l'homme et non la femme. En détruisant le mariage, les féministes poussent l'homme seul au désespoir, à l'alcool, au suicide : « Le célibataire est comme un prisonnier sur un rocher quand la mer monte : c'est un naufragé biologique qui fait des rêves désespérés (...) en matière de criminalité, de maladie mentale, de dépression et de mortalité, l'homme seul est la victime de la révolution sexuelle[4] ». Les féministes, ces « féminazis » comme les appelle le populiste américain d'extrême droite Rush Limbaugh[5], forment « un mouvement socialiste, anti-familial qui encourage les femmes à abandonner leurs maris, à tuer leurs enfants, à pratiquer la

---

1. Idem, p. 106.
2. Marilyn French, *The war...*, op. cit., p. 184.
3. Idem, p. 10.
4. George Glider, cité par Susan Faludi, *Backlash*, op. cit., p. 317.
5. *Times Literary Supplement*, juin 1993, p. 14.

sorcellerie, à détruire le capitalisme et à devenir lesbiennes[1] ». Qui est responsable de la désintégration de la
famille, du déficit de la Sécurité sociale, de la fabrication en
masse de délinquants ? Les mères célibataires, répondent en
chœur conservateurs américains et britanniques, « ces
jeunes filles qui ne sont enceintes que pour resquiller la file
d'attente des logements[2] ». Qui est coupable du génocide
perpétré sur la personne des embryons et des fœtus ? Les
partisans de l'avortement libre, bien entendu. Et le cardinal
O'Connor a proposé en août 1992 qu'on érige dans chaque
diocèse catholique en Amérique « une tombe à l'enfant non
né » analogue à la tombe du Soldat inconnu[3]. Les féministes ? L'équivalent des Khmers Rouges, disait le professeur Allan Bloom qui se sentait traqué par elles dans son
université comme un réfugié cambodgien par ses bourreaux[4].

Les hommes sont donc bien les grands perdants : en tant
que pères, ils sont systématiquement privés de leurs enfants
par la machine judiciaire qui fait preuve à leur égard de
« racisme », de « tyrannie » et les voue même à « un
génocide silencieux et perfide » (Michel Thizon, fondateur
de SOS Papa). De plus ils sont pourchassés jour et nuit par
des créatures narcissiques et avides qui les font tomber dans
le piège du mariage, réclament âprement leur droit au
bonheur et à l'orgasme et les lâchent ensuite pour convoler
avec quelque gandin de passage. Et ils peuvent être
certains, là aussi, qu'en cas de litige, la justice leur donnera

---

1. Pat Robertson, cité par Robert Hughes, *Culture of Complaint*,
Oxford University Press, New York, 1993, p. 31.
2. Peter Lilley, alors ministre de la Sécurité sociale en Angleterre, cité
par *Courrier International*, n° 161, décembre 1993.
3. Cité par Robert Hughes, *Culture of Complaint*, op. cit. ; trad. *La Culture
gnangnan*, Arléa-Courrier International, 1994, pp. 52-53.
4. Cité par Susan Faludi dans un entretien avec Allan Bloom,
Backlash, op. cit., p. 323.

toujours tort[1]. Car les femmes sont partout, elles ont fait tomber les plus solides bastilles détenues par les hommes, ont transformé la famille et l'école en un vaste gynécée; en outre elles infantilisent et fémininent nos enfants et il n'est pas jusqu'à nos chères voitures qui ne soient soumises à cette horrible anatomie femelle puisque partout chez les constructeurs triomphent les formes arrondies et molles (Yves Roucaute). L'avenir concocté par les femmes? Un gigantesque maternage politico-social : « De la loi contre la publicité sur le tabac et l'alcool aux interdictions de fumer, de la ceinture de sécurité au port du casque obligatoire, le citoyen se voit transformé en enfant qu'il faut protéger contre lui-même. L'État qui se construit je l'appelle " l'État-prévoyance ". Oserais-je dire qu'il s'agit là de *la forme la plus insidieuse de totalitarisme que l'humanité ait jamais rencontrée*[2]? » (C'est moi qui souligne.) Non seulement les femmes l'ont emporté mais elles ont le toupet de vivre plus longtemps que les hommes et elles osent se plaindre[3]! N'ont-elles pas toujours été perfides et menteuses? Depuis la douce Frédégonde jusqu'à la veuve Mao Tsé-Toung, toute l'histoire des femmes au pouvoir n'est qu'une succession de crimes, de lubricité, de perfidies sans égal[4]. La vérité qu'il faut clamer partout, c'est que « les hommes souffrent plus que les femmes », qu'ils sont écrasés par la réussite de ces dernières lesquelles en carriéristes frénétiques, transforment leurs subordonnés mâles en esclaves[5]. Enfin, il faut l'avouer, les hommes ne sont plus des hommes : amollis, émasculés, adoucis au contact du

---

1. Yves Roucaute, *Discours sur les femmes qui en font un peu trop,* Plon, 1993.
2. Idem, p. 13.
3. Idem, pp. 141 sqq.
4. Idem, pp. 270-308.
5. Warren Farrel, *Why Men Are The Way They Are,* cité in Susan Faludi, *Backlash,* op. cit., pp. 329 et 332.

deuxième sexe, ils doivent se retrouver entre eux, faire retraite dans les forêts et les lieux isolés pour réveiller leur virilité perdue, redécouvrir « la bête tapie en eux[1] », la grande créature primitive étouffée par les sœurs et les épouses.

Bref de part et d'autre en Amérique (et de façon plus marginale en France) fait rage un discours belliciste qui, à travers ses outrances, ne dit qu'une chose : la coexistence n'est plus possible. Il faut s'affronter ou se séparer. *Que reste-t-il des relations hommes-femmes lorsque chacune des deux parties adopte la position de l'offensé ? La guerre ou la sécession.* C'est une loi en effet de la contagion victimaire qu'un groupe ou une classe dénoncé comme coupable se déclare à son tour opprimé pour échapper à l'accusation. Or, dans ce discours de l'inimitié, c'est l'existence même de l'autre qui constitue un affront. Le clivage entre les sexes est alors transformé en une frontière étanche qui sépare deux espèces aussi étrangères l'une à l'autre que les serpents et les loups. L'adversaire mâle ou femelle n'a le droit que d'expier, de s'excuser, d'affirmer publiquement qu'il « refuse d'être un homme[2] » ou une « femme libérée ».

Dissipons d'emblée un malentendu : le fossé semble total sur ce plan entre l'Amérique d'un côté, la France et les pays d'Europe du Sud de l'autre. Et ce pour une raison simple : les lois dans l'Hexagone sont infiniment plus favorables aux femmes et aux enfants qu'outre-Atlantique où par ailleurs le conservatisme des années Reagan-Bush a exacerbé le maximalisme des féministes. Là encore pourtant il serait présomptueux de se croire immunisé pour toujours de la contagion américaine. L'Amérique dispose, de par son magnétisme, d'un don de propagation, d'une capacité

---

1. Robert Bly, *L'homme sauvage et l'enfant*, Seuil, 1992.
2. John Stoltenberg, *Refusing to be a man*, Meridian Books, New York, 1992.

d'exporter ses pires travers tout en gardant pour elle ses vertus qui sont immenses. Ce fossé qui sépare les deux cultures, il faut pourtant l'élever au rang d'une différence théorique : les États-Unis s'opposent sur ce plan à la France non comme le puritanisme au libertinage mais comme une autre façon de traiter la même passion démocratique, la passion de l'égalité[1]. Au nom d'un idéal d'équivalence entre l'homme et la femme, l'Amérique prône une sorte de codification maniaque de leurs relations, teintée d'hostilité et de méfiance ; la France, à l'inverse, sans méconnaître ce souci, insiste sur les affinités plutôt que sur les divisions. Au nom de l'émancipation, l'Amérique disjoint, au nom de la civilité, la France relie. Selon que l'une ou l'autre l'emportera, c'est tout le visage de cette alliance fondamentale qui sera bouleversé.

LIBERTÉ, ÉGALITÉ, IRRESPONSABILITÉ

Deux choses, disait Montesquieu, tuent la République : l'absence d'égalité et l'égalité extrême. Or sur ce plan nous vivons toujours dans un monde dominé par les valeurs masculines, aussi bien en politique que dans le domaine de l'emploi ou le partage des tâches domestiques[2]. Il est vrai

---

1. Pays de l'extrême pruderie, les États-Unis sont aussi le lieu d'une industrie pornographique très développée et d'une liberté de mœurs qui en certains endroits atteint une ampleur inégalée. Éric Fassin a bien montré comment la comparaison entre l'Hexagone et l'Amérique, si elle ne veut pas tomber dans les chauvinismes respectifs, doit garder une fonction critique, chaque culture permettant d'adopter un point de vue extérieur sur l'autre : « Le féminisme au miroir transatlantique », *Esprit*, novembre 1993.

2. Les écarts des salaires masculin et féminin étaient de 33 % en 1981 et seraient de 30 % en 1993 à qualification égale. Selon *L'Express* (5 août 1993), si les hommes travaillent une heure de plus que les femmes

également que persiste une certaine forme de brutalité sur les femmes, allant des rapports incestueux sous la contrainte jusqu'aux coups et blessures [1]. Les quelques femmes qui accèdent à des postes de responsabilité, surtout dans la fonction publique, doivent pour y être acceptées se blinder, devenir, comme le dit bien l'expression, des dames de fer. Le mot de Ben Gourion à propos de Golda Meir : « C'est le seul homme du gouvernement », est à cet égard révélateur et vaut encore de nos jours pour de nombreux pays occidentaux. Sans même parler de l'inégalité devant le vieillissement ou de la tyrannie de la beauté, à compétences égales, une femme au gouvernement ou dans une entreprise sera toujours tenue de faire ses preuves, c'est-à-dire d'en rajouter pour s'excuser de réussir. Comme si le passage de l'état de subordonnée à celui d'égale supposait d'abord une contrainte de mimétisme : pour battre les hommes, il faut encore rester sur leur terrain, admettre la validité des procédures qu'ils emploient. Parce que le masculin reste « l'humain universel [2] », l'étalon de référence, nombreuses sont les femmes cadres, journalistes, professeurs tenues de se transformer en dragons ou en viragos pour être prises au sérieux (à l'inverse Mme Thatcher, soucieuse de rappeler

---

chaque jour, ils bénéficient de deux heures de travail domestique en moins. Si en revanche en France, 60 % des juges sont des femmes, il n'y a à l'Assemblée nationale que 5,7 % de femmes contre 33 % au Danemark.

1. Selon le rapport de A. Spira et N. Bajos (*Rapports sur les comportements sexuels des Français*, La Documentation française, 1990, pp. 217-218), près d'une femme sur vingt déclare avoir été victime de rapports sexuels forcés, la période la plus dangereuse étant de 13 à 15 ans. De même selon Antoinette Fouque qui a ouvert en France en 1987 l'Observatoire de la misogynie, il y aurait eu deux millions de femmes battues en 1991, un meurtre par jour d'une femme ou d'une fillette, un procès d'inceste pour cinq procès d'assise, 5 000 viols déclarés en France en 1992 contre 2 200 en 1982.

2. Georg Simmel, *Philosophie de la modernité*, Payot, 1923 ; réédition 1989, tome I, p. 70.

qu'elle était aussi une épouse, se faisait filmer préparant des tartes pour son mari).

Reconnaître la persistance de la légitimité mâle rend a priori risible le lamento sur la décadence, la débauche universelle, la destruction de la famille, etc. Trente ans après l'explosion féministe, il est toujours plus facile socialement d'être un homme et les principaux postes de commande restent entre les mains de ce dernier (même si sur certains points, le droit de garde des enfants après le divorce par exemple, la justice favorise les femmes de façon souvent abusive, tendance qui est toutefois en train de s'infléchir[1]). Car partager le pouvoir n'est pas abdiquer et l'on a confondu à tort concession et révolution[2].

Cela posé, il serait absurde de négliger l'importance des changements intervenus ces dernières années. Nous subissons en effet depuis plus d'un siècle la fin du principe d'autorité automatique accordé aux hommes. Il devient difficile pour ces derniers, une fois admise l'idée de l'égalité, de maintenir plus longtemps leurs compagnes sous tutelle, de leur refuser un bénéfice qu'ils s'octroient à eux-mêmes. L'homme, qui se pensait autrefois comme l'animal humain

---

1. La famille naturelle en France tend depuis une vingtaine d'années à devenir une famille matrilinéaire d'où le père est exclu. Selon SOS Papa et le Nouveau Mouvement de la condition paternelle, 1,7 million d'enfants vivraient sans leur père et 600 000 ne le verraient plus du tout. Dans 85 à 90 % des cas, l'enfant à la suite de la séparation se trouve systématiquement confié à la mère par l'autorité judiciaire. Nous ne sortons que très lentement de ce régime de préférence accordé à la femme et les magistrats tendent de plus en plus à équilibrer les charges entre le père et la mère afin de ne pas pénaliser l'enfant. (Voir à ce propos l'analyse très nuancée d'Irène Théry, *Le Démariage,* op. cit., pp. 226 sqq.)

2. Le masculin, dit très bien François de Singly, peut prendre l'apparence du neutre dans la mesure où il se déguise en intérêt général. La défaite du machisme ostentatoire ne serait que l'abandon d'une prérogative superficielle pour mieux résister à l'offensive des femmes : *Esprit,* novembre 1993, pp. 59-60.

par excellence, l'incarnation de la Raison, la femme étant rejetée du côté de la nature, de la sauvagerie, se voit contraint de relativiser sa suprématie. Et si pour lui aussi l'anatomie c'était le destin, selon le mot de Napoléon ?

Ce qui a changé depuis une vingtaine d'années, c'est bien la tolérance de nos compagnes à la violence, à la souffrance et à l'ennui ; finies ces longues retraites où se morfondaient nos aïeules à cause de la morale ou du respect dû à leur sexe, finie cette endurance stoïque aux coups d'un époux colérique ; fini aussi ce culte de la fidélité à sens unique contraignant une jeune fille à n'appartenir sa vie durant qu'à un seul homme ; finie cette équivalence séculaire entre le féminin, l'attente et la résignation. L'accélération des divorces dans nos pays vient de ce que les épouses n'hésitent plus à partir au nom de leur réussite individuelle ou d'une certaine idée du bonheur. Et qui les en blâmerait ? Au nom de quoi les obliger à rester, les empêcher de refaire leur vie ? L'événement principal des cinquante dernières années en ce domaine, c'est la visibilité des femmes sorties du foyer et de la famille pour essaimer dans l'entreprise comme dans l'université, jusqu'aux positions les plus élevées. A l'inverse ce qui choque tellement dans certains pays musulmans traditionalistes, c'est l'omniprésence masculine, l'absence ou la discrétion de l'élément féminin, contenu, encadré, voilé, grillagé, maintenu au rang de subalterne. Sinistre spectacle que ces femmes, murées derrière une pièce de tissu, quand ce n'est pas une armature de fer, que ces cafés, ces rues emplis de jeunes gens portant sur leur visage toute une misère érotique et la certitude d'une interminable vie de frustration.

Ces conquêtes du deuxième sexe amoindrissent ou affaiblissent le tableau catastrophiste que tracent nombre de féministes, surtout américaines, de leur condition. Trop souvent l'énormité de la charge nuit à la crédibilité du plaidoyer. Susan Faludi montre bien par exemple à quel point aux États-Unis les femmes antiféministes agissent selon les valeurs mêmes qu'elles récusent : indépendance de jugement et d'action, autonomie financière et professionnelle, etc. La néoconservatrice est déjà féministe jusque dans son refus du féminisme et contredit par son mode de vie ses plaidoyers en faveur du retour des femmes à la maison. Dire comme Marilyn French que les femmes ne jouissent d'aucune liberté, qu'une immense toile d'araignée contrôle chacun de leurs gestes, c'est rendre inexplicables l'écho et la popularité que rencontrent les protestations féministes. Comment comparer sans abus l'anorexie dont souffrent certaines jeunes filles victimes de la dictature de la mode qui leur commande de rester minces avec les camps de la mort pour les Juifs (Naomi Wolf) [1]. Si le retour de bâton contre les femmes aux États-Unis pour les fixer dans le ménage et la maternité est aussi implacable que l'écrit Susan Faludi, comment expliquer que ces mêmes femmes continuent « d'entrer en nombre dans le monde du travail », de « retarder la date de leur mariage », « de limiter la taille de leur famille et de travailler tout en élevant leurs enfants » ? Comment prendre au sérieux une telle bataille lorsque l'auteur, après avoir stigmatisé les strings et les minijupes coupables d'imposer « une vision politique de la sexualité », écrit triomphalement : « Les couturiers n'ont pas réussi à soumettre (les femmes) aux diktats les plus frivoles ; malgré la pléthore de porte-jarretelles et de bodies disposés dans les magasins, elles ont continué à acheter des dessous en coton. » Où a-t-on vu qu'une guerre titanesque pouvait se gagner par l'achat de slips en coton et le boycott

---

1. Naomi Wolf, *The Beauty Myth*, Vintage, Londres, 1990, p. 208. Naomi Wolf non sans courage a abandonné la rhétorique victimaire dans son dernier ouvrage, *Fire with fire*, Random House, New York, 1993, plaidoyer en faveur d'un féminisme positif soucieux de pouvoir plus que de récriminations.

de la lingerie fine ? Comment ne pas évoquer ici les diatribes de l'Église contre les nudités féminines, les soutiens-gorge et les corsets ?

> « Que faut-il penser de ces femmes qui usent de quelque moyen artificiel ou corset pour accentuer davantage les protubérances de leur corps, les augmenter ou les simuler de quelque façon ? » tonne un Révérend Père à la fin du XVIIᵉ siècle. « Quelques confesseurs exigent que de tels corsages soient recouverts d'un mouchoir de cou, fichu ou châle. Ce remède nous semble plutôt favoriser le mal que le détruire. (...) Il semble préférable de faire usage de ces châles et fichus en rejetant tous les intermédiaires artificiels comme ne convenant aucunement à des femmes chrétiennes. De cette façon ce qui fait défaut ne sera pas remarqué, la chasteté ne sera pas blessée et le salut des âmes ne courra aucun danger [1]. »

Le soupçon nous vient alors que la rage de certaines féministes naît moins d'un recul que d'un progrès, de la certitude que les acquis du mouvement sont bien irréversibles. Si les femmes ont conquis « un nouveau droit, celui d'être malheureuses [2] », si elles sont déchirées entre leurs amours, leurs carrières et leurs enfants, c'est qu'elles sont devenues, après les hommes, des personnes privées, contraintes tout comme eux de s'inventer dans le trouble et le tâtonnement. Or cette victoire déçoit : non seulement l'autonomie n'a pas supprimé les anciens fardeaux liés à leur condition tout en les privant des égards qui leur étaient dus autrefois mais de plus elle se traduit par le sentiment angoissant du chacun pour soi. Nous l'avons déjà vu, la liberté désenchante et isole alors que la libération rassemble et exalte, l'une s'oppose à l'autre comme la prose à la poésie, comme l'assomption de la loi face au joyeux

---

1. Cité par Guy Bechtel, *La Chair, le Diable et le Confesseur*, Plon, 1994, p. 184.
2. *Newsweek*, 7 mars 1960.

renversement des entraves. Autrement dit le sentiment de vanité et de lassitude ressenti par beaucoup de femmes (et d'hommes) ne naît pas d'un revers mais au contraire d'un accomplissement.

Reste que les philippiques haineuses entendues de part et d'autre n'augurent rien de bon : comme si les relations entre les sexes devaient s'envenimer nécessairement à mesure que leurs conditions se rapprochent. Il nous appartient de faire la preuve que la libération des mœurs ne conduit pas automatiquement à la guerre ou à la récrimination. L'ordre patriarcal comme le mariage étaient avant tout garants de la paix entre hommes et femmes. Il y a toujours eu dans le féminisme deux composantes, une composante libératrice et anti-autoritaire et une composante sectaire confite dans le ressentiment et le chauvinisme utérin. S'il est possible d'adhérer à la première et de refuser avec nos compagnes tout ce qui relève de la discrimination, tout ce qui les empêche de maîtriser leur fécondité et freine leur libre choix — qu'est-ce que le féminisme sinon l'exigence du deuxième sexe d'accéder à la dignité de sujet ? — il n'est pas difficile de déceler dans l'autre position une certaine incohérence. Outre que le mouvement des femmes n'a pas à s'inscrire dans l'ordre de la revanche mais dans celui du droit, il est évident que certaines militantes réclament moins l'égalité qu'un « traitement préférentiel [1] » et se conduisent comme un lobby soucieux d'accroître par tous les moyens ses atouts dans la course au pouvoir.

On comprend à les lire que rien ne pourra jamais satisfaire leurs aspirations, que le moindre recul sera immédiatement attribué aux porteurs de phallus, boucs émissaires évidents que l'on veut tuer et ressusciter toujours

---

1. Le juriste Owen Fiss explique que la lutte contre la discrimination est une formule rhétorique, une stratégie pour obtenir davantage de postes et d'emplois : *What is feminism ?*, 14 novembre 1992, p. 7.

pour éviter de se remettre en question. Il faut stigmatiser le Méchant qui va permettre de ressouder le groupe : l'homme blanc hétérosexuel affligé de trois tares irrémédiables, son sexe, sa couleur de peau et sa désespérante normalité qui est en fait une effroyable pathologie (à l'inverse la victime idéale, intouchable serait par exemple la lesbienne noire trois fois protégée parce que femme, homosexuelle et afro-américaine). Ce monstre, il faut le montrer à la fois formidable et dérisoire, brutal mais menacé par la moindre revendication, géant aux pieds d'argile dont il faut craindre la force autant que la faiblesse[1]. Il ne vient pas à l'idée de nos croisées qu'elles pourraient hiérarchiser leurs cibles, acquérir le sens des nuances et ne pas confondre dans une même rage les pays occidentaux, les seuls où les femmes disposent de droits, avec les cultures traditionnelles, surtout musulmanes où le sort de leurs consœurs est souvent atroce (naître femme en terre d'islam c'est naître suspecte et il n'est pas de plus grand allié dans la lutte contre le fondamentalisme que le deuxième sexe). Mais l'essentiel c'est le narcissisme de l'effet rhétorique, c'est de se draper à peu de frais dans la toge de l'insurgé, de décrire l'indépendance sous les traits de l'oppression absolue pour s'octroyer un habit factice de résistant. Comme si les oppositions rencontrées, si violentes soient-elles, devaient gommer les acquis et comme si l'on pouvait mettre sur un même plan une Algérienne condamnée à mort par les intégristes pour refus de porter le voile et n'importe quelle Française ou Américaine en butte à des problèmes conjugaux ou professionnels. Ce faisant on retarde au maximum

---

1. « Il semble en effet que la masculinité soit une fleur très fragile, une orchidée de serre qu'il faut constamment soigner et nourrir (...) rien n'abîme davantage les pétales masculins, semble-t-il, que la plus légère ondée féministe car elle est immédiatement perçue comme un déluge. » (Susan Faludi, *Backlash,* op. cit., p. 91.)

171

l'entrée dans l'âge de la responsabilité afin de jouir de la double position du vainqueur et du vaincu et l'on continue à militer en toute étourderie pour l'égalité, la liberté et l'immaturité. Maniée sans précaution, la rhétorique de l'opprimé évoque le subterfuge du bien-portant qui veut se faire passer pour un malade et nuit aux vraies victimes, à celles qui ont besoin d'un langage approprié et de mots justes pour se défendre.

MES RACINES, MON GHETTO

En désertant souvent malgré eux les rôles qui leur étaient dévolus mais sans les abandonner tout à fait, hommes et femmes se retrouvent désormais dans une sorte d'incertitude où ils se doivent de bricoler de nouveaux modèles à partir des anciens. Or ce brouillage inquiète. Il explique la nostalgie de certaines pour le macho classique qu'elles raillent pourtant alors que les hommes s'étonnent de côtoyer des compagnes à la fois si traditionnelles et affranchies. (Autrui m'affole quand il déborde de son lieu et n'habite aucun emploi de façon permanente.) C'est le destin de l'émancipation que de faire de nous des êtres déconcertants, des vagabonds qui flottent entre plusieurs emplois, plusieurs vocations. A cet égard chercher de « vrais hommes » ou de « vraies femmes », c'est simplement raconter ses propres fantasmes, quêter la sécurité d'un archétype, tenter de maîtriser un vertige qui nous submerge. La féminité ne se décline pas plus sur le seul mode du bas-bleu, de la putain, de la muse ou de la mère que la masculinité sous les seuls traits du chef, de l'athlète, du patron, du *pater familias*. Le féminisme a brouillé notre perception des femmes et des hommes ni si modernes ni si archaïques qu'on le croit. Ce pour quoi se manifeste de part et d'autre un même désir de clarté : dis-moi qui tu es afin que je sache qui je suis. Ce que les deux sexes regrettent, ce n'est pas leur relation d'antan, c'est la simplicité qui présidait autrefois à leurs divisions : ils souhaitent mettre fin au tourment de l'indécision, assigner l'autre à résidence, le sédentariser dans une définition. Un ordre immémorial a été ébranlé sans qu'un nouveau apparaisse et nous souffrons d'habiter dans l'ère du flou.

De là une double tentation symétrique : ou se replier sur sa particularité pour s'y enfermer ou la balayer d'un revers de la main. La première position célèbre la différence sexuelle comme un déterminisme irréfutable qui nous marque pour la vie. Et tandis que les petits mâles, à l'instar des partisans de Robert Bly, se regroupent dans les forêts pour se taper sur les pectoraux, se renifler sous les aisselles, les éco-féministes et autres maternalistes chantent sans fin le corps féminin les exquises sécrétions féminines, la douceur féminine qu'elles opposent à la sauvagerie du patriarcat fondé sur « le sacrifice, le crime et la guerre[1] ». Le fait d'être né par hasard homme ou femme devient une fatalité à laquelle il n'est plus possible de se soustraire. Chacun, selon la catégorie où il est tombé, n'a qu'à réaliser ce qu'Aristote appelait son *telos*, son essence et sa fin, simple ponctuation dans un genre qui l'a précédé et lui succédera. A la fois héritier et transmetteur, l'individu est incarcéré à vie dans le petit ghetto de sa différence imprenable. Il n'est rien, son groupe est tout et, comme dans le romantisme réactionnaire, cette appartenance le détermine à la façon d'un implacable commandement.

Cette pensée de la sexuation comme destin s'accompagne souvent d'un rêve de pureté où l'on expulse de soi tout ce

---

1. Luce Irigaray, *Le Temps de la différence*, Livre de Poche, 1989, citée par Elisabeth Badinter, *XY*, Odile Jacob, 1992, p. 45.

qui est hybride par peur d'être un sexe mêlé comme on dit sang-mêlé. Les unes se plaisent à imaginer un monde enfin débarrassé des hommes ; ils seraient ramenés à 10 % de la population mondiale après une extermination énergique[1] où ils seraient devenus inutiles grâce à une reproduction unisexuée réalisée par clonage ; dans ce nouveau monde merveilleux, le rapport mère-fille représenterait la quintessence du rapport humain et l'on pourrait créer un langage et un code civil exclusivement féminins (Luce Irigaray), dire par exemple « ovulaires » au lieu de « séminaires » et sortir du point de vue étroitement « égo-testiculaire » qui correspond à la vision masculine de l'existence. La rage de se distinguer chez certaines lesbiennes radicales va jusqu'à imaginer des godemichés dont la forme calquée sur les fleurs ou les plantes ne rappellerait en rien le phallus honni. Dans l'autre camp, les mâles, guettés par la castration, sont conviés à se séparer des mères, des sœurs, des amantes, à se tenir hors du champ d'attraction femelle qui les amollit et les pervertit. (Les disciples de Robert Bly excluent de leurs réunions les personnes de sexe féminin.) Refusée comme amie, la femme est aussi niée comme partenaire de plaisir. Ainsi que l'exprime brutalement le poète anglais Philip Larkin : « Je n'ai aucune envie de sortir avec une fille, dépenser 5 livres alors que je peux me branler pour rien chez moi et passer le reste de la soirée tranquille[2]. » Funeste utopie qui rend la mixité inconcevable : l'affiliation sexuelle a le même statut qu'une race, elle interdit toute espèce de mélanges. Chaque sexe est une humanité close sur elle-même : les hommes et les femmes forment deux

---

1. Sally Miller Gerhart, citée par Naomi Wolf, *Fire with Fire,* op. cit., p. 151. Sally Miller Gerhart aurait depuis tempéré son appétit exterminateur et envisagerait des solutions plus pacifiques pour limiter le pouvoir mâle.
2. *Times Literary Supplement,* 25 juin 1993.

grandes tribus campées de part et d'autre d'un fleuve et qui ne peuvent ni se parler ni se comprendre et encore moins essayer de se croiser [1].

Il existe à l'inverse une autre tendance qui consiste à nier toute barrière dressée entre le masculin et le féminin. Les identités sexuelles n'existeraient pas, ce sont des constructions artificielles, fruit d'une domination historique. Délaissons ces partages, oublions ce fait hautement contingent qui consiste à avoir au bas du ventre une verge ou une vulve, battons-nous au nom d'un seul credo : ce qu'un homme peut faire, une femme peut le faire également et vice versa. Poussé à son extrême un tel raisonnement (qui fut souvent attribué à tort à Sartre et à Simone de Beauvoir) fait de la distinction entre les genres une chose aussi futile que « la couleur des yeux ou la longueur des doigts de pied [2] ». Il n'est plus d'hommes ou de femmes mais des êtres singuliers, sans passé ni racines, indifférents à leur constitution biologique et capables de se réinventer chaque matin. Il s'agit donc d'en finir avec l'absurde ségrégation qui régissait les rapports entre les deux sexes : cela va de l'accès des femmes à tous les métiers réservés jusque-là aux hommes (y compris les plus brutaux) jusqu'à l'expurgation du vocabulaire de toute trace de suprématie machiste. Ainsi en anglais on traquera avec minutie tous les termes où se retrouvent le mot *man* (homme). On ne dira plus « chair-

---

1. La pionnière française du féminisme, Simone de Beauvoir, a toujours récusé avec dégoût ce différentialisme absolu : « Je répugne absolument à l'idée d'enfermer la femme dans un ghetto féminin. (...) Il ne s'agit pas pour les femmes de s'affirmer comme femmes mais de devenir des êtres humains à part entière. » (*Tout compte fait*, Gallimard, 1972, pp. 507-508.)

2. Susan Okin, *Justice, Gender and the family*, Basic Books, New York, 1992. Susan Okin refuse que la division sexuelle soit prétexte à hiérarchie et injustice. A ce propos voir les objections de Martha Nussbaum, *Esprit*, mai 1993, pp. 64-65.

man » mais « chairperson », plus « policeman » mais « police-officer », on ne parlera plus de « no man's land » mais de territoire neutre. En français on féminisera toutes les professions et on abjurera cette loi grammaticale qui veut que le masculin l'emporte dans tous les cas de figure sur le féminin. Autrement dit, la vieille division inique du mâle et de la femelle devrait au plus vite se résorber dans l'unisexe. Réductionnisme fulgurant qui, pour supprimer les tensions entre hommes et femmes, commence par déclarer que ces derniers n'existent pas ou à peine.

Dans un cas on définit donc les genres comme autant de patries étanches les unes aux autres ; dans l'autre, on fait table rase de l'antique démarcation des sexes et l'on décrète l'humanité accessible à tous sans souci des ridicules attributs que la nature nous confère à la naissance. Tantôt la divergence sexuelle est radicale, porteuse de styles de vie inconciliables, tantôt elle est une frontière factice à oublier d'urgence pour accéder à l'égalité universelle. Double impasse qui dresse des remparts insurmontables ou les renverse d'un trait de plume. Or de ce que la séparation traditionnelle a été bousculée, on ne peut déduire que l'identité sexuelle est un leurre, le produit de notre mauvaise histoire. La partition a parfaitement survécu à la libération des mœurs laquelle n'a dissipé ni les mystères ni les frayeurs. L'entêtante différence devient d'autant plus prégnante qu'elle présente tous les traits de la fausse ressemblance (y compris dans les métiers où la mixité est générale). L'un n'est pas devenu l'autre, le plus proche reste le plus lointain. Comme hier, les relations hommes-femmes demeurent tissées de lieux communs aussitôt démentis que confirmés et qui forment le stock de leur animosité réciproque. Les hommes continuent à colporter sur leurs compagnes les préjugés les plus archaïques, à voir leur sexualité avec un mélange d'effroi et de fascination, sinon même de répulsion et l'inquiétante proximité du deuxième sexe dans notre monde les pousse parfois à rivaliser de muflerie, à adopter la solidarité d'une horde liguée contre l'intrus.

Pour autant le retour au *statu quo ante* est inconcevable. Les hommes de l'après-féminisme, si machos qu'ils demeurent, n'ont plus de patriotisme viril à défendre et ne se laissent plus réduire à quelques archétypes. Il est difficile sur ce plan de se persuader de la supériorité des siècles passés et les privilèges abandonnés étaient aussi des carcans qui pesaient sur nos aïeux. Les sinistres histrions qu'étaient certains d'entre eux, maintenant au foyer une discipline de fer, terrorisant femmes, enfants, animaux n'a guère de quoi séduire. Où était la saveur d'une existence qui oscillait du bordel au lit conjugal ne trouvant là que tromperies, ici feinte docilité ? Les hommes aussi ont appris à l'intérieur de certaines limites la plasticité. Si l'on devait faire le compte de tout ce qu'ils doivent à l'émancipation des femmes, dans les simples domaines intellectuels, professionnels ou culturels, l'on découvrirait autant d'apports irréfutables sans lesquels notre époque n'aurait ni saveur ni génie. Par-delà les joutes et les méfiances, ce sont ces contributions essentielles qui militent en faveur du mouvement actuel. Grâce à l'éducation, au travail, les femmes ont gagné en intelligence, en subtilité, en profondeur, en liberté d'allure et de pensée ; elles offrent de multiples facettes là où les conventions, la coutume, la religion les confinaient hier, surtout si elles appartenaient aux classes pauvres, au seul destin de mère et de ménagère. Pouvoir mêler avec son épouse, son amante, ses amies le plaisir des sens et de la conversation, goûter dans une même personne l'esprit, le charme, l'humour, c'est là un bénéfice inappréciable de notre temps auquel le génial XVIIIe siècle avec ses libertines de tête, toutes personnes de cour et de haut rang, avait frayé la voie. Que pèse en comparaison le renoncement aux maigres prérogatives d'antan, le triste bonheur de vieillir auprès d'une potiche ou d'une poupée qui en voulait au monde entier d'avoir raté sa vie et que l'âge transformait en mégère ou harpie ? Comment adhérer un seul instant aux pleurnicheries des prophètes de la mâlitude, à leurs gémissements de vieux garçons bougons ? Il y a quelque chose de grotesque et même de répugnant dans leur façon de chercher un coupable à leur mal d'être, de transformer leurs chagrins, leurs égratignures de cœur en procès contre la femme en général. L'ordre masculin était d'abord mutilation pour les hommes eux-mêmes et c'est le cas de dire avec Charles Fourier que « l'extension des privilèges des femmes est le principe général de tous les progrès sociaux ».

Si les relations entre les deux versants de l'humanité ne se sont pas améliorées — affranchissement n'est pas synonyme de sérénité — elles se sont complexifiées ; à défaut d'être plus faciles, elles sont du moins plus intéressantes puisqu'elles mettent face à face des êtres de force (presque) égale. Bien avant d'être des hommes ou des femmes, nous sommes des personnes privées soumises au même impératif : nous construire, nous réaliser en dehors des béquilles de la croyance et de l'usage. C'est cette nécessité de nous penser comme individus autonomes, comptables de leurs actes et de leurs échecs, qui nous soude les uns aux autres avec ce que cela comporte d'angoisse et de solitude consenties. Être une femme ne suffit pas à épuiser la définition d'une personne : une fois reconnue la différence de l'autre, encore faut-il ne pas réduire l'autre à sa différence. Sauf à retomber dans le communautarisme, je ne deviens singulier qu'en oubliant mes racines, qu'en inaugurant une histoire nouvelle qui n'appartient qu'à moi : « On appelle esprit libre, dit Nietzsche, celui qui pense autrement qu'on ne s'y attend en raison de son origine, de son milieu, de son état et de sa fonction ou en raison des opinions régnantes de son temps [1]. » Être libre en d'autres termes, c'est s'arracher à sa naissance tout en l'assumant. Nous ne venons pas de nulle part mais nous avons la possibilité d'inventer nos vies, de leur imprimer un cours qui ne soit pas l'exact décalque de notre héritage. Nos actes ne sont pas la simple conséquence de notre appartenance, ils nous ressemblent parce que nous ne ressemblons à personne d'autre. Lorsqu'Allan Bloom reproche aux mouvements féministes de « n'être pas fondés sur la nature [2] », il a parfaitement raison mais il oublie que l'humanité entière s'est construite en s'émancipant de la nature.

Être un homme ou une femme ne va donc plus de soi. Les notions de féminin et de masculin persistent sans que nous sachions ce qu'elles recoupent exactement. Les généralités sur l'un et l'autre ont eu peut-être autrefois une certaine pertinence ; désormais elles ne sont ni vraies ni fausses : improbables. A défaut de pouvoir qualifier sans hésitation, nous voici contraints de suspendre notre jugement. Un certain nombre de vertus et de défauts se partagent à égalité entre les sexes, comme un patrimoine enfin commun. Les modèles classiques n'ont pas disparu, ils se sont relativisés, ils ne font plus autorité (d'où le retour ironique de la vamp et du macho, de la bombe sexuelle et de la brute gonflée aux haltères qui parodient leurs stéréotypes dans leurs signes même). Bref, le chemin n'est plus tracé à l'avance, voilà ce qui a changé et c'est énorme. Nul besoin donc pour les femmes de renoncer à leur féminité puisqu'au contraire elles sont libres d'inventer de nouvelles manières d'être

---

1. *Humain, trop humain,* Folio, Gallimard, p. 207.
2. Entretien avec Susan Faludi, *Backlash,* op. cit., p. 323.

telles (au besoin en croisant les anciens rôles). *Aussi mince que soit la marge d'innovation et fortes les pesanteurs historiques, une pluralité de destins est désormais possible à l'intérieur de l'antique polarité.* La nouvelle Ève ressemblera encore longtemps à l'ancienne mais ce serait myopie que de ne pas voir tout ce qui au sein de cette similitude les différencie déjà. Pour être minuscule, cette révolution n'en est pas moins décisive. Au lieu de vouloir reconstruire un bercail identitaire pour colmater cette légère altération, pourquoi ne pas célébrer en elle une chance d'arpenter des voies jamais parcourues ? Puisque rien ne fait sens a priori — c'est à la fois la grandeur et la malédiction de la modernité —, c'est à chacun de se créer dans le désarroi et l'enchantement, sans trouver dans les manières d'être de jadis autre chose que des points d'appui, des points de départ, jamais des abris ou des refuges.

LES FEMMES-FLEURS ET LES PORNOCRATES

Tout est viol, le viol est partout : dans le regard des passants, leur démarche, leurs gestes et jusqu'à l'air qu'on respire, il plane au-dessus de chaque femme comme une immense et permanente menace. Tel est le message qui nous vient des États-Unis (relayé en Europe par l'Allemagne et l'Angleterre) où la sollicitude conjuguée des ultraféministes et des néoconservateurs permet de placer à nouveau le sexe sous surveillance. Puisque le viol, selon les nouveaux canons, se départage désormais en quatre formes, le légal entre époux, le viol de proximité, le viol au rendez-vous et le viol de rue, il tend de plus en plus à s'identifier avec toute forme d'activité sexuelle. Alors qu'en France le législateur a eu la sagesse de limiter le délit de harcèlement sexuel aux seules activités professionnelles pour sanctionner avant tout l'abus de pouvoir [1], aux États-Unis la même sanction s'étend aux plus petits actes du quotidien. Compagnon du viol qu'il anticipe, le harcèlement prendrait naissance dans « l'environnement hostile », cette zone grise ainsi dénommée par la juriste Catherine McKinnon, pasionaria de la lutte contre la pornographie. Dans le vaste catalogue des attitudes humaines, tout comportement équivoque, geste déplacé, plaisanterie grivoise, regard trop appuyé mérite d'être incriminé. Plus question d'admirer les Vénus callipyges, les passantes aux formes élancées, les créatures aux lèvres ourlées, il s'agit là d'un odieux racisme, le « lookism », attachement pathologique aux apparences [2]. Les sifflements dans la rue des ouvriers au passage d'une jolie fille devraient eux aussi être bannis ou punis. Sans oublier les petites classes : taquiner les filles, les pincer, leur tirer les cheveux deviendra du viol en culottes courtes mais du viol quand même. La moindre vibration ou élan vers une personne du sexe opposé est déjà grosse d'une arrière-pensée maligne qu'il faut stériliser à sa source. Même certaines œuvres d'art offusquent les yeux, constituent des actes d'agression et mériteraient d'être dissimulées à la vue de tous. Bref l'ennemi en ce cas c'est le désir, violent et bestial, dès lors qu'il est masculin. Naturellement le harcèlement sexuel est à sens unique, imaginer que les femmes pourraient l'exercer envers les hommes ne peut être que l'œuvre d'un cerveau malade ou plus exactement d'un nazi potentiel. Ainsi, rendant compte du livre de Michael Crichton, *Disclosure*, paru en 1994 et qui raconte le harcèlement sexuel d'une employée sur la personne de son patron,

---

1. Voir à ce propos l'article d'Alain Ehrenberg, *Esprit*, novembre 1993, pp. 73 sqq. La France a introduit en 1990 la notion de viol conjugal lié à la pénétration vaginale mais aussi à la fellation et à la sodomie.
2. Voir à ce sujet le numéro spécial de *Partisan Review*, « The Politics of Political Correctness », 1993, n° 4.

une journaliste du *Sunday Telegraph*, Jessica Manu, n'hésite pas à écrire : « *Disclosure* est un livre malfaisant qui joue sur le courant anti-féministe très en vogue. En le lisant, je me suis imaginée dans la peau d'un Juif en train de lire un livre antisémite sous la république de Weimar. »

Inutile d'insister sur les possibilités d'extorsion et de chantage qu'ouvre cette notion de harcèlement. Mais le plus grave dans cette chasse aux violeurs tous azimuts — pratiquement le sexe dit fort dans son entier — c'est qu'elle commence par exonérer les violeurs authentiques. Criminaliser le plus petit attouchement, la plus petite avance, c'est minimiser et même annuler le viol réel, le noyer dans une indignation si générale qu'on ne peut plus le repérer quand il arrive. Peu importe d'ailleurs pour nos zélotes puisque l'essentiel pour elles n'est pas de punir tel ou tel délit mais de dénoncer une attitude anthropologique fondamentale : le rapport sexuel courant. C'est lui le monstre à éradiquer, le crime abominable à rayer à tout jamais de la surface de la terre : « Comparez les propos d'une victime du viol avec ceux d'une femme qui vient de faire l'amour. Ils se ressemblent beaucoup, dit Catherine McKinnon. A la lumière de ce fait, la distinction principale entre l'acte sexuel normal et le viol anormal est que le normal a lieu si souvent qu'on ne rencontre personne pour y trouver à redire [1]. » « Physiquement, renchérit Andrea Dworkin, la femme dans le rapport sexuel est un espace envahi, un territoire littéralement occupé, occupé même s'il n'y a pas eu de résistance, même si la femme occupée a dit : Oui, s'il te plaît, dépêche-toi, oui encore [2] ! » Et comment appelle-t-on une femme qui a consenti à de telles choses ? Une collabo, bien entendu, puisqu'elle a introduit l'ennemi dans

---

1. *Towards a feminist theory of the State*, Harvard University Press, 1989, p. 146, cité par Katie Roiphe, *The morning after*, op. cit., p. 81.
2. Cité par Robert Hughes, *Culture of complaint*, op. cit., p. 10.

la place ! Conclusion : *l'hétérosexualité est une mauvaise habitude à déraciner.* C'est ainsi qu'on peut soutenir sans rougir que la plupart des femmes sont violées sans s'en rendre compte et considérer comme violeur tout homme qui aurait fait l'amour avec une femme « qui n'en avait pas vraiment envie même si celle-ci ne l'a pas signifié à son partenaire [1] ». L'accouplement est donc toujours un viol même lorsque la femme acquiesce : pour s'abaisser à un acte d'une telle ignominie, il faut avoir été endoctrinée, décervelée et pour ainsi dire violée mentalement. Celle qui dit oui au despote couillu est bien une esclave puisque l'esclave est incitée par son maître à désirer sa servitude.

La finalité d'une telle réflexion est de demander aux femmes de suspendre à terme leurs liaisons hétérosexuelles, d'en finir avec un mode de relations érotiques qui ne correspond pas à leur sensibilité profonde, bref d'entrer progressivement en dissidence totale avec les hommes [2]. Il est impératif de se désintoxiquer de la culture masculine en portant le discrédit sur son fondement le plus solide : la fornication ordinaire qui perpétue l'allégeance sous couvert de prodiguer le plaisir. Il faut frapper d'infamie le normal parce qu'il est déjà en soi une horrible perversion, « une déviance [3] ». En traquant de façon maniaque les plus

---

1. Cité par Pascal Dupont, *La Bannière étiolée,* op. cit., p. 213.
2. Le séparatisme sexuel prôné par certaines féministes se heurte à de nombreuses oppositions à l'intérieur du mouvement des femmes. Beaucoup sont rebutées par la pudibonderie des extrémistes et leur alliance hautement suspecte avec les bigots de la majorité morale dans leur lutte commune contre la pornographie. Le féminisme américain n'a rien d'une idéologie monolithique. Voir à ce propos Michel Feher, « Erotisme et féminisme aux Etats-Unis : les exercices de la liberté », *Esprit,* novembre 1993.
3. Charles Krauthammer, article cité, *The New Republic,* traduit en français dans *Le Débat,* 1994, n° 81, p. 168 : « Dans le vaste projet de nivellement moral, il ne suffit pas que le déviant soit normalisé. Il faut que le normal soit considéré comme déviant. »

petites velléités libidinales, en obsédant le deuxième sexe sur la peur du viol, ces féministes retrouvent le paradoxe de l'ascète souligné par Hegel : pour se délivrer de la chair et de ses tentations diaboliques, l'ascète chrétien se fixe sur elle, la surveille jour et nuit et croyant s'en libérer tombe sous la coupe d'une vigilance folle à son propre corps. Bref il ne triomphe qu'en succombant, il reste désespérément captif de ce dont il voudrait s'échapper. De même ces militantes installent les femmes dans la terreur et la défiance, les invitent à repousser a priori la compagnie des hommes, à suspecter dans leurs phrases doucereuses, leurs compliments mielleux, leurs œillades enveloppantes, une volonté d'agression. Comme le remarque Katie Roiphe très justement le sexe redevient alors ce qu'il était à l'époque victorienne:un vice, un traumatisme, une abomination [1]. Et le présupposé d'une telle démarche c'est qu'il n'est de sexualité que masculine, la femme elle se contentant de subir les assauts d'un monstre bestial qu'elle ne peut jamais désirer en retour, sauf si elle y a été subtilement forcée. Conséquence : l'armée des victimes croît vertigineusement, les statistiques sur le viol s'envolent, nous sommes toutes des harcelées sexuelles. (Selon le *New York Times* du 23 décembre 1993 citant une étude, 75 % des femmes docteurs disent avoir été l'objet de harcèlement sexuel de la part de leurs patients.)

---

1. Katie Roiphe détaille avec ironie les formes fantasmatiques et même folles qu'a pris la peur du viol sur les campus : aucun professeur, de peur d'être accusé, n'ose fermer la porte de son bureau quand une étudiante s'y tient avec lui ; dans certains établissements des listes de violeurs ou supposés tels sont affichées sur des « murs de la honte » sans que les accusés aient la possibilité de se défendre ou de se disculper (*The morning after,* op. cit., p. 19). De nombreuses accusations de viol sont imaginaires mais elles sont encouragées pour le bien de la cause et tout homme est a priori considéré comme suspect (idem, p. 41), pratiques qui ne sont pas sans rappeler les séances d'humiliation collective infligées durant la Révolution culturelle chinoise.

Une soif de persécution

Mais le paradoxe de cette *pudibonderie lubrique*, c'est que la chasse démente à l'équivoque, à l'ambiguïté a pour effet inverse de tout sexualiser, de tout affecter d'un coefficient de perversité et d'indécence. Le puritanisme, on le sait depuis Michel Foucault, n'est pas tant la peur ou le dégoût du sexe que sa constitution en objet de discours licite pour la société, l'amour du détail scabreux, des situations pornographiques. S'il s'agissait au moins de pudeur ! Mais non on fouaille, on débusque, on se pourlèche d'expressions crues, de vulgarités, on brasse à pleines mains l'obscénité avec une gourmandise d'inquisiteurs, on exhibe petites culottes et dessous féminins en plein prétoire, on se vautre dans la cochonnerie pour mieux la pourfendre. Ainsi Paula Jones, cette femme qui poursuivait Bill Clinton pour agression sexuelle du temps où il était gouverneur de l'Arkansas prétendait pouvoir identifier « des signes distinctifs dans la région génitale de Clinton ». A quoi ont servi en Amérique l'affaire Anita Hill ou le procès Lorena Bobbit ? A parler de sexe jour et nuit sur les médias en toute ingénuité.

ÉROS LIGOTÉ

A défaut toutefois de pouvoir imposer tout de suite une rupture totale entre les sexes, les plus extrémistes des militantes essayent dans l'immédiat de contractualiser au maximum les relations. Premier commandement : aucun accouplement ne devrait avoir lieu sans se conformer à un code préalablement défini. C'est ainsi que l'Antioch College dans l'Ohio a promulgué une charte réglementant l'acte sexuel lequel désormais doit faire l'objet d'un accord si possible écrit. L'avertissement délivré aux coureurs, cavaleurs et autres Casanova en herbe est clair : « Vous devez obtenir le consentement à chaque étape du processus. Si vous voulez lui enlever son corsage, vous devez le lui demander, si vous voulez lui toucher les seins, vous devez le lui demander [1]. » Aucune place donc pour l'improvisation, le libre déploiement des gestes et des envies : tout doit être détaillé avec minutie. A quand les étreintes amoureuses signées devant notaire [2] précisant les fantaisies autorisées, le nombre d'orgasmes exigés (avec pénalité en cas de déficience) ? Pourquoi cet état de « belligérance contractuelle [3] » (François Furet) entre les sexes analogue à celui qui régit les différents groupes sociaux face au pouvoir ? C'est qu'il est une arme contre l'oppression et doit corriger les effets pervers pesant sur les minorités et tout particulièrement sur les femmes. Le rêve ici est celui d'une société entièrement recréée et refaçonnée par le droit jusque dans ses plus petits aspects et qui bannit l'usage, c'est-à-dire l'héritage involontaire, qui bouscule la tradition et ses rapports de forces sanctionnés par des siècles d'assujettissement. Parfaitement légitime dans le mariage, tolérable à la rigueur dans le « prenuptial agreement », cette coutume prémaritale en usage chez les stars américaines où l'on établit devant avocat un contrat garantissant que le plus riche des deux en cas de divorce ne sera pas plumé, le contractualisme, conséquence du caractère procédurier de la société américaine, devient plus problématique quand il doit régir le domaine flou des affects et des passions. Il n'y a

---

1. Le *Sunday Times* du 31 octobre 1993 cité par *Le Canard enchaîné* du 28 octobre 1993. Le NOW (National Organisation of Women), principale organisation féministe américaine, aurait voulu faire du code d'Antioch la norme des relations sexuelles dans tout le pays. L'immense majorité des Américains a réagi négativement à ce code.
2. François Furet mentionne cette possibilité dans une analyse très critique de la « political correctness », *Le Débat,* mars-avril 1992, n° 69, p. 83.
3. François Furet, *La République du Centre* (coécrit avec Pierre Rosanvallon et Jacques Julliard), Calmann-Lévy, 1988, p. 21, à propos des communistes et des gaullistes.

pas seulement danger à mettre du droit là où les relations sont harmonieuses, à jeter une ombre entre partenaires toujours prompts à brandir leur Code à la moindre anicroche : les querelles privées, les scènes de ménage doivent, dans la mesure du possible, se résoudre d'elles-mêmes sans intervention de la puissance publique. Le droit n'est pas compétent ni bienvenu partout. Mais surtout la sphère amoureuse demande une bienveillance mutuelle qui permette l'abandon total, le jeu, la découverte, l'invention d'un protocole propre aux amants.

Il est vrai que la femme dans l'acte amoureux est institutrice de lenteur et de raffinement ; elle combat la hâte et la simplicité. Elle apprend à l'homme la valeur du temps, l'alliance de la patience et de la sensualité, elle lui enseigne à différer son plaisir, à dépasser la simple, trop simple mécanique pénienne. Longueur et lenteur accompagnent le déroulement d'une jouissance qui a besoin de durée et de soins pour se déployer et s'épanouir. Ce que le petit mâle apprend à la puberté, c'est à se retenir, c'est-à-dire à contrarier en lui la nature. Facteur de civilité et de complexité, l'érotisme féminin tient à distance la brutalité du soudard comme la précipitation de l'adolescent. Qu'une personne décide de ne pas céder tout de suite, de faire languir le prétendant, libre à elle, qu'un couple multiplie les obstacles entre un désir et sa réalisation, non pour tuer le plaisir mais pour l'accroître, c'est son droit absolu. Où a-t-on vu qu'il fallait en tirer une loi générale, une codification généralisée ? En ce domaine le caprice individuel est roi, rien, rien ne doit l'entraver dès lors que cet arrangement est passé entre adultes consentants. Les amants peuvent parfaitement s'abandonner selon certaines règles, mettre en scène leur propre scénario : de tels accords qui lient par exemple les libertins sadiens, les personnages fouriéristes ou les héros de Sacher-Masoch restent des dispositifs purement privés, conclus selon des micro-stratégies de la volupté. Jusqu'à preuve du contraire on ne passe pas devant juriste pour se livrer en esclave à sa maîtresse, organiser une partie fine ou goûter aux joies du triolisme. De même tout coucher par écrit, comme le demande le code de certaines universités américaines, négocier pied à pied la moindre concession territoriale, c'est placer l'union sexuelle sous le regard d'une autorité toute-puissante qui a droit de contrôle absolu sur les émois de ses administrés. S'il s'agissait au moins de subtilité érotique, d'un jeu avec l'interdit comme c'était le cas jadis avec les manuels des confesseurs : ceux-ci autorisaient à la femme certaines concessions charnelles très rigoureusement circonscrites. Ces impudicités permises allégeaient le poids des tabous dans un contexte de condamnation globale de la chair maintenu jusqu'à nos jours par l'Église.

Mais le pointillisme du « sexuellement correct » à l'américaine enserre l'amour dans l'alternative du oui ou du non et fait bon marché de l'hésitation, de l'atermoiement. Il méconnaît l'importance du « peut-être » (Georg Simmel) qui balance entre l'approbation et le refus, il oublie que la convoitise procède par voies détournées, affectionne l'ambiguïté et l'incertitude et qu'on n'est pas toujours sûr de son désir avant de le réaliser. Exiger des étudiantes qu'elles planifient à l'avance tout ce qu'elles vont faire, les inviter à « penser ce qu'elles disent et dire ce qu'elles pensent », c'est croire naïvement qu'on peut *mettre son désir au clair,* le programmer à la façon d'un ordinateur. La règle n'est là que pour nous dire ce qu'il faut faire et alléger le fardeau d'une liberté qui nous terrorise. (De la même façon les codes érotiques trahissent peut-être l'incapacité des hommes et des femmes outre-Atlantique à communiquer autrement que par des règlements coercitifs.) Nul doute que nos étreintes n'obéissent à des lois tacites mais le bonheur sensuel est aussi la capacité d'oublier ces lois, de les dépasser, de jouer avec elles pour mieux les subvertir.

188

Éros doit rester enfant de la fantaisie sous peine de dépérir.

En aucun cas, nous ne pouvons laisser à la puissance publique le soin de régler nos turpitudes, la permission de s'allonger dans le lit des amants pour épier leurs ébats. Si nous avons gagné quelque chose depuis un siècle, c'est que la société a globalement cessé de se mêler de nos amours et que la réintroduire par le biais des juges serait un terrible recul, l'autorisation donnée à tous de se mêler de chacun, le règne de la surveillance mutuelle. Notre époque, c'est son charme, autorise toutes les figures amoureuses, y compris la plus énigmatique de toutes : l'abstinence. Nous n'avons pas à militer pour telle ou telle forme d'érotisme, pas plus le libertinage que la conjugalité, mais pour un monde où toutes les inclinations trouvent à se satisfaire, un monde qui fasse le délice des âmes tendres comme le bonheur des pervers. (La décision de rester chaste ou vierge est parfaitement juste si elle est prise en toute liberté, si elle est un choix individuel et non une contrainte collective.) Le plaisir doit rester seul arbitre de ses excès et de ses limites : faute de quoi nous n'aurions arraché Éros à l'emprise des prêtres et des médecins que pour mieux le soumettre à la coupe des avocats, que pour ouvrir un champ nouveau à l'expertise juridique.

Qu'on puisse dans l'étreinte amoureuse s'avilir avec délectation, conjoindre le plus bas et le plus élevé, voilà ce qui rebute les cagots, les pisse-froid et les nouvelles cheftaines du mouvement féministe. Il est normal de vouloir renforcer la législation contre le viol et de le punir pour ce qu'il est, à savoir un crime. Mais c'est aux fins de prévenir la lubricité et le dévergondage que les nouvelles bégueules et les anciens calotins montent la garde à la porte de l'alcôve et lancent leur croisade entre les draps. Les uns et les autres, en dépit de leurs divergences, n'ont comme seul but que de maintenir les femmes en état d'infériorité, quitte à reprendre les arguments les plus éculés du sexisme[1]. Victime de sa faiblesse, de ses appâts, des séducteurs perfides, la femme ne saurait survivre sans protecteur. C'est un même paternalisme qui de part et d'autre la décrète passive, impressionnable, inapte au gouvernement d'elle-même, oie blanche en butte aux grossiers fornicateurs, petite chose sans cervelle que l'on doit mettre en garde (contre l'abus d'alcool dans les fêtes par exemple) pour compenser sa fragilité, son manque de maturité. Ce type de conseils se résume à un présupposé : nous savons ce qui est bon pour vous mieux que vous ne le saurez jamais. Ce qu'a d'insupportable un certain féminisme (comme le chauvinisme mâle dont il n'est souvent que le miroir inversé), c'est qu'il dicte la femme et donne à cette dictée la valeur d'une émancipation, définit pour elle une vérité révélée aussi coercitive dans la libération qu'elle l'était hier dans l'oppression. A qui dès lors décerner la palme du meilleur censeur ? Aux divers père-la-Pudeur qui entendent contenir le deuxième sexe ou aux prétendues libératrices qui ne chérissent la femme que misérable, écrasée pour mieux la contrôler ? Il y a quelque chose d'infiniment douteux dans leur sollicitude qui consiste d'abord à terroriser leurs protégées comme pour les maintenir dans un état de peur infantile, leur interdire de s'arracher à leur condition. Et l'on sent ces égéries terriblement impatientes de se porter candidates, après les pères, les maîtres et les prêtres à la suprématie sur le deuxième sexe. Ce que l'on peut reprocher finalement à cette « sexual correctness », ce n'est pas seulement d'accumuler sottise sur sottise, c'est d'abord de nuire à la cause qu'elle prétend

---

1. Selon Katie Roiphe (*The morning after*, op. cit., p. 66, 149 et 151), les pamphlets féministes sur le viol ressemblent aux manuels de bonne conduite de l'époque victorienne décrivant les jeunes filles comme des êtres passifs dépourvus de toute sexualité et dont il faut préserver la vertu par tous les moyens.

soutenir, de n'être qu'une forme agressive de la résignation soutenant que le lot d'une femme est de toujours subir, toujours souffrir. C'est enfin d'osciller, en matière de plaisir charnel, de la pruderie la plus ridicule à la vulgarité la plus abjecte, de tenir sur la chose des propos d'une bassesse confondante, d'être incapable, par manque de culture, de saisir la dimension symbolique et poétique de l'érotisme. Apprendre l'amour, c'est d'abord apprendre à parler d'amour et on ne l'apprend jamais aussi bien que chez les poètes, les romanciers, les philosophes.

GUÉRIR LE CŒUR DE LUI-MÊME

Au grand jeu de la passion, les hommes et les femmes s'accusent plus souvent qu'à leur tour de porter chacun pour son compte tout le fardeau de la tristesse et déclarent l'autre sexe indigne des attachements qu'on lui voue. Chacun prétend pâtir d'un tourment particulier, se déclare le grand perdant et en veut à l'autre de ne rien connaître du malheur d'aimer. Parfaitement réversible, ce type d'arguments milite en faveur soit de l'abstention soit d'une refonte de l'amour lui aussi grevé par des siècles d'injustice. « Ces femmes qui aiment trop » (selon le titre d'un best-seller de Robin Norwood) auraient tort d'après Susan Faludi d'attribuer leurs déboires à des raisons personnelles [1]. Car les échecs sentimentaux ont une origine sociale et politique, et celles qui méconnaissent cette loi fondamentale se condamnent à devenir des « droguées des relations », à rester seules, à broyer du noir, à ressasser leurs tracas [2]. Derrière cet avertissement se retrouve une idée récurrente de tous les

---

1. Susan Faludi, *Backlash*, op. cit., p. 381.
2. Idem, pp. 376, 383.

réformateurs de la passion depuis Sade et Fourier : il existerait une solution politique ou juridique aux chagrins d'amour. Au lieu de pleurer chacun dans son coin sur ses disgrâces, il est possible, alliés tous ensemble, de faire rendre gorge au système et d'accoucher d'un nouveau monde idyllique. C'est une même obsession thérapeutique qui poussait dans les années 60 les prophètes de la révolution sexuelle à ridiculiser l'amour, à le ravaler au rang de vieille lune que le libre jeu des sens et l'épanouissement de la chair allaient précipiter dans les ténèbres du passé. C'est toujours ce même effroi devant la dépendance amoureuse qui incite de nos jours certaines féministes à dénoncer le lien sentimental : comment prôner l'égalité quand les êtres s'entêtent à s'égarer, à s'humilier, au lieu de s'engager dans un combat collectif ? On regarde avec condescendance, apitoiement celles qui avouent céder parfois à la violence de l'exclusion ou de la jalousie, on les rend coupables de se complaire à leurs infortunes, on les presse de rejoindre leurs sœurs et amies dans la lutte.

Or quel que soit l'état d'égalité d'une nation, la justesse de ses lois, on ne pourra faire qu'à vouloir supprimer la douleur il ne faille faire bientôt le deuil du bonheur lui-même. En premier lieu l'amour ajoute au plaisir d'exister le privilège d'une élection indue. Qu'un être m'aime, que je le chérisse en retour ne relève en rien des vertus de l'un ou de l'autre. Aucune qualité particulière ou noblesse d'âme n'entrent dans le choix amoureux lequel peut se fixer avec la même frénésie sur une crapule, un lâche ou un héros. De même, la plus démocratique des sociétés ne pourra corriger cette iniquité fondamentale qui consiste, dans la passion, à être préféré à tout autre et ce pour des motifs purement arbitraires. En quoi l'amour oppose un démenti flagrant à toutes les utopies de la justice. Il peut connaître des sommets de splendeur ou des abîmes d'infamie, il ne répond nullement à la notion de progrès ou de mérite. Je ne mérite jamais d'être aimé, cette affection qu'on me porte m'est donnée de surcroît, comme une grâce ineffable. Vouloir guérir le sentiment de lui-même, de sa face d'ombre, c'est le stériliser. Par sa capacité à transformer un être quelconque en « être de fuite » (Proust), le cœur concède à la personne aimée, fût-elle la plus humble, une plénitude, une majesté qui tranche sur le commun des mortels. L'être chéri, par la flamme que nous lui vouons, devient une force libre et redoutable que nous tentons en vain de domestiquer. Plus je m'attache à lui, plus il s'éloigne de moi, gagne en obscurité, en distance, acquiert une dimension formidable.

Aimer, c'est accorder à l'autre, de notre plein gré, les pleins pouvoirs sur nous, se rendre dépendant de ses caprices, se mettre sous la coupe d'un despote aussi fantasque que charmant. D'un mot, d'une simple volte-face, l'aimé peut m'élever jusqu'au pinacle ou me jeter dans la poussière. S'enchaîner à celui ou celle dont on ne sait plus rien à force de l'adorer, c'est se placer en état de vulnérabilité, se découvrir nu, captif, sans défense. L'être aimé ne se transforme pas seulement en étranger à mesure que nos relations gagnent en intimité ; il représente surtout la possibilité de l'extase comme de la déchéance. L'écouter, le vénérer, l'attendre, c'est se plier à un verdict absolu : je suis admis ou rejeté. De la personne qui nous est la plus chère, nous pouvons donc redouter le plus : sa perte ou sa fuite signifierait mutilation d'une part essentielle de soi. L'amour nous rachète du péché d'exister ; quand il échoue il nous accable de la gratuité de cette vie. L'atroce dans la souffrance amoureuse, c'est d'être puni pour avoir voulu faire à l'autre tout le bien possible en l'aimant ; c'est un châtiment non pour une faute mais pour une offrande refusée. Et le non que subissent les recalés de l'amour est sans appel ; ils ne peuvent en accuser personne d'autre, ils sont renvoyés à leur propre délaissement.

Il existe bien sûr un bonheur d'aimer, bonheur du côte à côte, de la complicité, des épreuves partagées, bonheur de pouvoir déposer son image et de s'abandonner en toute confiance à l'autre mais c'est un bonheur qui porte en lui les germes de sa propre destruction s'il dégénère en calme dominical. Il est certes toujours possible de déloger l'autre de sa position d'éminence et à force de vie commune de le rendre prévisible, aussi familier qu'un meuble ou une plante. Mais c'est là un triste progrès et nous oscillons dans nos liaisons entre la peur de ne pas comprendre l'autre et le désespoir de trop bien le connaître. Il est une première blessure que nous inflige l'aimé quand il nous semble riche d'une énergie intense, fascinante que nous nous épuisons à suivre ou à prévoir. Il est une seconde blessure qui naît de l'excessive transparence d'un autrui trop humain, trop attendu qui, en perdant de sa superbe, de sa sauvagerie, a perdu aussi toute saveur. En ce domaine la victoire ne se distingue pas de la débâcle et l'on oscille constamment entre la violence de l'inconnu et l'apaisement du trop bien connu. Dans un cas l'autre m'échappe et je m'efforce désespérément de le rattraper, dans l'autre je lui échappe dans la mesure où il s'est rendu accessible, s'est intégré au cours normal de mon existence. J'étais ravi à moi-même, écartelé ; voici que je me retrouve, me récupère. Mais à échanger la défaillance pour la sécurité, j'ai aussi perdu un tumulte nécessaire. Car la pire des horreurs est de survivre à deux dans un automatisme tranquille. Une fois résolue l'entêtante énigme qu'il représente, autrui se banalise : je l'ai si bien apprivoisé pour ne plus pâtir de son excessif éloignement que je souffre désormais de son encombrante proximité. Hier encore, il me demeurait absent même au sein de la plus étroite conjonction charnelle et je vivais dans la terreur d'être quitté ; le voilà devenu prévisible, réduit à la mécanique d'un « chéri » qui a dissipé toute faculté de me surprendre.

Toutes nos amours ne sont pas malheureuses bien sûr, toutes sont hantées par le spectre de leur extinction. Il n'est donc pas de solution à la souffrance amoureuse : tels des insomniaques, nous nous contentons de changer de mauvais côté, de balancer entre la tristesse du déchirement et celle de la monotonie, entre le bonheur comme tension et le bonheur comme apaisement. Il n'est pas d'élan passionnel que l'inquiétude n'alimente et l'amour n'est rien d'autre que l'état d'une douleur euphorique, intolérable autant que divine. Tel est son paradoxe : il est une angoisse génératrice de jouissance, un servage merveilleux, un mal délectable dont la disparition nous accable [1]. Qui ne prend le risque de souffrir ne saurait donc aimer. Et n'est-ce pas un homme, Marcel Proust, qui a été le plus fin dissecteur des catastrophes de l'amour et des catastrophes du désamour? Aucun sexe n'a le privilège de l'éblouissement et du désespoir ; la spécialisation aiguë de la sensibilité sur un être s'accompagne de doutes autant que de délices. Aimer c'est vivre l'alliance indissoluble de la terreur et du miracle.

On dira que mieux vaut oublier la passion et ses faux sortilèges, ses pathologies archaïques plutôt que de prolonger un état de subordination qui incarcère les femmes dans la désolation et les détourne de la juste lutte pour l'émancipation. D'autant que l'amour est par excellence le lieu des trahisons, des retournements, de l'inconstance et que « au-dessous de la ceinture, comme le dit un proverbe italien, il n'est ni foi, ni loi ». Il n'est pas certain toutefois que l'ambition d'abolir toute équivoque, toute dépossession ne soit pas une utopie plus monstrueuse que les accès de mélancolie, d'avilissement où tombent parfois les amants. Même générateur d'affliction, cet état de servitude est souvent préférable au calme du cœur et l'on voit beaucoup

---

1. Nicolas Grimaldi a bien analysé ce processus de l'angoisse bienfaisante chez Proust, *La Jalousie*, Actes Sud, 1993, pp. 34 sqq.

d'êtres, à peine sortis d'une liaison douloureuse, se remettre en quête d'une nouvelle torture, s'y jeter avec des transports. Leur déraisonnable attachement résiste aux objurgations les plus convaincantes. On peut bien piétiner l'amour, le maudire, il n'empêche que lui et lui seul nous donne le sentiment de vivre à haute altitude et de condenser dans les brefs instants où il nous enfièvre les étapes les plus précieuses d'un destin. Une liberté exigeante n'est pas une liberté qui se préserve mais s'expose à s'en brûler. La passion est peut-être vouée à l'infortune ; c'est une infortune plus grande encore que de n'être jamais passionné. « L'humanité après la saison des amours ne fait que végéter, s'étourdir sur le vœu de l'âme ; les femmes trop peu distraites sentent amèrement cette vérité et au déclin de l'âge, elles cherchent dans la dévotion quelque appui de ce Dieu qui semble s'être éloigné d'elles avec leur passion chérie. Les hommes parviennent à oublier l'amour mais ils ne le remplacent pas. Les fumées de l'ambition, les douceurs de la paternité n'équivalent plus aux illusions vraiment divines que l'amour procure au bel âge. Tout sexagénaire exalte et regrette les plaisirs qu'il a goûtés dans sa jeunesse et nul jouvenceau ne voudrait échanger ses amours contre les distractions du vieillard [1] » (Charles Fourier).

LA SÉDUCTION OU LA FRANCHISE

S'il est un pari européen, par opposition aux États-Unis, il est de concilier la modernité avec la fidélité la plus souple aux traditions. Il est dans le constat que tout n'est pas

---

1. Charles Fourier, *Le Nouveau Monde amoureux* (1808-1814), Slatkine, Genève, 1986, p. 14.

oppressif dans la coutume, tout n'est pas libérateur dans l'innovation. Certains usages formés au cours des siècles méritent d'être prolongés car ils ramassent en eux un processus civilisateur, le génie et la mémoire de nombreuses générations. L'extraordinaire diversité des arts de vivre en Europe vient probablement de ce qu'on y pratique un conservatisme intelligent et qu'on sait adjoindre à l'égalitarisme présent quelques mœurs d'hier. Le passé en France fut à bien des égards émancipateur et il reste aujourd'hui même la condition du changement : l'amour courtois, la tradition poétique des blasons, l'œuvre à tous égards singulière d'une Louise Labé, les Précieuses, les salons, le libertinage furent pour les femmes des périodes de liberté qui ont esquissé ce qui est advenu aujourd'hui. Souveraines, au moins dans le domaine passionnel, elles ont anticipé leur affranchissement en tant que personnes. Prôner la table rase serait à bien des égards rendre la situation actuelle incompréhensible.

Tandis qu'aux États-Unis la coexistence entre les sexes semble toujours au bord de l'explosion, l'Europe paraît mieux protégée de cette hostilité par une véritable culture de la séduction. Héritière peut-être de « l'érotique des troubadours » (René Nelli) qui tissait entre un chevalier et sa dame tout un rituel d'allégeance et de soumission, la séduction n'est pas seulement une propédeutique à la courtoisie, elle civilise les désirs en les contraignant à s'avancer masqués. Elle forme ce goût commun aux deux sexes de la conversation, de l'échange, du bel esprit qui donnent à leurs entretiens toute la profondeur et la légèreté d'un badinage. Elle est encore le plaisir de plaire, de jouer avec l'autre, de se laisser jouer par lui, de le tromper avec son consentement à moins que ce ne soit lui qui ne nous mène par le bout du nez. A quoi s'oppose la volonté puritaine et souvent protestante de franchise où la transparence des consciences doit s'accompagner de la simplicité des manières. (L'élément sensuel et émotionnel du catholicisme romain joint à son accommodement séculaire avec les faiblesses humaines explique peut-être que les pays latins aient mieux acclimaté que d'autres les bouleversements de la modernité à leur culture.) Or la tentative de tout se dire dès la première rencontre, de se découvrir à l'autre afin qu'il se dévoile à vous est à la fois naïve et décevante. Elle suppose, illusion suprême, qu'on se connaît, qu'on est d'une seule pièce et que le contact avec l'autre ne nous modifiera pas, nous confirmera dans notre être. Se présenter de la sorte — voilà ce que je suis et serai de toute éternité —, ce n'est pas se révéler, c'est en fait se dérober, se figer dans une image ; par un étrange contresens, l'extrémisme de la sincérité devient alors le comble du mensonge ; où l'on ment à l'autre parce que l'on change malgré soi ou l'on se ment à soi-même en refusant d'admettre le changement. L'art de faire sa cour, lorsqu'il se réduit à une confession réciproque, à ce que le langage populaire appelle un déballage, tombe dans la platitude de l'aveu et tue cette capacité de la rencontre d'éveiller un monde qui s'ouvre lentement à nous et dont la perception nous chavire.

Salutaire en politique, le devoir de clarification est mortel en amour lequel appelle le flou, le subtil, le subreptice qui permettent de distiller les révélations et de mieux cerner la nouveauté bouleversante d'autrui. Il y a une splendeur du secret que l'autre enclôt en soi, des paysages qu'il suggère qui ne doivent pas être exposés à un éclairage trop cru sous peine de profaner le sentiment avant qu'il ne s'éveille. L'amour veut naître masqué, paré d'un manteau de lumière autant que de nuit, le clair-obscur est sa tonalité favorite, il se cache autant qu'il se divulgue, procède par allusions. Il a besoin d'obstacles, fussent-ils fictifs, pour se renforcer, retarder le dénouement, la trop facile limpidité des cœurs et des corps. Tout ce qui est ruse et manigance sert beaucoup mieux la cause des sentiments que la triste sincérité. La chasse et le gain, le danger et la chance, la chute et la transfiguration feront toujours partie des panoplies de la passion. Il y a une profondeur du frivole et du faux-semblant, un chatoiement des apparences beaucoup plus émouvantes que l'immédiate mise à nu de l'intimité.

Nous vivons aussi en Europe dans une civilisation urbaine et l'art de la ville est par excellence le théâtre, l'art de se mettre en spectacle et d'apprécier le spectacle offert par les autres. Se regarder, s'évaluer, s'admirer, spécialement dans les pays méditerranéens, constitue un aspect important de la vie publique. Observer les jeunes femmes qui déambulent depuis les terrasses de café est un passe-temps délicieux, être dévisagé, regardé, muettement convoité un agrément pour ces mêmes jeunes femmes qui à leur tour jaugent et fixent leurs observateurs. Tout cela dessine entre les parties féminines et masculines une atmosphère de complicité faite d'œillades, de sourires, d'allusions, une sorte d'érotisation superficielle mais sans visée érotique qui instille, même dans les rapports les plus neutres, une sorte de proximité troublante. Cela explique aussi l'extrême coquetterie de certaines Européennes, cet art de s'arranger d'un rien, ce goût de se mettre en valeur, compatible avec une totale liberté, cet amour de l'artifice et du maquillage aux antipodes de l'idéologie du naturel et qui transforme nos grandes villes en un spectacle fascinant. La multitude des visages qui s'y croisent forment comme autant de voies d'accès vers la beauté : tous ne sont pas ravissants mais tous enchantent par un détail, une prestance dans l'allure qui finit par composer pour l'œil une véritable féerie. En d'autres termes la volonté de séduction privilégie le lien sur la séparation, l'attirance passionnée sur le mutisme hostile, le discours oblique sur la simplicité ; elle suppose enfin que le malheur d'être traité en objet sexuel n'est rien comparé au malheur de n'être pas désiré du tout.

Elle est cette sagesse tissée d'indulgence et d'ironie qui n'essaye pas de purger l'amour de ses scories mais entend mettre ses défauts au service de son développement, le civiliser à partir de ses impuretés.

LA CONNIVENCE OU LA SURDITÉ

Nous n'en avons pas fini avec le mouvement des femmes surtout en un temps où la tentation est grande en Europe de les ramener au foyer et les exclure du marché du travail. Le vieux combat pour l'égalité se poursuivra et l'on ne voit pas au nom de quoi l'on devrait le freiner ou le censurer. Il faut garder du féminisme une fonction critique des préjugés et déséquilibres existant au sein de nos sociétés. Une fois encore deux logiques s'opposent : une logique de type américain, à la fois suspicieuse et procédurière, et une logique française de la connivence, de la bonne intelligence qui insiste sur les valeurs communes plus que sur les divisions. (Il s'agit là des traits dominants car les deux courants se partagent chaque pays à des degrés divers.) Il reste caractéristique de la civilisation nord-américaine qu'elle reste handicapée par l'esprit de la ségrégation jusque chez les adversaires les plus acharnés de l'*establishment*. Études féminines pour les femmes, afro-américaines pour les Noirs, judaïques pour les Juifs, masculines pour les hommes, chacun est invité à rester chez soi et entre soi dans son groupe de naissance. Autant d'assignations à résidence qui ne sont pas sans rappeler la règle du développement séparé en usage officiel il y a peu en Afrique du Sud. Les minorités sont si pleines d'elles-mêmes qu'elles ne peuvent plus converser. Si utiles que soient ces « fraternités ethniques » ou sexuelles pour leurs membres, il n'est pas interdit dans une Europe du brassage d'intéresser un Juif aux cultures africaines, un homme aux études féminines, un hétérosexuel à l'homosexualité, bref de faire de ces particularismes autant de chemins vers l'universel. Car ces « politiques de l'identité » comme les appelle Edmund White, sous couleur de rendre leur dignité aux groupes rejetés, dégénèrent vite en micro-nationalismes, en pullulement de congrégations hétéroclites avides de dérogations légales.

Ainsi combien de féministes tentent-elles d'imposer en littérature et au cinéma une image positive de la femme ? (Représenter une personne du sexe méchante ou perfide est alors assimilé à du racisme.) A cet égard il faut répéter que la violence, la cruauté ne sont en rien des prérogatives purement masculines. Les femmes y ont en partie échappé jusqu'à maintenant en raison de leur relégation sociale. Mais on a pris pour vertu ce qui était empêchement provisoire de commettre le mal. Et l'on ne voit pas au nom de quel angélisme une femme serait à jamais prémunie de la bêtise et de la malveillance comme si naître telle vous soustrayait aux tares et petitesses de la condition humaine [1]. Qu'en est-il enfin de celui qui ne se sent aucune affinité avec ses frères de « genre », de celle qui ne veut pas faire allégeance à sa sororité ? Qu'en est-il des millions d'hommes et de femmes qui réclament avant tout le droit à la ressemblance et dont les fidélités ne sont pas machistes ou féministes mais conjugales, familiales, amoureuses ? Au nom de quoi maintenir « le vieil édifice d'iniquité » (Hegel), l'antique relation entre les sexes ? Au nom du seul bonheur d'être ensemble, parce que l'ennemi combattu est aussi l'être désiré et que les séparer serait amputer chacun d'un fragment essentiel de soi-même.

---

1. Selon le *Washington Post*, cité par *Le Monde* (14 janvier 1994), les victimes de violences conjugales aux États-Unis entre 1975 et 1985 auraient été majoritairement des hommes. Prisonniers de leurs préjugés phallocentriques, maris et amants portent rarement plainte, refusant d'admettre qu'ils ont été battus par leurs épouses.

Il n'est pas vrai qu'à force de concessions et de dialogues, les deux parties de l'espèce humaine pourront se réconcilier et vivre en harmonie autour de quelques principes républicains : la division des tâches, la fatalité anatomique, les potentialités permises aux uns et refusées aux autres (par exemple la faculté d'enfantement, la différence des jouissances) entravent à jamais une communication parfaite, une entente idyllique. Chaque sexe demeure pour son opposé insondable, ni si différent ni si proche qu'il le croit. Mais il faut renverser aussitôt cette proposition : vis-à-vis de l'autre moitié de l'humanité, la source de la peur et la source de l'émerveillement sont une seule et même source. La porte qui sépare est aussi le pont qui relie, l'essentiel étant que le rapprochement ne tue pas la distance ni que la distance n'empêche les sympathies. En quoi toute relation s'engage dans l'équivoque, dans le partage indiscernable de l'attirance et de l'effroi. L'égalité est un monstre insatiable qui risque toujours d'entraîner les uns et les autres dans une spirale plus implacable d'envie et de rivalité. Il faut donc tempérer l'exigence de parité par le désir de cohabitation, le goût du nivellement par celui des plaisirs partagés ensemble. Demander que subsiste un monde commun, c'est admettre que ce qui nous réunit est plus fort que ce qui nous divise. Nous ne verrons pas la fin de la discorde entre les sexes mais il dépend de nous qu'elle échappe aux fanatiques des deux bords, toujours prêts à lever l'étendard du martyr, qu'elle évite ces déferlements de haine et de laideur qui envahissent régulièrement la scène publique américaine. Il dépend de nous qu'elle génère des relations inédites, nous maintienne dans un état de tension passionnelle.

Ne sous-estimons pas les souffrances et les échecs que suscitent depuis un demi-siècle la lente désintégration du système patriarcal, la crise de la masculinité qui s'ensuit et l'apprentissage douloureux par les femmes de leur toute récente et fragile liberté. Toutefois il est captivant de vivre ce moment de vacillement des identités sexuelles. Que certains s'en affligent et maudissent collectivement l'engeance des traîtresses et des perfides, que d'autres à l'inverse rêvent d'une vengeance apocalyptique sur le sexe dit fort, on peut le concevoir. Comment ne pas rire de la poltronnerie des uns, de la rancœur des autres ? En dépit des surdités et des inévitables déconvenues, il faut préserver à toute force cette atmosphère d'amitié érotique et amoureuse qui fait de l'Europe d'aujourd'hui non le continent de la débauche mais un lieu de haute civilisation. En ce domaine, il est possible que le Vieux Monde soit l'avenir du Nouveau.

CENSURE OU RÉCIPROCITÉ ?

Il existe deux stratégies pour corriger les disparités les plus criantes entre les sexes : l'interdiction ou la réversibilité. Prenez la beauté : elle pèse sur les femmes à la manière d'un diktat et la disgrâce physique est trop souvent pour elles une disgrâce métaphysique. Comment contrecarrer ce chantage esthétique, « cette nouvelle théologie du contrôle du poids » (Naomi Wolf) ? Pour les uns il faut inciter les femmes à refuser les injonctions de la mode, les lingeries et fanfreluches, à désobéir à cette culture de l'œil qui impose des canons aussi arbitraires qu'exclusifs ; pour d'autres et dans une tradition plus proche de l'Europe latine, il suffit d'exiger des hommes qu'ils partagent avec le beau sexe un même souci de leur image corporelle. Hier l'homme seul était juge et la femme regardée : pourquoi ne pas les rendre tous deux surveillants et surveillés ? Pourquoi le mâle n'entrerait-il pas à son tour dans l'ascèse exténuante du spectacle, découvrant le plaisir et l'angoisse de s'habiller, de se parfumer, de se contempler. Ce narcissisme commun instaure pour tous une même vigilance : le soin apporté à s'entretenir fait que les uns et les autres sont moins amoureux de leur corps qu'inquiets de son image. Comme les riches, ils ont un trésor à perdre, ils doivent entretenir un capital que l'âge et le temps ne cessent de dilapider. Mais y a-t-il une autre issue, si imparfaite soit-elle, pour atténuer la dictature de l'apparence que de l'étendre aux hommes ? Moindre mal préférable en tout cas à cette religion du naturel, du laisser-aller qui fleurit dans les pays démocratiques et invite chacun à se montrer et à s'exhiber sans pudeur. N'est-il pas sain au contraire que nul ne se résigne à ses difformités ou petites imperfections et veuille par toutes sortes d'artifices les corriger, les atténuer ? Au moins l'exigence d'élégance minimale a pour mérite de créer une émulation entre les personnes qui rivalisent en grâce, en inventions.

Et encore : l'homme a de tout temps considéré la femme comme sa proie. A son tour d'être chassé, évalué, jaugé et même transformé en *go-go boy* dans les boîtes de nuit pour le plus grand plaisir des spectatrices (voyez le succès des Chippendales). A son tour d'être étalé nu dans les magazines, belle bête prise et jetée comme un vulgaire objet de plaisir. A quand à cet égard les bordels pour femmes, les gigolos tarifés, les rues chaudes où les mâles héleront les passantes pour des entractes érotiques payants ? A quand l'extension de la prostitution aux deux sexes ? Cela n'ira pas sans goujaterie, indélicatesse ? Bien sûr, mais l'accession des femmes à l'égalité, c'est aussi le droit à la grossièreté, à la brutalité comme les hommes ; n'ayons aucune inquiétude, elles y parviendront aussi bien que nous. A l'inverse : les femmes entrent-elles massivement sur le marché de la séduction, prenant les initiatives, abordant les êtres qui leur plaisent ? Elles s'exposent au risque de la rebuffade. Tout ce qui était l'apanage d'un sexe devient le privilège et la malédiction des deux. Certes on se contente ce faisant d'élargir la tendance dominante, on ne l'annule pas ; mais cette stratégie de la réciprocité vaut mieux que la volonté utopiste de réparer l'amour, d'en corriger l'immoralité, de balayer la drague, de pourchasser la coquetterie. Ces subtiles mutations n'annoncent aucun futur enchanteur ; elles sont plus décisives peut-être que cet absolutisme de la vertu dont rêvent tant de réformateurs prêts à censurer et punir pour faire le bonheur du genre humain malgré lui.

TROISIÈME PARTIE

La concurrence victimaire

Chapitre 6

L'INNOCENCE DU BOURREAU *

(L'identité victimaire dans la propagande serbe)

> « Le jour où le crime se pare des dépouilles
> de l'innocence, par un curieux renversement
> qui est propre à notre temps, c'est l'inno-
> cence qui est sommée de fournir des justifica-
> tions. »
>
> Albert Camus, *L'Homme révolté.*

> « Ne pouvant faire que le juste fût fort, on a
> fait en sorte que le fort fût juste. »
>
> Pascal, *Pensées.*

« Les nouveaux Juifs du monde, en cette fin de siècle, c'est nous. Notre Jérusalem chérie est menacée par les infidèles. Le monde entier nous hait, un ennemi protéiforme, une hydre aux cent têtes a juré notre perte. Déjà tous nos enfants portent une invisible étoile jaune cousue au revers de leurs vêtements. Car nous avons subi un génocide pire que celui perpétré par les Nazis à l'encontre des Juifs et des Tziganes et tels les Hébreux nous entamons notre traversée du désert, celle-ci dût-elle durer 5 000 ans. » Qui

---

* Une version plus longue de ce chapitre est parue dans la revue *Esprit,* août-septembre 1994.

s'exprime ainsi ? Quelque leader messianique exalté, quelque chef d'une secte protestante fondamentaliste rivalisant avec le judaïsme dans la fidélité à la Bible ? Nullement ! Ces propos sont régulièrement tenus sous une forme ou sous une autre depuis de nombreuses années par les partisans du régime de Milosevic à Belgrade. Ainsi le romancier Dobrica Cosic, principal inspirateur du nationalisme serbe et président de la Nouvelle Yougoslavie (Serbie et Monténégro) jusqu'en juin 1993, écrit que le Serbe « est le nouveau Juif de cette fin de XXe siècle, la victime des mêmes injustices, sinon des mêmes persécutions : le nouveau peuple martyr [1] ». Mais les Serbes sont plus Juifs que les Juifs en vérité puisqu'ils furent « victimes d'un génocide dépassant par ses méthodes et sa bestialité les génocides nazis », écrit encore Dobrica Cosic à propos de la politique d'extermination menée contre ses compatriotes par les Oustachis croates entre 1941 et 1944 [2].

UNE ERREUR FONDAMENTALE

Car la guerre qui ravage depuis 1991 le territoire de l'ex-Yougoslavie et fut préméditée par Belgrade a démarré sur un formidable contresens : le bourreau s'est présenté comme le martyr et l'Europe, d'accord avec lui, a rendu les agressés (Croates, Bosniaques, Albanais du Kosovo) responsables des tragédies qui les frappaient. S'il leur est arrivé malheur, c'est qu'ils l'ont cherché, qu'ils sont coupables ! Pourquoi cette effroyable erreur, pourquoi

---

1. Dobrica Cosic, *Le Temps du réveil*, interview avec Daniel Schiffer, L'Âge d'homme, 1992, p. 30.
2. Dobrica Cosic, brochure délivrée par le ministère de l'Information, Belgrade, 1992, p. 5.

durant près d'un an une majorité d'intellectuels, de politiciens, de journalistes occidentaux ont-ils épousé l'argumentaire des Serbes, pourquoi une personne aussi avisée que François Mitterrand pouvait-elle dire encore le 29 novembre 1991, alors même que la ville de Vukovar venait d'être rasée et qu'un quart du territoire croate était passé sous contrôle de l'armée ex-fédérale : « La Croatie appartenait au bloc nazi, pas la Serbie » (interview au *Frankfurter Allgemeine Zeitung*) ? Parce que ce fut l'intelligence de Milosevic et de ses hommes que de piéger l'opinion publique dans ses propres catégories et de justifier à l'avance la guerre qu'il allait lancer en étalant sans fin dans sa propagande les malheurs du peuple serbe au cours de son histoire. En montrant partout des photos, des films de femmes, d'enfants, de vieillards massacrés, piétinés, torturés, en récitant sans fin au cours de débats, de meetings la liste des morts de Jasenovac (l'un des plus affreux camps de la mort du régime croate d'Ante Pavelic, pronazi, où périrent par milliers Juifs, Tziganes, Serbes et Croates partisans), cette propagande s'est assuré une prééminence morale, a d'emblée exercé sur les éventuels contradicteurs un énorme pouvoir d'intimidation : contemple ma souffrance et ose seulement t'y égaler ! Nous avons là un cas d'école exemplaire qui a obscurci notre compréhension du conflit et d'où découle le reste : l'indifférence, l'hésitation, l'attentisme de l'Europe et de l'Amérique.

Ainsi le pouvoir serbe, avant de lancer son offensive en Croatie et en Bosnie, avait-il déjà gagné la bataille dans les esprits, s'était-il déjà assuré d'une certaine bienveillance de la part de la communauté internationale. C'est ce qui explique que peu d'envahisseurs dans l'histoire récente aient eu droit, comme Belgrade, à de tels égards, aient vu leurs thèses commentées, écoutées, soupesées avec une telle attention, aient bénéficié d'une telle indulgence. Car on ne compte plus depuis 1991 les documentaires, les articles, les reportages sur les crimes commis durant la Seconde Guerre mondiale par les Croates, les Bosniaques, les Albanais ralliés au régime nazi comme si le juste rappel de ces horreurs devait en quelque sorte compenser celles commises au même moment par les milices de Belgrade. Certes on s'est dépris au bout d'un an de cette préférence exclusive pour les Serbes ; mais pour ne pas avoir à se renier trop brutalement, les chancelleries ont inventé cette autre fable : celle de l'égalité de tous les camps dans l'horreur. Ainsi a triomphé le principe d'équidistance : on n'a pas remis les choses à leur place, on a noyé les parties dans la même grisaille de la sauvagerie tribale. Et Warren Christopher en mai 1993, à propos des événements de Bosnie pouvait, devant le Congrès, tenir ces propos ahurissants : « Il serait facile de comparer tout cela à l'Holocauste mais je n'ai jamais entendu parler d'un génocide commis par les Juifs contre le peuple allemand [1]. » Beaucoup aujourd'hui encore continuent à trouver aux nationalistes serbes des circonstances atténuantes et ne peuvent les égratigner sans lancer immédiatement des tombereaux de boue sur les Croates, les Bosniaques, les Slovènes, les Albanais ou les Macédoniens.

Car l'imposture a fonctionné. L'hypnotiseur serbe, cherchant quitus pour ses forfaits, n'a eu qu'à se travestir en supplicié pour être pardonné. Qu'a-t-on recommencé avec la crise yougoslave ? *La même, l'éternelle faute déjà commise avec le communisme et le tiers-mondisme : nous laisser prendre au chantage du discours de la victime.* La terrible leçon du siècle, c'est ce retournement qui transforme les opprimés, une fois arrivés au pouvoir, en dictateurs, les prolétaires en tyrans, les colonisés en nouveaux maîtres. Les persécutés ont perdu leur innocence, ceux-là mêmes dont on attendait justice et

---

1. Cité par Roy Gutman, *Bosnie : témoin du génocide,* Desclée de Brouwer, 1994, p. 64.

rédemption ont fondé d'autres despotismes, d'autant plus redoutables qu'ils s'édifient sous les auspices de la liberté et de la justice. C'est cette réversibilité que nous sommes incapables de penser comme si le fait d'avoir été victime une fois dans l'histoire faisait de vous à jamais un affligé, vous garantissait de la violence et du totalitarisme. Là fut la force de la propagande de Milosevic (en dehors ou à cause de son aspect délirant mis sur le compte d'un folklore slave) : invoquer les dommages subis par son peuple, spécialement entre 1941 et 1945, pour exiger un *passeport d'immunité perpétuelle*, se placer en toute légalité hors la loi. Rien ne fut plus décourageant que de voir cette supercherie acceptée et gobée par la plupart et ce très souvent au nom d'une sourcilleuse vigilance démocratique. Très peu, du moins au début, avaient compris que ceux-là mêmes qui se donnaient pour les résistants exemplaires du fascisme (les Serbes) lui avaient déjà emprunté ses méthodes, que le loup s'était déguisé en agneau, très peu se souvenaient que l'idéologie victimaire fait partie du fascisme lequel n'est pas seulement la doctrine de la race supérieure mais de la race supérieure humiliée [1]. Avec une habileté certaine, les extrémistes serbes ont donc réussi à présenter leur appétit de

---

1. Dans un entretien inédit avec J.-C. Guillebaud, René Girard souligne la naïveté du nazisme qui a épouvanté en tenant le discours du bourreau, de la brute blonde alors que le communisme a dissimulé son expansionnisme sous la défense des déshérités. Lumineuse distinction qui se heurte pourtant à deux objections : jusqu'à la fin, le régime nazi a tenu deux langages, celui de l'Allemagne humiliée par le Traité de Versailles et la conspiration judéo-maçonnique et celui de l'aryanisme triomphant. Et c'est l'ingénuité de Hitler, sa vulgarité qui ont constitué son meilleur passeport pour accéder au pouvoir. Personne ne l'a pris au sérieux, personne n'a cru qu' « à partir de commencements si modestes et si méprisables » (Hermann Rauschning) cet agitateur politique de bas étage deviendrait Chancelier et appliquerait le programme esquissé dans *Mein Kampf*. Hitler n'a rien dissimulé de ses intentions et c'est sa franchise grossière qui lui a le mieux servi de paravent.

conquêtes comme un souci de protéger leurs minorités, leur volonté belliqueuse comme un amour de la paix, leur nettoyage ethnique comme un ardent désir de préserver la fédération yougoslave. Bref, comme le dit le proverbe : « Le Diable lui aussi aime à citer les Écritures. »

L'EXALTATION DE LA DÉFAITE

Qu'est-ce que l'identité victimaire pour les Serbes ? C'est d'abord une tradition alimentée par l'Église orthodoxe et la littérature et qui s'enracine dans une longue histoire tourmentée, celle de la colonisation turque et de la tutelle habsbourgeoise, génératrices d'un patriotisme exacerbé qui se nourrit volontiers d'héroïsme et d'actions d'éclat[1]. C'est un sentiment d'insécurité permanente dû aux constantes migrations et modifications de frontières, une angoisse du déracinement et de l'exil des nationaux à travers des territoires hostiles. C'est enfin un caractère héréditaire qui dure depuis la défaite du prince Lazare le 15 juin 1389 devant les Ottomans à la bataille des Merles au Kosovo, véritable événement fondateur dont le souvenir se perpétue de siècle en siècle. Les Serbes méritaient un grand destin qui leur a échappé, être les bâtisseurs d'un nouveau royaume byzantin. Héritiers meurtris d'un Empire qui a failli exister, de cette perte, ils demeurent inconsolables. Il y a de l'orgueil et même de la beauté dans cette manière de

---

1. L'orthodoxie elle-même, nous dit François Thual (*Géopolitique de l'orthodoxie*, Dunot, 1994), s'est toujours considérée comme persécutée par Rome, les Turcs, le communisme. Se croyant l'objet d'un complot islamo-vaticanesque et se voyant comme la seule dépositaire authentique du christianisme, elle a développé une véritable tendance doloriste que l'auteur appelle « le complexe du Serviteur souffrant ».

célébrer ses défaites comme si Dieu avait choisi ce peuple-là précisément pour le vouer au malheur et en faire l'instrument de ses desseins, comme si la débâcle terrestre se transformait instantanément en victoire céleste sur les forces du mal. Les Serbes paraissent s'enivrer jusqu'à l'extase des torts qu'on leur a infligés et cultivent, surtout dans leur poésie épique, l'exaltation des épreuves endurées, la croyance granitique dans la fatalité de leur martyre. Un peuple entier s'immerge dans la certitude d'être voué à la souffrance et en tire une sorte de dignité aristocratique : pour être ainsi bafoué, outragé depuis l'aube des temps, il ne peut être que d'origine divine !

Dès son arrivée au pouvoir, Milosevic a su très habilement ranimer la peur de ses compatriotes, réveiller ce fond ancestral pour le mettre au service d'un projet politique et militaire grand-serbe. (La Grande Serbie, rappelons-le, n'est pas seulement le rassemblement de tous les Serbes en un seul État, c'est aussi et d'abord l'exclusion de tous les non-Serbes hors de cet État.) Cette hantise du deuil, de la mort, de la disparition, parfaitement honorable en soi, devient hautement suspecte dès que, récupérée par le pouvoir d'État, elle se transforme en arme idéologique pour légitimer la guerre. C'est ainsi que la Serbie de Milosevic, à la fin des années 80, s'est découverte affectée non d'une injustice conjoncturelle liée aux avatars de la Seconde Guerre mondiale et de la dislocation de la Yougoslavie mais d'une injustice essentielle, métaphysique qui plonge ses racines dans une histoire millénaire. A cet égard le national-communisme serbe est un hybride intéressant : au nationalisme extrême, il emprunte l'obsession du mélange des sangs (récurrente dans les romans de Dobrica Cosic), la phobie de la souillure, l'impérieuse nécessité de séparer, de savoir qui est qui : « Notre âme et notre identité, déclarait Karadjic, leader des Serbes de Bosnie, ne peuvent survivre qu'à travers la séparation. Vous ne pouvez mélanger l'eau

213

et l'huile. (...) Les Balkans ne sont pas comme la Suisse ou les USA. Le melting-pot n'a jamais pris en dépit d'une succession d'occupants étrangers [1]... » Au communisme, il emprunte son style, sa culture du mensonge, sa prétention à se battre au nom de la justice, prétention qui se greffe, nous l'avons vu, sur un legs culturel ancien. Ce télescopage détonnant a brouillé la vue de nos antifascistes les plus perspicaces : ce n'est ni du nazisme — Milosevic n'est pas Hitler, le nettoyage ethnique n'est pas la solution finale — ni du stalinisme strict mais le produit dégradé de leur mariage tardif combiné avec une façade pluraliste et une économie de type mafieux. C'est en quoi le cocktail serbe peut servir de précédent aux peuples nouvellement émancipés du communisme ; il tire son pouvoir de séduction de rassembler deux mouvements hier opposés contre leur ennemi de toujours : la démocratie libérale. Il redouble les méthodes staliniennes par une célébration folle de l'identité magnifiée et exaltée dans sa pureté [2] contre les mélanges et métissages. Et surtout il donne à des pays qui ne se sentent pas maîtres d'eux-mêmes et pour qui l'indépendance est d'abord l'expérience du désarroi les fondements d'une véritable politique du ressentiment. Il leur montre comment, au nom des malheurs d'hier, se forger de toutes pièces un brevet d'intouchabilité qui les dispense de rendre des comptes, leur accorde en outre la permission de haïr et de punir en toute simplicité.

Or derrière la petite Serbie se profile l'ombre immense de la Russie, attachée à la première par des liens ethniques, affectifs, religieux, l'ombre d'un nouvel arc panslave et orthodoxe. A tous ceux qui, à Moscou ou ailleurs, sur les débris de l'Empire soviétique, rêvent de prendre une revanche sur l'Ouest et se sentent humiliés, la Serbie de

---

1. Entretien avec Robert L. Kroon, *International Herald Tribune*, 19 octobre 1992.
2. Cf. B.-H. Lévy, *la Pureté dangereuse*, Grasset, 1994.

Milosevic offre un modèle de sortie du communisme et qui a réussi. Là réside le vrai risque de contagion. Le forfait du régime de Belgrade n'est pas tant d'avoir exprimé des griefs peut-être légitimes — toutes les républiques dans l'ex-Yougoslavie étaient mécontentes de leur sort —, mais d'avoir choisi de les régler par la violence et la purification ethnique, bafouant ainsi le serment sur lequel s'est construite l'Europe contemporaine : le bannissement de la guerre. Plus jamais d'invasions, de destructions massives, d'exterminations sur notre continent, tel est le pacte qui lie depuis 1945 les nations européennes de l'Ouest et qui a présidé à la réconciliation franco-allemande. Désormais nos différends doivent se trancher par la concertation et l'arbitrage, non plus par les armes. Le « laboratoire » yougoslave (Roland Dumas) a donc ouvert la boîte de Pandore des modifications de frontières par la force : croyant acheter sa tranquillité sur le dépeçage de la Bosnie, l'Europe ne fait qu'encourager la guerre comme moyen de résoudre les problèmes. (L'intervention brutale de Moscou en Tchétchénie n'eût pas été possible sans Vukovar et Sarajevo.) Enfin elle autorise à nouveau le crime contre l'humanité comme instrument de conquête sur son propre sol.

LE GÉNOCIDE COMME FIGURE DE RHÉTORIQUE

En aucun cas il ne s'agit de minimiser l'ampleur des massacres perpétrés par les Oustachis de 1941 à 1945 (lesquels furent effroyables mais ne reçurent l'assentiment que d'une minorité de la population croate) et la terreur qui en est résulté dans l'âme du peuple serbe. La Croatie de Pavelic demeure après l'Allemagne nazie « le régime le plus sanglant de toute l'Europe hitlérienne. Ni l'Italie fasciste ni la France de Vichy ni la Slovaquie, la Hongrie, la

Roumanie n'ont rien connu de semblable[1]. » A cet égard l'une des fautes du président Tudjman aura été, au moment de l'indépendance de la Croatie, de ne pas demander solennellement pardon aux Serbes pour le régime de Pavelic, de ne pas aller par exemple, comme avant lui Willy Brandt au ghetto de Varsovie, s'agenouiller à Jasenovac, de ne pas les assurer que dans la nouvelle Croatie de telles abominations ne se reproduiraient plus. Un tel geste n'eût en rien désarmé l'agressivité de Belgrade mais il aurait eu une immense portée symbolique, il aurait prouvé que la jeune République, anxieuse de rejoindre l'Europe, se situait dans une perspective de réconciliation et de droit. (Franjo Tudjman attendra le 15 janvier 1992 pour condamner dans une lettre à Edgar Bronfman, président du Congrès juif mondial, les assassinats de masse commis sur les Juifs par les Oustachis. Auteur d'un livre pour le moins ambigu sur le génocide, Tudjman aurait d'autre part répété à plusieurs reprises lors de ses campagnes électorales : « Heureusement que ma femme n'est ni serbe ni juive. » Il a présenté ses excuses pour son livre « négationniste » dans une lettre au président du B'nai Brith américain envoyée en février 1994. Comme souvent avec lui le bon mouvement arrive mais trop tard et ne peut effacer les maladresses qui l'annulent.)

Car le rappel toujours invoqué du génocide par les extrémistes serbes est un coffre-fort sans fond où puiser de la haine, de la revanche, de la colère. Épris d'un malheur qui les singularise, ces extrémistes en effet voient grand : ils revendiquent pour ce seul siècle non pas un mais trois génocides. Ainsi un certain Petar Milatovic Ostroski, écrivain serbe défendant son pays contre « le complot

---

1. Paul Garde, *Vie et mort de la Yougoslavie*, Fayard, 1992, p. 79. Paul Garde rappelle le principe qui a présidé à la politique des Oustachis vis-à-vis des orthodoxes serbes : « Un tiers d'entre eux doivent partir, un tiers se convertir au catholicisme et un tiers mourir » (p. 75).

international », estime qu'« au cours du XXᵉ siècle le peuple serbe a été victime à trois reprises du génocide croate. La première fois de 1914 à 1918, la deuxième à l'époque de l'État indépendant de Croatie et la troisième depuis l'inauguration *(sic)* de Franjo Tudjman, général de Tito et historien de Pavelic. Pour la plus grande honte des Serbes, ce génocide dure encore [1]. » Mais Petar Milatovic Ostroski, dans sa grande distraction, a oublié un autre génocide : celui que font subir aux Serbes les Albanais du Kosovo. « Le génocide physique, politique, culturel de la population serbe du Kosovo et de Métochie est la défaite la plus grave qu'a subie la Serbie dans ses luttes de libération depuis la bataille d'Orasac en 1804 jusqu'à l'insurrection de 1941 », ainsi que le rappelle le Mémorandum de l'Académie des sciences daté de 1986, document de base très imprégné des idées de Dobrica Cosic et qui passe pour avoir inspiré la « révolution culturelle » de Milosevic [2]. A partir d'un génocide réel, celui des Oustachis, la langue de bois officielle étend ce terme en amont et en aval à toute espèce de remontrance et de contestation de la politique serbe. En janvier 1994, un certain Daniel Schiffer, « philosophe » et propagandiste en Europe de l'Ouest du régime de Belgrade, accuse quelques intellectuels français d'une nouvelle trahison des clercs dans leur attitude vis-à-vis de la Serbie : « La grande majorité des intellectuels français s'est adonnée à l'égard des Serbes à un véritable génocide moral, proche du pur et simple lynchage culturel, sinon spirituel comme si

---

1. P. M. Ostroski, « Nouvelle valse sur le Danube noir », *Serbie — Nouvelles, commentaires, documents, faits, analyses,* janvier 1992, p. 21.

2. Mémorandum publié dans la revue *Dialogues,* septembre 1992, p. 20. Rappelons que les Albanais du Kosovo majoritaires dans cette région ont été privés de leurs droits et de leur statut d'autonomie par Belgrade en 1989 et sont soumis depuis à un véritable régime d'apartheid.

tout Serbe était de fait ou en puissance un nazi[1] ! » Car l'antiserbisme ne peut être que l'avatar contemporain de l'antisémitisme, comme le suggère encore Daniel Schiffer, apostrophant ses interlocuteurs : « Par la manière souvent virulente dont vous n'avez cessé d'accuser les seuls Serbes, pensant vous insurger contre le crime, vous n'avez fait qu'inventer aux yeux de l'opinion publique internationale un nouveau type de racisme : un véritable antiserbisme comme existait, dans les années 40, à l'encontre de nos pères, l'antisémitisme. » Déjà en 1991 l'écrivain Milorad Pavic avait écrit : « En ce moment les Serbes sont en Yougoslavie une fois de plus sur les listes pour le génocide tel que c'était le cas des Serbes et des Juifs au cours de la Seconde Guerre mondiale. Mais c'est pour la première fois en ce moment que la serbophobie, en Europe et même dans le monde entier, est plus véhémente que l'antisémitisme[2]. »

Qu'est-ce qui n'est pas génocide pour les Serbes, je vous le demande ? La moindre critique, la plus petite réticence est élevée à la hauteur du crime total : fantastique exagération qui anéantit la portée du mot en le diluant à l'infini. Si critiquer Milosevic c'est se rendre coupable de « génocide », alors ce vocable majuscule qui devrait être utilisé avec la plus grande parcimonie n'a aucun sens. Le pouvoir serbe n'est évidemment pas seul responsable de la dévalorisation du terme : non seulement cet abus de langage est commun à toutes les parties dans les Balkans où il tend à qualifier les tensions nationales mais ici même à l'Ouest, nous l'avons vu, il est utilisé à tort et à travers[3]. Remar-

---

1. Daniel Schiffer, « Lettre ouverte à Pascal Bruckner, Alain Finkielkraut, André Glucksmann et Bernard-Henri Lévy », *Le Quotidien de Paris*, 14 janvier 1994.
2. Milorad Pavic, *Discours de Padoue, l'Europe et la Serbie*, Belgrade, 1991, p. 4.
3. A la cérémonie des Golden Globes à Los Angeles en 1994, Tom Hanks, qui recevait un prix pour le film de Jonathan Deme, *Philadelphia*,

quons simplement ceci : pour les émules de Milosevic est « nazi » quiconque s'oppose à eux et peut être qualifié de « génocide » toute espèce de désagrément qu'ils ressentent. S'adressant à Genève aux représentants de la CEE et protestant contre le maintien des sanctions à l'égard de la Nouvelle Yougoslavie, Milosevic déclare le 9 décembre 1993 : « Je ne sais pas comment vous expliquerez à vos enfants le jour où ils apprendront la vérité pourquoi vous avez tué nos enfants, pourquoi vous avez mené une guerre contre trois millions de nos enfants et de quel droit vous avez fait de douze millions d'habitants de l'Europe un polygone pour la mise en place du dernier, j'espère, génocide dans ce siècle. » Ainsi l'anathème majeur, par un processus de dénaturation tragique, devient-il dans la propagande une cheville rhétorique, une formule qui a pour simple fonction de faire taire les éventuels objecteurs et surtout d'induire la conséquence suivante : *on nous doit tout en raison des épreuves endurées, on ne peut rien nous refuser !* Cette idée selon laquelle le monde entier est en dette vis-à-vis de tel groupe ou pays et se doit de leur passer tous les caprices se retrouve chez l'extrémiste russe Jirinovski :

« Dans le passé, la Russie a sauvé le monde de l'Empire ottoman par l'envoi au sud de ses armées. (...) Peut-être que s'il n'y avait pas eu la Russie, toute l'Europe aurait été turquisée, les Turcs auraient pris Budapest, auraient assiégé

---

où il jouait le rôle d'un avocat atteint du sida et que sa firme licencie, remercia le jury en ces termes : « Je suis fier de recevoir ce prix puisque ce film parle du génocide d'aujourd'hui. » Jusqu'à preuve du contraire un virus si meurtrier soit-il n'a rien à voir avec la volonté délibérée d'un groupe d'en éliminer un autre. Cela est à peu près aussi absurde que de dire du sida qu'il est la punition de Dieu pour nos péchés. Michel Roux signale d'autre part que l'on fait dans les Balkans un usage extensif du mot génocide : « Toute population expulsée d'une région se dit victime d'un génocide quand bien même il n'y aurait aucun mort à cause du saccage de sa culture et de ses lieux de mémoire. » (« La question serbe », *Hérodote,* p. 54, 1992.)

Vienne et il leur serait resté bien peu de chemin jusqu'à Berlin, Paris et la Manche. Il y a sept siècles nous avons arrêté les Mongols.

On aurait pu les laisser passer ou se soumettre à leur domination. Que serait-il resté alors de l'Europe ? Nous l'avons quelquefois sauvée : au sud et à l'est et au nord lorsque la peste fasciste triomphait en Allemagne, en Italie, au Portugal, en Espagne, en Grèce. Grâce aux Russes, l'Europe s'est libérée du fascisme. (...) C'est pourquoi les autres peuples doivent être reconnaissants aux Russes[1]. » Et la défunte ministre grecque de la Culture Melina Mercouri, soucieuse de défendre le bien-fondé de l'opposition d'Athènes à la reconnaissance de la Macédoine, affirmait également le 6 janvier 1993 que l'Europe « doit s'acquitter de sa dette envers la Grèce », « les Européens sont nos obligés », c'est la Grèce qui leur a donné « l'idée même de démocratie et les racines du développement de [leur] civilisation »[2].

Bref, chaque fois qu'une nation ou un peuple veulent se mettre en toute bonne conscience hors du droit, ils invoquent leurs hauts faits, leurs souffrances passées pour affirmer tranquillement qu'ils méritent cette petite entorse aux normes internationales !

UN RAPPROCHEMENT ABUSIF

Cumuler les génocides comme d'autres les diplômes permet évidemment d'asseoir la comparaison entre les Serbes et les Juifs, comparaison issue du sort subi en commun dans les camps de concentration oustachis. Il eût suffi pourtant d'une simple recherche historique pour

---

1. Vladimir Jirinovski, *Un bond final vers le Sud,* p. 123, traduction de la Commission des Affaires étrangères de l'Assemblée nationale.
2. *Le Monde,* 6 janvier 1993. Par parenthèse, si l'Europe et la Grèce actuelle sont en dette, c'est toutes deux vis-à-vis de la Grèce antique

démonter les rouages de cette assimilation. Rappeler par exemple que dans la Yougoslavie occupée de 1941, il y eut un gouvernement serbe de collaboration avec l'occupant allemand (celui de Milan Nedic, le « Pétain serbe »), que dès le 5 octobre 1940, soit bien avant l'arrivée de la Wehrmacht, une loi imposait aux Juifs un *numerus clausus* au lycée et à l'université, leur interdisait de travailler dans certains commerces, bref restreignait déjà leurs droits ; qu'avant la guerre existait le parti fasciste de Ljotic qui organisa plus tard le Corps des volontaires serbes dont la tâche consistait à rassembler Juifs, Tziganes et partisans pour les exécuter ; que le 22 octobre 1941 s'ouvrit à Belgrade soumise au joug nazi la Grande exposition antimaçonnique dénonçant le complot judéo-maçonnique et communiste pour la domination du monde, exposition qui connut un succès considérable ; que durant l'occupation les hauts dignitaires orthodoxes ordonnaient (comme en face le clergé catholique de Croatie) le baptême forcé des catholiques et des musulmans mais empêchaient la conversion des Juifs, manière de les livrer à la machine d'extermination allemande ; que la Solution finale (et les premiers gazages de femmes et d'enfants juifs) fut inaugurée et menée à bien en Serbie grâce à la coopération active des autorités locales, du clergé, de la Garde nationale et de la police serbe qui aboutit à la liquidation totale de la communauté juive de Serbie ; qu'enfin au mois d'août 1942, le docteur Harald Turner, directeur de l'administration civile nazie pour la Serbie, déclara que ce pays était le seul où « question Juifs et question tziganes » ont été résolues [1].

---

1. J'emprunte ces informations à l'article de Philippe J. Cohen, médecin américain à Bethesda : « L'antisémitisme en Serbie et l'exploitation du génocide comme moyen de propagande », *Le Messager européen*, 1992, n° 6. Philippe Cohen rappelle que les Juifs qui jouissaient d'une forte tolérance dans l'Empire ottoman furent persécutés dès qu'émergea

Cela n'enlève rien au fait que des Serbes ont été les tout premiers à résister aux côtés de Tito comme celui-ci l'a publiquement reconnu, cela n'efface ou n'atténue en rien les abominations de l'État oustachi à la même époque mais rend douteuse sinon suspecte l'identification automatique avec les Juifs à laquelle procèdent les nationalistes de Belgrade. Il y eut en Serbie comme partout ailleurs en Europe une forte tradition antisémite et qui perdure de nos jours, au moins de façon latente dans le clergé orthodoxe[1], même si durant la guerre de nombreux Serbes ont partagé le sort des Juifs face aux nazis, même si la mince communauté juive restant à Belgrade n'est absolument pas mena-

---

l'État serbe tout au long du XIXᵉ et du XXᵉ siècle. Il explique également que les Tchetniks, les guérilleros monarchistes serbes, outre qu'ils collaborèrent avec les Italiens et les Allemands, consacrèrent la plupart de leurs forces à massacrer les musulmans en Bosnie et au Sandjak. Sur la solution finale en Serbie, voir également Raul Hilberg, *La Destruction des Juifs d'Europe*, Idées, Gallimard, tome II, pp. 589 sqq.

1. Outre la réhabilitation des grandes figures de la collaboration entreprise à Belgrade depuis 1990, Nédic, Ljotic et surtout Mihailovic, personnalité plus ambiguë, chef de la résistance monarchique, fusillé en 1946 par Tito pour intelligences avec l'ennemi, le régime actuel entretient des relations étroites avec les cercles nationalistes et ex-communistes russes, panslaves, antisémites et antilibéraux. D'autre part à la suite de la publication en Serbie en 1991 des *Protocoles des Sages de Sion*, faux antisémite notoire forgé dans la Russie tsariste, et de l'émotion suscitée au sein de la communauté juive par cet ouvrage, le ministère des Cultes a publié un communiqué. Après avoir rappelé que les Juifs en Serbie ont toujours été des citoyens loyaux et que les deux peuples ont noué des liens historiques à travers leur destin tragique commun lors de la Deuxième Guerre mondiale, il précise : « Aujourd'hui en France et dans d'autres pays occidentaux, certains intellectuels et philosophes d'origine juive participent à des campagnes antiserbes enflammées au moment même où le peuple serbe lutte pour ses droits élémentaires dans ses foyers séculaires contre ceux-là mêmes qui autrefois ont été les auteurs du génocide contre les Serbes et les Juifs. Mais cela n'est pas une raison pour développer un sentiment antisémite et une intolérance nationale et religieuse » (avril 1994). On appréciera l'ambiguïté de la dernière phrase !

cée (pas plus que celle de Zagreb), les deux parties disposant de boucs émissaires assez nombreux pour ne pas se rabattre sur celui-là.

LE JUIF, CONCURRENT ET MODÈLE

De même que l'antisémitisme survit à son objet, au besoin en judaïsant les « goys » là où toute présence juive a disparu ou s'est réduite à une poignée de gens, de même pour de nombreux peuples ou groupes, l'envie d'être Juifs à la place des Juifs s'inscrit dans un contexte de concurrence aiguë pour s'approprier les prestiges de l'élection. On distingue généralement deux grands types d'antisémitisme : le religieux d'inspiration chrétienne accusant le peuple mosaïque d'avoir tué le Christ et de persister dans l'erreur après la révélation évangélique ; et le nationaliste dénonçant dans les minorités apatrides un ferment d'impureté préjudiciable à la bonne santé du pays. A ces deux griefs classiques, il faut en ajouter un troisième plus inattendu depuis un demi-siècle : l'envie du Juif en tant que victime, parangon du malheur. Il devient alors le modèle et l'obstacle, il usurpe une position qui revient de droit aux Noirs, aux Palestiniens, aux Serbes, aux Russes, aux Polonais, aux Français de souche, etc. Traditionnellement le panslavisme et le pangermanisme, imités en cela par de nombreux nationalismes périphériques, se sont attribué, en général contre les Juifs, une origine divine, une alliance spéciale scellée avec la Providence au sein même de l'épreuve. Se dire élus, pour des peuples instables ou dépossédés, c'est transformer le bannissement en motif de grandeur, se croire investis d'une vocation messianique. Ainsi Dostoïevski, dans sa slavophilie militante, faisait de la Sainte Russie le Christ des nations, provisoirement écrasée pour mieux renaître demain dans toute sa gloire[1], ainsi Radovan Karadjic s'écrie aujourd'hui : « La Serbie est une création de Dieu. Sa grandeur se mesure à la haine de ses ennemis » (mars 1994).

Peu importe que cette mystique tribale soit fondée sur une erreur puisque dans la Bible l'élection est la charge que Dieu transmet à Moïse et les siens pour instituer l'humanité, puisque dans le judaïsme elle est « une souveraineté morale », « la responsabilité à laquelle une nation ne peut se dérober[2] ». Alors que dans ces idéologies, elle devient une nouvelle variante de la pensée raciale, le moyen d'affirmer la supériorité d'une ethnie sur une autre. « Les Serbes, dit encore Radovan Karadjic, sont dans les Balkans un peuple supérieur[3]. » Si un peuple se croit marqué et remarqué par Dieu, il est fondé à se regarder comme le genre humain par excellence et ses voisins comme des inférieurs puisque n'étant pas lui, ils sont moins que lui. Mais dans leur exaltation métaphysique, ces mouvements nationalistes rencontrèrent « invariablement la revendication séculaire des Juifs sur leur chemin[4] » (Hannah Arendt). D'une part leur prétention à l'élection divine n'avait « comme seule rivale sérieuse que celle des Juifs », leurs concurrents « plus heureux, plus chanceux parce que de leur point de vue les Juifs avaient trouvé le moyen de constituer une société de leur propre chef, une société qui du fait même qu'elle n'avait ni représentation visible ni issue politique normale pouvait devenir un substitut à la nation » ; d'autre part cette prétention se redoublait « d'une

---

1. Sur cette théologie slavophile, voir notamment la dernière partie de *L'Idiot* et l'excellente préface d'Alain Besançon sur l'anti-occidentalisme de Dostoïevski (*L'Idiot*, Folio, Gallimard, 1972).
2. Emmanuel Levinas, *Difficile Liberté*, Livre de Poche, p. 313.
3. Cité par Florence Hartmann, *Le Monde*, 25 février 1994.
4. Hannah Arendt, *l'Impérialisme*, Fayard, 1982, pp. 198-199.

appréhension superstitieuse, de la crainte qu'après tout, c'était peut-être les Juifs et non eux-mêmes que Dieu avait choisis, eux à qui le succès était garanti par la divine providence. Il y avait un élément de ressentiment absurde contre un peuple qui, craignait-on, avait reçu la garantie, rationnellement incompréhensible, qu'il apparaîtrait un jour, contre toute apparence, comme le vainqueur final dans l'histoire du monde [1] ». Et rien n'illustre mieux cette forme de haine envieuse que la célèbre phrase de Hitler à Hermann Rauschning : « Il ne peut y avoir deux peuples élus. Nous sommes le peuple de Dieu. Ces mots décident de tout [2]. »

Mais depuis la Seconde Guerre mondiale, il est une autre raison capitale pour les nations ou minorités en difficulté de vouloir occuper la place des Juifs : c'est que la souffrance juive est devenue l'étalon de référence et la Shoah l'événement fondateur à partir duquel on peut penser et condamner le crime contre l'humanité : « Les victimes d'Auschwitz, a très bien dit Paul Ricœur, sont par excellence les déléguées auprès de notre mémoire de toutes les victimes de l'Histoire. » Mais par un contresens fondamental, ceux qui se veulent les nouveaux titulaires de l'étoile jaune voient dans le Génocide non le summum de la barbarie, « l'aveuglant soleil noir » (Claude Lanzmann, mais l'occasion d'une distinction par le malheur, l'octroi potentiel d'une immunité ou d'une irresponsabilité inaltérables. D'où la foudroyante et terrible fortune de ce terme depuis 1945 : pouvoir se dire l'objet d'un nouvel holocauste, c'est d'abord braquer sur son cas le projecteur le plus puissant, c'est aussi

---

1. Idem, p. 202.
2. Cité par François Bédarida, « La mémoire contre l'histoire », *Esprit*, juillet 1993, p. 9. Dans son discours du 30 janvier 1945, Hitler dira encore : « Dieu tout-puissant a créé notre nation. Nous défendons Son œuvre en défendant son existence même » (article du *New York Times* reproduit in H. Arendt, *L'Impérialisme*, op. cit., p. 187).

faire main basse sur le malheur maximal et s'en déclarer seul propriétaire légitime, en expulser les autres hommes [1].

Au lieu d'être une catastrophe et un avertissement pour l'humanité entière, le Génocide devient alors, par un véritable processus de confiscation, une source d'avantages moraux et politiques illimités, une clef magique qui permet tous les abus, absout les pires errements. Ainsi se judaïser de la sorte pour les extrémistes serbes (au besoin en se déclarant plus Juif que le Juif, indigne désormais du rôle qu'il s'octroie), c'est s'assurer une situation inexpugnable, une sorte de rente d'immoralité perpétuelle. De là encore l'ambiguïté de cette théologie ethnique qui procède par identification, de cette judéophilie passionnelle qui, à force de s'incorporer le Juif en soi, peut se retourner comme un gant en son contraire.

L'AVERSION PLANÉTAIRE CONTRE LE PEUPLE SERBE

Les Serbes se plaignent souvent d'être diabolisés, mis au ban des nations et voient dans cette exécration universelle une justification a posteriori de leur combat : ils ont raison parce qu'ils sont seuls contre tous. C'est oublier qu'à partir de 1986 la propagande de Belgrade s'est acharnée à salir systématiquement les peuples à qui l'opposait un litige. En premier lieu les Albanais du Kosovo, fascistes « déguisés »

---

1. Au sein même du judaïsme (et du christianisme) diverses interprétations de l'Holocauste tendent à voir en lui un message divin adressé à tous les enfants d'Israël pour qu'ils retournent en Terre promise. Dans un très bel article, Jean Daniel a bien mis en lumière « cette mystique de la persécution privilégiée » qui voit dans le miracle israélien le sens de la malédiction nazie et prétend réserver aux seuls Juifs la mémoire du Génocide en refusant aux autres hommes le droit de le commémorer comme le drame de l'humanité tout entière (*Le Nouvel Observateur*, 8 juillet 1993).

selon les termes mêmes du Mémorandum mais aussi violeurs de femmes serbes, « terroristes bestiaux » :

> Parlant de la guerre que les Albanais du Kosovo menaient contre les Serbes depuis 1981, les auteurs du Mémorandum précisent : « L'insurrection au Kosovo et en Métochie juste avant la fin de la guerre organisée avec la coopération des unités nazies a été en 1944-1945 militairement écrasée mais il s'avère qu'elle n'a pas été vaincue politiquement. Sous son aspect actuel, déguisée sous un nouveau contenu, elle se développe avec le plus de succès et approche de la victoire. On n'a pas réglé définitivement nos comptes avec l'agression fasciste, les mesures prises jusqu'à présent ont seulement supprimé les signes extérieurs de cette agression alors qu'en fait ses buts explicites, inspirés par le racisme (...) se sont renforcés. » (Cité in *Dialogues*.) Et V. K. Stojanovic, président de l'Association des enseignants universitaires et des scientifiques de Serbie, écrit dans une lettre ouverte au quotidien *Politika* du 8 février 1990 : « Aujourd'hui les terroristes albanais bestiaux se déchaînent au Kosovo et en Metohija en détruisant et en agressant tout ce qui est serbe, faisant irruption dans les maisons serbes et en terrorisant les rares personnes qui y sont restées. » (Cité in Mirko Grmeck, Marc Djidara, Neven Simac, *Le Nettoyage ethnique*, Fayard, 1993, p. 286.)

Quant aux Croates, il s'agit d'un peuple génocidaire depuis quatre siècles, selon l'historien serbe Vasilje Krestic [1], peuple de « pourris » selon le leader ultranationaliste Sesjel qui recommandait à la télévision serbe de les égorger « non pas avec un couteau mais avec une cuillère rouillée », proposition qui fut appliquée à la lettre par ses milices, tant en Bosnie qu'en Croatie. Enfin les Musulmans de Bosnie et du Sandjak sont « victimes de frustrations rectales qui les

---

1. Cité par Ivo Banac in *Vukovar, Sarajevo*, Éditions Esprit, 1993, pp. 169-170. Cette affirmation de Vasilje Krestic donnera lieu à une polémique avec Slavko Goldstein dans le journal croate *Danas*.

incitent à amasser des richesses et à se réfugier dans des attitudes fanatiques », selon les fortes paroles du médecin psychiatre Jovan Raskovic, autre théoricien du nationalisme serbe [1]. D'ailleurs l'islam n'est rien d'autre qu'une « terreur sexuelle » fondée sur le viol et à « caractère génocidaire » selon Bijana Plavcic, égérie du régime serbe de Bosnie :

> « Le viol hélas est la stratégie de guerre des Musulmans et de certains Croates contre les Serbes. L'islam considère qu'il s'agit là d'une chose normale puisque cette religion tolère la polygamie. Historiquement parlant, pendant les 500 ans de l'occupation turque, il était tout à fait normal que les notables musulmans exercent un droit de cuissage sur les femmes chrétiennes. Il faut souligner que la religion islamique considère que l'identité nationale de l'enfant est déterminée par le père. (...) Cette terreur sexuelle s'exerce également sur les hommes et a un caractère génocidaire. » (*Borba*, 8 septembre 1993.) Il est assez remarquable que cette dirigeante serbe impute aux Musulmans exactement les sévices que les Serbes commettent à large échelle sur Bosniaques et Croates, à savoir le viol de masse comme moyen de purification de la race !

De même qu'il y a transmission héréditaire de la qualité de victime, les bourreaux se reproduisent de père en fils : le fascisme est une maladie contagieuse, son gène passe d'une génération à l'autre, c'est une propriété immuable attachée à un peuple et que l'histoire ne peut plus modifier quoi qu'il arrive. Il y a dans cette propagande un aspect farcesque, pathologique qui relèverait d'une bonne psychanalyse si la farce n'était directement génératrice de terreur. Parce qu'elle oscille entre l'arrogance puérile et le délire moral, la rhétorique serbe n'a pas toujours été prise au sérieux : à tort car elle a toujours dit ce qu'elle allait faire et fait ce qu'elle a

---

1. Dans son livre *Pays fou* paru en 1990, Raskovic exalte l'épuration ethnique et l'emploi de la force pour libérer la Krajina du joug croate.

dit. Plus elle semblait folle à nos oreilles occidentales, plus il fallait l'écouter. Car ces mots ont servi de doctrine d'État : ils n'ont pas seulement jeté les semences de la fureur dans les esprits, ils ont allumé l'incendie. Ces mots ont été des armes, ces mots ont tué.

Aussi, loin que le monde ait démonisé les Serbes, ce sont les Serbes qui ont commencé par sataniser tous leurs voisins et de proche en proche la terre entière (à l'exception de quelques pays amis, la Grèce, la Russie, la Roumanie) en s'inventant un complot contre eux, complot par empilement qui rassemble, excusez du peu, l'islam, le Vatican, le Komintern, l'Allemagne (« le IVe Reich »), les francs-maçons ainsi qu'un certain nombre de services secrets occidentaux. Constante du délire paranoïaque : il va de pair avec la mégalomanie et permet de gonfler son petit pays à l'échelle de la planète. Car les Serbes se veulent « un peuple cosmique » capable de déclencher des guerres mondiales et sont persuadés d'être l'objet d'une aversion planétaire qui pousse tous les hommes à leur nuire sans relâche. « Le monde entier s'est laissé entraîner dans la satanisation du peuple serbe, un phénomène sans précédent dans l'histoire des civilisations [1]. » Le complot contre les Serbes est avant tout un complot contre la vérité, (...) la conscience de l'humanité (...) ainsi que le destin du monde sont liés au problème serbe [2]. Atteints par la folie des grandeurs, ces nationalistes qui comptent parmi eux d'éminents lettrés, professeurs et savants entretiennent une pensée constante de la conspiration qui leur permet de se croire essentiels. « Si le monde entier entre en guerre avec la Serbie, alors un cataclysme mondial, un déluge noieront ce

---

1. Pavle Ivic, *De l'imprécision à la falsification*, Réponse à Paul Garde, L'Âge d'Homme, 1993, p. 15.
2. Komnen Becirovic, in *Vercenje Novosti*, 9 septembre 1993.

monde dans son entier, excepté la petite Grande Serbie [1]. »
Ce fantasme de l'encerclement « hitléro-vaticano-isla-
miste », cette autopersuasion d'une « véritable haine infer-
nale contre les Serbes (...) qui fait de nous Serbes de la
diaspora de véritables damnés », ces « rituels antiserbes
monstrueux » qui sont partie « d'une incroyable symphonie
du mal » (Komnen Becirovic) alimentent donc un manichéisme radical. La Serbie se retrouve seule face à l'univers
entier !

Rabaisser les ethnies à qui l'on prémédite de déclarer la
guerre, c'est d'avance dédramatiser leur exil ou leur mort,
ravaler leur disparition à une péripétie insignifiante. C'est
un mépris qui a besoin de s'assurer de la totale abjection de
l'autre pour s'exalter et se rehausser à ses dépens. Plus le
forfait que l'on projette est monstrueux, plus la future
victime elle-même doit paraître monstrueuse : les crimes
dont on la soupçonne sont en réalité programmatiques, ils
annoncent ceux que l'on va perpétrer sur elle. Et de même
que l'extrême droite a toujours prêté à l'internationale juive
une force surhumaine, une aspiration à diriger le monde, les
extrémistes serbes prêtent à leurs adversaires les plus noirs
desseins et une toute-puissance fantasmatique qui rend
urgente leur élimination immédiate (alors que sur le terrain
le rapport des forces a toujours joué en faveur des Serbes,
maîtres de l'artillerie et de la puissance de feu). L'accusation portée contre l'autre est le véhicule du mauvais coup
que l'on médite à son encontre : le suspecter de nettoyage
ethnique, c'est simplement avouer et anticiper celui qu'on
veut accomplir sur lui. Il suffit donc d'accabler le futur
supplicié sous la faute dont on va se rendre coupable à son
égard. (Il fut presque plus pénible encore d'entendre la

---

1. Mavce, peintre naïf et membre de l'Assemblée des Serbes de
Bosnie, cité par Véronique Nahoum-Grappe, in « Poétique et politique :
le nationalisme extrême comme système d'images », *Tumultes*, 1994.

petite musique de la calomnie reprise sans nuances dans les médias d'Europe de l'Ouest et par exemple l'équation Croate = Oustachi, Bosniaque = fondamentaliste fleurir sous bien des plumes que l'on croyait plus avisées.)

Dès lors l'agression peut s'envelopper de l'uniforme de la candeur : nation d'archanges disculpés jusqu'à la fin des temps par leurs tourments passés, les Serbes n'agressent jamais, ils ne font que se défendre. Ce sont des Justes même lorsqu'ils tuent, protégés par un glacis d'innocence absolue, inentamable, supérieure à toutes les vilenies qu'ils pourraient commettre. S'ils restent imperméables au repentir et au remords, c'est qu'ils ne massacrent pas, ils se contentent d'écraser des insectes nuisibles, des poux qui n'ont d'humain que l'apparence. Et c'est en toute ingénuité qu'un vétéran de la Seconde Guerre mondiale, venu accueillir Jirinovski à Bjelina (Bosnie) en février 1994, a pu s'écrier devant un journaliste américain : « Les Albanais, les Croates, les Musulmans, tous autant qu'ils sont ne méritent plus de vivre [1]. » « Cette tragique sincérité du tueur » (Gaston Bouthoul) le pousse à déshumaniser son adversaire pour l'éliminer en toute bonne conscience et se soustraire à la culpabilité (à l'exception notable de l'opposition démocratique serbe qui a demandé publiquement pardon pour les destructions de Vukovar, Sarajevo, Dubrovnik et le siège des enclaves de Bosnie [2]).

---

1. John Pomfret, in *International Herald Tribune*, 7 février 1994.
2. A travers des personnalités comme Bogdan Bogdanovic, Ivan Djuric, Vesna Pesic, Ivan Vesselinov, Vuk Draskovic et plus généralement les intellectuels du Cercle de Belgrade et du Centre anti-guerre. Cela leur a valu de la part des milieux ultra-nationalistes l'accusation de trahison et pour certains la contrainte de l'exil.

LE DROIT À LA VENGEANCE

Car la meute des assassins puise la certitude de son bon droit dans l'invocation répétée du passé. C'est ainsi qu'à la fin des années 80, le clergé orthodoxe et les pouvoirs publics ont battu le rappel des morts et sont allés jusqu'à déterrer les cadavres de la Seconde Guerre mondiale afin de puiser en eux l'énergie de la revanche.

« Nous allons déterrer les ossements de nos martyrs et leur donner un emplacement digne. Les ossements doivent demeurer plus près du ciel puisque le peuple serbe a toujours été le peuple du ciel et le peuple de la mort », écrit le docteur Raskovic à la fin des années 80 [1].

Et cette immense armée des défunts, ils l'ont lancée à l'assaut des vivants afin de laver dans le sang tous les affronts subis. Il y a dans cette propagande une tonalité funèbre, un culte des charniers et des squelettes, une nécrophilie à peine voilée que traduit à sa façon le célèbre slogan : « Là où meurt un Serbe, là est la Serbie. »

Ainsi dans son message pascal très ambigu de mars 1991 destiné à « revivifier la communion spirituelle et de prière avec nos saintes victimes mortes innocentes (...) au cours des cinquante dernières années », le patriarche Paul de Belgrade cite « le grand archevêque Nikolaj de bienheureuse mémoire » : « Si les Serbes se vengeaient en proportion de tous les crimes qui leur ont été infligés au cours de ce siècle, que faudrait-il qu'ils fassent ? Il faudrait qu'ils enterrent les hommes vivants, qu'ils rôtissent au feu les vivants, les écorchent vif, qu'ils hachent des enfants en

---

1. Raskovic, *Le Nettoyage ethnique,* p. 310

morceaux sous les yeux de leurs parents. Cela les Serbes ne l'ont jamais fait, même pas aux bêtes fauves et encore moins aux humains [1]. » Or ce qui est stupéfiant dans ce texte, c'est qu'il décrit exactement les atrocités que les troupes serbes vont commettre à partir de juin 1991, dès que la guerre démarrera. Si la tragédie, selon Claudel, est « un long cri devant une tombe mal fermée », alors toute la terre serbe, irriguée par le sacrifice des martyrs, hurle à la vengeance [2]. Dans ce nationalisme tribal, les racines baignent pour ainsi dire dans le sang des innocents morts pour la patrie depuis sept siècles. Et cette terre est sacrée « parce qu'elle est un vaste cimetière rempli de morts sans sépultures [3] ». C'est pourquoi à partir de juin 1991, les soldats serbes sont partis au front, flanqués pour ainsi dire des trépassés de 1914-1918 et de 1941-1945, eux-mêmes escortés de tous les décédés des siècles précédents, afin d'achever un travail qui n'avait pas été terminé et noyer un millénaire d'outrages dans une orgie de meurtres rédempteurs. Cet immense cortège lugubre a été accompagné par la prière des popes et le chant des rhapsodies. Car ces tueurs sont aussi des poètes, Karadjic lui-même taquine la muse à ses heures

---

1. Même si le patriarche Paul n'appelle pas explicitement à la vengeance mais au souvenir, on s'étonnera de cette citation de l'archevêque Nikolaj qui date de 1958 de la part d'un chrétien dont la religion enseigne le pardon et l'amour du prochain. Surtout dans le contexte explosif du printemps 1991, à quelques mois du déclenchement des hostilités (in Raskovic, *Le Nettoyage ethnique*, op. cit., p. 277).
2. Nella Arambasin a très bien analysé ce droit à la vengeance chez les Serbes, in *Esprit*, juillet 1993, pp. 156 sqq.
3. Véronique Nahoum-Grappe fait une excellente étude de ce patriotisme fondé sur l'appartenance de l'homme à la terre nourricière et du fils au père avec l'obsession des substances qui véhiculent l'identité, le sang, le sperme, la sève et qui ne doivent pas être gâtées par la souillure. D'où les viols de masse qui fabriquent des petits Serbes dans le ventre des femmes bosniaques et croates. (In Ivo Banac, *Vukovar, Sarajevo*, op. cit., pp. 73 et 75.)

perdues ; dans ce conflit le crime arrive porté sur les ailes de la poésie épique et le pire des rapaces est capable, entre deux boucheries, de vous ciseler un petit quatrain plein de ténèbres et de fureur. Bel exemple de cette alliance du lyrisme et du crime déjà repérée par Milan Kundera dans le stalinisme, « cette guerre a été fomentée, préparée et conduite par des écrivains et menée par la main des écrivains » (Marko Vesovic). Cette rage vindicative explique enfin le caractère effroyable de ce conflit qui, au début du moins, fut la confrontation d'une armée de professionnels contre des civils désarmés, les campagnes d'égorgements, les tortures, mutilations et mises à mort des prisonniers, les actes de sadisme innommables, longuement détaillés dans les rapports de l'ONU, cette volonté d'annihiler l'autre, de rayer de la surface de la terre jusqu'au souvenir de son existence [1]. Pour la petite histoire, il faut savoir que le leader des Serbes de Bosnie, Radovan Karadjic, ancien psychiatre, travaillait avant la guerre avec ses patients à Sarajevo sur le fantasme du corps découpé en morceaux qu'il supposait présent chez tous les hommes [2]. Dans sa version bénigne, la victimisation est une forme paradoxale du snobisme. Dans sa version folle, elle est la négation active du concept d'humanité, l'appel ouvert au meurtre.

---

1. L'écrivain serbe d'opposition Vidosav Stevanovic a très bien rendu cette horreur dans ses romans *La Neige et les Chiens, Christos et les Chiens,* Belfond, 1993.
2. Je dois cette information à Patricia Forestier, membre de la Commission des citoyens pour les droits de l'homme en France et qui la tient elle-même de Narcisa Kamberovic, psychiatre et ex-collègue de Karadjic à l'université de Sarajevo.

COMPLOTS EN VRAC

Défendant la mesure qui oblige en Grèce depuis 1993 les citoyens à mentionner leur religion sur leur carte d'identité, le porte-parole du Saint-Synode accuse « le lobby juif américain » de vouloir détruire l'unité nationale hellène en contestant cette loi hautement désirable pour l'Église orthodoxe (9 avril 1993).

Quand son film *Do the right thing* rate de peu la Palme d'or à Cannes en 1990, le metteur en scène noir américain Spike Lee invoque aussitôt le racisme blanc pour expliquer son échec.

Responsable de la commission politique et juridique du GIA (Groupe islamique armé), un des principaux mouvements terroristes en Algérie, Saif Allah Jaafar explique : « Nous nous attaquons aux Juifs, aux Chrétiens, aux apostats parce qu'ils sont les suppôts d'un complot colonialiste profanateur. Ils sont le symbole vivant de l'occupation aussi bien en Algérie que dans les autres pays islamiques ; en terre d'Islam, ces étrangers ne sont que des espions mécréants [1] ».

Zviad Gamsakhourdia, feu président de la Géorgie, attribuait son éviction du pouvoir à un complot transnational téléguidé depuis Washington qui désire établir son règne sur le monde entier : « Le scénario du coup d'État permanent en Géorgie avait déjà été expérimenté plus d'une fois en d'autres endroits du globe. (...) Tout cela nous est arrivé car nous ne voulions pas nous soumettre au diktat des pays occidentaux (...) en devenant une colonie. Seul un pouvoir servile convient à l'Occident. C'est là une des raisons du coup d'État militaire qui a amené au pouvoir la personne de Chevarnadze qui est un agent de la CIA, un agent direct de l'impérialisme euro-américain [2] ».

Léonard Jeffries, directeur du département d'études noires au City College de l'université de New York, expliquait ainsi en mai 1991 l'esclavage dont a souffert son peuple : « Les Juifs sont les principaux

---

1. *Interview à* Al-Wassar, *Liban, cité in* Libération, *3 février 1994.*
2. *Entretien au journal nationaliste de Saint-Pétersbourg* Narodnaia Pravda, *octobre 1992, cité par* Le Monde, *30 octobre 1993.*

responsables de la traite des esclaves car ils en ont été les financiers. Ils sont les responsables d'une conspiration planifiée et organisée depuis Hollywood afin de permettre la destruction des Noirs... »

Le 12 août 1994, alors que la lire italienne accuse une chute brutale, le ministre du Travail, Clemente Mastella, membre de l'Alliance nationale (extrême droite), met en cause le « lobby juif international » soupçonné de ne guère aimer les néofascistes italiens.

Toujours durant l'été 1994, le bihebdomadaire islamiste égyptien *El Chaab* dénonce dans la Conférence de l'ONU sur le développement et la population qui doit se tenir au mois de septembre les tentatives américaines et européennes pour imposer « le libertinage et l'avortement » et « exterminer les peuples opprimés dont les Musulmans mais sans verser le sang ».

Ivan Czurka, leader de la droite populiste et nationaliste hongroise, souligne l'existence d'un complot mondial et cosmopolite « contre l'économie hongroise » au motif que les bailleurs de fonds internationaux continuent à accorder leurs crédits aux anciens communistes restés en force dans l'appareil d'État. Il en veut aux Juifs d'avoir occupé des fonctions importantes dans l'ancienne Nomenklatura [1].

Pour Alexandre Zinoviev, ancien dissident et partisan de la restauration du communisme en Russie, l'Occident aurait juré la perte de son pays en payant Eltsine et Gorbatchev afin d'écraser une bonne fois la Sainte Russie et démanteler le soviétisme. « Ils représentent la cinquième colonne de l'Occident qui les a idéologiquement achetés pour en finir une fois pour toutes avec la Russie [2]. »

La thèse du complot a ceci de rassurant qu'elle explique tous les événements par l'action de forces souterraines. Mais cette désignation d'un Grand Fautif peut prendre deux directions : ou elle est une forme du renoncement (à quoi bon lutter puisqu'une intelligence supérieure ourdit contre nous de noirs desseins ?) ou elle désigne un bouc émissaire, un ennemi qu'il faut anéantir pour retrouver l'harmonie perdue (comme en Serbie ou en Algérie de nos jours). La pensée de la conspiration est irréfutable puisque les arguments qu'on lui oppose sont retournés en

---

1. *Politique internationale, été 1993, p. 147.*
2. *Le Point, 27 mai 1993.*

preuve de la toute-puissance des conspirateurs. (Éternel refrain du paranoïaque : est-ce ma faute si j'ai toujours raison ?) Elle évite à ceux qui s'en croient l'objet la douleur de la critique, de la remise en cause. Enfin elle leur offre une consolation suprême : se croire assez importants pour que des méchants, quelque part sur terre, essayent de les détruire. En définitive le pire des complots est l'indifférence : combien de nous survivraient à l'idée qu'ils ne suscitent chez les autres ni assez d'amour ni assez de haine pour justifier la moindre malveillance ?

LES VOLEURS DE DÉTRESSE

Avec la rhétorique grand-serbe, il faut toujours comprendre les choses à l'envers, interpréter chaque phrase à rebours de son sens manifeste ; il faut s'habituer à ce que la violence parle le langage de la paix, le fanatisme celui de la raison, il faut s'accoutumer à ce que le refus du génocide soit le véhicule d'un nouveau crime contre l'humanité. Rien ne résume mieux la conduite des Grands-Serbes que cette phrase prêtée par Georges Steiner à Hitler dans un de ses livres : « Vous allez adopter mes méthodes tout en me reniant [1]. »

C'est ainsi que par une gigantesque escroquerie, ceux qui devraient prendre place sur le siège des accusés se retrouvent sur le siège des accusateurs, c'est ainsi que le nationalisme serbe, excellant à travestir ses horreurs sous le noble manteau de la lutte antifasciste, culmine dans le révisionnisme le plus abject. On appelait à Belgrade la guerre en Bosnie « un mouvement antigénocidaire de libération », on jugeait dans les camps de détention (et d'extermination serbes) les détenus bosniaques et croates

---

1. George Steiner, *Le Transport de A.H.*, Biblio, Livre de Poche, 1981.

pour « crimes de génocide contre le peuple serbe » alors que leur seul crime était d'être nés croates ou bosniaques ; on a publié à Belgrade au cours de l'année 1992 un livre intitulé *Sarajevo, camp de concentration pour les Serbes*. A la mi-août 1993, alors que l'encerclement de Sarajevo dure depuis plus d'un an et que 70 % du territoire de la Bosnie est sous contrôle serbe, la république fédérale de Yougoslavie (Serbie et Monténégro) saisit la Cour de La Haye pour exiger du gouvernement officiel de Sarajevo qu'il mette fin « aux actes de génocide contre le groupe ethnique serbe ». Des *tour-operators* serbes organisent vers Vukovar des excursions pour aller vérifier sur place le « génocide » perpétré par les forces « oustachies ». Enfin, comble de l'ignoble, en janvier 1992 à Paris au Centre culturel yougoslave (et simultanément à Belgrade) a été programmée une exposition intitulée : « Vukovar 1991, Génocide de l'héritage culturel serbe. » (L'exposition, suscitant une indignation unanime, n'ouvrira jamais ses portes en France.) Alors que la magnifique ville austro-hongroise de Vukovar a été entièrement rasée par l'armée serbe en 1991, sa population liquidée ou chassée, l'agresseur soutient sans vergogne que ce sont ses défenseurs et ses habitants qui l'ont détruite pièce à pièce !

Nous avons vu à quel point cette propagande avait défiguré le sens du mot génocide. Elle l'aura tout de même enrichi d'un sens nouveau : peut désormais se targuer d'avoir souffert de génocide tout peuple qui en aura massacré ou anéanti un autre. La plupart des forfaits commis par les troupes serbes sont ainsi attribués à leurs victimes : il y a quelque chose de christique dans ce racket des âmes, dans ce détournement de martyrs mais c'est un Christ obscène, un Antéchrist pour tout dire qui assassine d'un côté et veut se faire plaindre de l'autre. Raffinement suprême du Salaud : imputer à sa victime le mal qu'il lui a infligé. Dans cette optique les Allemands seraient fondés à se dire la cible d'un génocide à Auschwitz de la part des Juifs et des Tziganes, les Turcs pourraient accuser les Arméniens de les avoir massacrés en 1915, les extrémistes hutus plaider contre les Tutsis, etc. Stupéfiante inversion : le meurtrier est la victime de sa victime, si je te tue c'est ta faute, c'est toi en réalité qui me tues (autre variante de cette attitude : en vouloir aux méchantes victimes qui vous obligent à les martyriser). Coup double : on s'approprie le drame des opprimés et l'on efface du même coup les traces de son crime. On jouit de la sollicitude qui entoure le perdant tout en bénéficiant des atouts du vainqueur. (Dans certains cas le vampirisme est total : selon l'Association des peuples menacés, de nombreux criminels de guerre serbes se cacheraient à l'étranger après avoir pris l'identité de ceux qu'ils ont liquidés.) Archange couvert de sang, le bourreau peut alors pleurer en toute bonne conscience sur lui-même, au milieu d'un monceau de cadavres !

DES TUEURS ANGÉLIQUES

Bien entendu le conflit dans l'ex-Yougoslavie n'oppose pas seulement le régime de Belgrade à ses voisins, il oppose d'abord une Serbie à une autre, une Serbie pluraliste, libérale, ouverte à une Serbie souvent rurale, arriérée, toute fière de son primitivisme barbare et vomissant dans Belgrade la métisse, l'impure et plus généralement toutes les villes, « ces porcheries où naissent les bâtards des mariages interethniques » selon les termes d'un extrémiste serbe[1]. (Exactement comme les nationalistes croates d'Herzégo-

---

1. Cité par Ivan Colovic, intellectuel et opposant serbe in ICE, Ex-Yougoslavie, Colloque 1992, p. 11, novembre 1993, École normale supérieure.

vine se sont acharnés sur Mostar, symbole du syncrétisme turco-slave qu'ils ont achevé de détruire après les bombardements serbes.) Et les « amis » de la Serbie en France auraient été bien inspirés de soutenir la fraction la plus éclairée du peuple serbe, celle qui aspire à la paix et à l'Europe au lieu d'appuyer la sinistre dictature qui a entraîné le pays dans la honte, l'hystérie et une aventure militaire qui pourrait se propager demain à toute la région [1].

Enfin le drame de l'ex-Yougoslavie, c'est qu'en l'absence d'une Europe capable d'imposer le droit, la loi des tueurs est devenue celle de toutes les parties et la purification ethnique le dénominateur commun entre les trois camps. L'obscénité de la guerre, c'est l'inévitable complicité qu'elle finit par tisser entre des ennemis qui croient n'avoir rien en commun et se ressemblent de plus en plus. Sans tradition démocratique, sans leader capable de rivaliser avec l'intelligence diabolique de Milosevic, mal armés, rendus fous par les exactions commises sur leurs proches et l'indulgence totale dont jouissait l'agresseur, et surtout abandonnés par ceux-là mêmes dont ils imploraient l'aide, à savoir les Européens et les Américains, Croates et Bosniaques, chacun à des degrés divers (et sans jamais atteindre en ampleur et en étendue le niveau de bestialité des troupes de Pale et de Belgrade), ont reproduit fidèlement d'abord sur les Serbes puis entre eux, lors de la guerre qu'ils se sont livrée jusqu'en février 1994, la sauvagerie endurée de la part de leur agresseur commun. Le génie pervers de Milosevic aura été de diviser ses adversaires, d'inoculer en eux le poison de la haine ethnique, trouvant dans cette réalité une sorte de justification a posteriori : voyez comme ils sont méprisables (ou fanatiques), comme nous avons eu raison de nous

---

1. Voir à ce propos l'excellent numéro des *Temps Modernes* sur l'opposition serbe, « Une autre Serbie », février-mars 1994.

séparer d'eux. Mimétisme victimaire foudroyant : le modèle du vainqueur a (en partie) contaminé le vaincu et l'affrontement général aura justifié ce au nom de quoi la guerre a été menée : l'impossible cohabitation entre communautés. Et il est proprement miraculeux qu'à Sarajevo et en d'autres enclaves de Bosnie (ou en Croatie où vivent des centaines de milliers de réfugiés bosniaques), Serbes, Croates, Musulmans aient réussi à coexister si longtemps, à maintenir dignité et tolérance malgré les bombes, les pénuries et la faim. Reste qu'en cette affaire et en dépit d'une démence qui semblait devoir se propager à toutes les parties, la culpabilité du régime de Milosevic ne fait aucun doute (même si ce dernier, par opportunisme politique, se présente désormais en apôtre de la paix, Al Capone travesti en Mahatma Gandhi). Quelle que soit la fortune des armes ou de la diplomatie, les Serbes ont définitivement perdu l'auréole du martyre que leur valait leur histoire passée. Comme l'a bien vu l'opposant serbe Vuk Drakovic : « C'est ainsi que dans cette guerre atroce qui dure encore et dont la fin est difficile à entrevoir, la grande, la divine frontière qui nous séparait de nos bourreaux, qui faisait la différence entre le livre de la honte et le livre de l'agneau a été en tous points effacée. Il s'agit là de la plus grande défaite serbe, la seule véritable chute de notre peuple depuis qu'il existe [1]. » Et la Serbie de Milosevic aura consacré « la victoire posthume de Hitler », selon la formule bienvenue de Marek Edelman !

Dans ce conflit en tous les cas (la communauté internationale) n'aura rien passé aux agressés, épluchant avec une précision maniaque leurs moindres manquements au droit alors que les assaillants bénéficiaient d'emblée d'un billet de faveur. Le seul crime des Bosniaques (comme avant eux

---

1. Deuxième Congrès des intellectuels serbes, 23-24 avril 1994, cité in *Libération*, 25 mai 1994.

des Croates) aux yeux des chancelleries occidentales aura été de résister au lieu de se laisser mener à l'abattoir, bousculant les calculs des grandes capitales qui tablaient sur une victoire rapide de la Serbie, seule puissance capable de maintenir l'ordre dans les Balkans après la désintégration de la Yougoslavie. Pour punir les attaqués (qui sont aussi les séparatistes), on a usé et abusé de ce sophisme meurtrier qui dans toute victime suppute un tortionnaire potentiel et refuse de l'aider au nom du méchant qu'elle deviendra. Peut-on imaginer pire perversion de la justice ? Un enfant se noie sous vos yeux ? Laissez-le couler car il sera très certainement une ordure plus tard. Pourquoi voudrait-on que les victimes soient sans taches et sans reproches ? Oublierait-on que la résistance française et les Alliés ont commis des crimes parfois épouvantables ? Ni les Croates ni les Bosniaques ne se sont conduits comme des anges ; mais on ne viendrait au secours de personne si l'on cherchait dans l'asservi la blancheur de l'agneau. L'assistance à peuple en danger n'a pas à se « mériter » !

Ainsi s'élabore une grille de lecture des conflagrations dans laquelle il s'agira de ne jamais s'impliquer, du moins lorsque nos intérêts ne sont pas directement en jeu. Alors que le moindre froncement de sourcils de Saddam Hussein mettait en branle jusqu'à il y a peu une formidable armada militaire, sans qu'on se soucie beaucoup du caractère démocratique du Koweït, les atrocités des Serbes ou le génocide des Tutsis au Rwanda ne suscitent que de prudentes demi-mesures. Dans cette grande nuit de l'indétermination où tous les combattants sont gris, on s'interdit de comprendre pour ne pas avoir à s'engager. Ce triomphe du principe d'équivalence — tous des barbares — n'est rien d'autre que du négationnisme en direct ; et l'on frémit à l'idée d'une réinterprétation de la Seconde Guerre mondiale selon les mêmes principes où il ne sera plus possible de distinguer les bons des méchants, où la Shoah ne sera que la réplique à la menace soviétique, selon la thèse chère à l'école révisionniste allemande. Le « refus du manichéisme » dont certains se gargarisent comme d'un exploit intellectuel, le renvoi dos à dos des belligérants dissimule mal une sympathie active pour l'agresseur. Ne pas prendre parti dans l'affrontement qui oppose le fort au faible, c'est en réalité prendre le parti du fort, l'encourager dans ses entreprises. Cette neutralité-là est l'autre nom de la complicité. Et tant pis pour les victimes à qui on enlève jusqu'au respect de leurs souffrances en les confondant avec leurs tourmenteurs, tant pis pour les suppliciés de Prijedor, d'Omarska, de Sarajevo, de Vukovar, de Gorazde tués et mutilés une seconde fois par notre incompréhension. Non content de les avoir abandonnés, on les exproprie de leur affliction, on les prive du droit de rester dans le souvenir des vivants !

Trois crimes capitaux se partageaient depuis 1941 l'espace mental des Slaves du Sud : celui des Oustachis, le pire de tous jusqu'à preuve du contraire, celui des Tchetniks, trop peu connu, celui enfin de Tito et des communistes, de la Libération jusqu'à la mort du dictateur rouge. Aucun de ces trois crimes, en raison de la vérité officielle imposée par le bolchevisme, n'a été jugé, réparé, correctement analysé et expliqué (en dehors des récits de propagande) et ce jusqu'à ce qu'éclate la guerre en juin 1991. L'accumulation de ces trois événements douloureux explique la férocité des rancœurs dans les Balkans et que chaque communauté ait oscillé entre l'amnésie et la volonté de revanche. La haine et la rage ont refleuri sur l'odeur affolante des charniers et l'amitié entre les peuples n'a pas résisté aux flots de sang qui remontaient du passé. D'où l'urgence, cette fois, pour punir le quatrième crime, celui de Milosevic, de juger les assassins dans tous les camps, condition impérative d'une réconciliation entre les peuples et d'une suspension de la parole vengeresse qui inculpe collectivement à défaut d'identifier les vrais responsables. Qu'au moins l'exemple yougoslave nous éclaire : dès qu'un peuple aspire à la sainteté en raison de ses souffrances, dès qu'il exhibe ses plaies, convoque ses morts, méfions-nous. C'est qu'il mijote un mauvais coup et que la mémoire, au lieu de prévenir le retour du meurtre de masse, n'est convoquée que pour le perpétrer à nouveau. C'est qu'à se draper ainsi dans l'angélisme, les tueurs, avant d'affûter leurs couteaux, demandent l'absolution du monde civilisé en attendant de se retourner un jour peut-être contre lui.

LES PERVERSIONS DE LA MÉMOIRE

La princesse Bibesco avait coutume de dire : « La chute de Constantinople est un malheur qui m'est arrivé la semaine dernière », et elle cultivait « cette faculté d'aller et de venir, de renverser le sablier, de faire reculer les aiguilles de la montre, d'habiter d'autres corps... » Il est en effet certains peuples ou certains êtres qui maintiennent une intimité charnelle avec leur passé lequel reste éternellement présent ; des êtres ou des peuples qui manifestent une aptitude inouïe à se rendre contemporains des siècles anciens dont ils revivent inlassablement les péripéties comme autant d'épisodes de leur actualité. Et il n'est nul passéisme ou nostalgie dans la volonté des nations d'Europe centrale et orientale de se réapproprier leur histoire, de renouer les fils de la mémoire brisés par des décennies de propagande communiste et de mensonges. Le recouvrement de la mémoire est la première étape de la liberté : s'émanciper c'est d'abord rejoindre ses traditions, fût-ce ensuite pour s'en détacher ou les relativiser.

Il est un autre usage du souvenir qui consacre non des retrouvailles mais un traumatisme, la commémoration des catastrophes qui ont frappé un peuple et dont il ne peut faire le deuil puisque littéralement elles ne passent pas, ne se rangent pas sagement dans le magasin du passé et continuent à meurtrir bien des années après leur survenue. Alors la mémoire devient mise en garde, auxiliaire de la vigilance. Souvenez-vous, disent les grands musées du génocide (celui de Yad Vashem à Jérusalem, de Tuol Slang à Phnom Penh). N'oubliez jamais ce qu'ont fait au nom de la race ou de la révolution le régime nazi, la dictature de Pol Pot. Ces millions d'hommes, de femmes et d'enfants tués pour expier le seul crime d'être nés nous rappelle qu'une épouvante a eu lieu à laquelle nul ne peut se dire indifférent. C'est en cela que l'Holocauste, par sa singularité et son unicité, est devenu le génocide de référence, le crime absolu à partir duquel il est devenu possible de juger les forfaits de même nature. Non pas la barbarie réservée à un seul peuple mais le mal par excellence dont le visage est multiple et qui, dans la personne du Juif ou du Tzigane, bafoue l'humanité entière. Un crime contre « l'hominité de l'homme en général » (V. Jankélévitch), contre le fait que les hommes soient.

Mais la mémoire à son tour peut être pervertie de deux façons : par le ressentiment et l'intransigeance. Quand loin d'être la reviviscence du martyre, elle se soumet aux diktats d'un nationalisme agressif et devient une catégorie de la vengeance, quand elle se borne de façon obsessionnelle à raviver les souffrances, à rouvrir les plaies pour mieux légitimer une volonté de punition. Alors elle se fait servante de la colère, de la rancune : elle devient folle, reconstruit le passé comme on refait un visage, dégénère en mythes, en fables, mémoire mercenaire qui se soucie moins de remémorer que de lancer des représailles contre les vivants. Elle va extirper d'obscurs griefs qui remontent à la nuit des temps, rallume les tensions, exacerbe l'animosité comme si toute l'histoire n'était qu'une mèche lentement allumée qui devait exploser aujourd'hui.

C'est pourquoi il y a quelque chose de très profond dans ce mot d'Ernest Renan : « Celui qui souhaite faire l'histoire doit oublier l'histoire. » Si tous les peuples devaient remâcher leurs doléances respectives, il n'y aurait ni paix ni concorde sur le globe. Chaque nation, région, village même pourrait exciper d'un dommage survenu il y a 500 ou 1 000 ans et déterrer la hache de guerre, chaque famille s'entre-déchirer pour les mêmes raisons, par incapacité de surmonter les différends réciproques. Une fois les coupables jugés et punis, les réparations obtenues, s'il y a lieu, le pardon accordé par les victimes si elles le jugent nécessaire, vient un moment où le temps ayant fait son œuvre, il faut tirer un trait, laisser les morts enterrer les morts et emporter avec eux leurs haines et leurs querelles. Pour vivre au calme avec nos contemporains, nous n'avons pas à réveiller toutes les dissensions d'autrefois. L'oubli est aussi ce qui fait une place aux vivants, aux nouveaux venus qui ne désirent pas porter sur leurs épaules le poids d'anciens ressentiments. Pour parler comme Hanna Arendt, il est une puissance de recommencement pour les générations qui arrivent.

Il existe aussi une autre forme de mémoire intraitable qui consacre paradoxalement un endurcissement. Notre époque voit coexister en effet commémorations répétées des massacres d'hier et désinvolture confondante envers les massacres d'aujourd'hui. Plus nous célébrons les suppliciés d'autrefois, moins nous voyons ceux de l'actualité. Il est une manière de « sacraliser l'Holocauste » (Arno J. Mayer), d'en faire un événement si clos sur lui-même que nous ne pouvons plus avoir pour les victimes d'autres malheurs la moindre considération. Nous scellons à jamais les morts d'Auschwitz sur leur affreux secret et repoussons tout ce qui n'est pas eux. Gardiens de l'insoutenable, rien dans l'actualité ne nous satisfait, rien n'est à la hauteur du bel enfer que nous cultivons : les guerres, les boucheries contemporaines, nous les écartons d'un revers de la main. Broutilles, frivolités au regard du drame total dont nous sommes les dépositaires. Une telle attitude, au lieu d'accroître notre aversion pour l'injustice, nous ferme à la compassion : ce qui devrait être le vecteur de la lucidité devient celui du détachement. Le danger existe donc que la célébration exclusive d'Auschwitz n'entraîne une indécente indifférence aux calamités du présent. A quoi bon nos incantations antitotalitaires, comme si nous voulions supprimer Hitler ou Staline rétrospectivement, au lieu d'affronter les despotes et histrions sanglants qui, à leur humble niveau, commettent pourtant d'effroyables ravages ? Faut-il attendre qu'une hécatombe atteigne à la dimension de la Shoah pour réagir ? Le vrai courage n'est pas d'être un héros a posteriori et de pourfendre le nazisme en 1995, mais de combattre l'ignominie propre à notre temps. Il s'agit plutôt d'ouvrir la commémoration d'Auschwitz à tous les massacrés et torturés à condition de ne pas amalgamer les crimes les uns avec les autres, de reconnaître qu'il existe diverses variantes du génocide, toutes également ignobles mais qui ne remettent pas en cause le caractère unique de la Shoah, « ce monstrueux chef-d'œuvre de la haine » (Vladimir Jankélévitch).

En d'autres termes, il faut éviter deux erreurs parallèles : la première qui consiste à tout niveler, à élever le moindre forfait à la hauteur d'une extermination sans comprendre qu'il est des degrés dans l'infamie, que tous les meurtres ne se valent pas ; la seconde qui discrédite toute espèce d'atrocité au motif qu'elle n'est pas l'Holocauste et pâtit de la comparaison avec l'étalon-or de l'épouvante. L'alternative n'est donc pas entre la mémoire qui ressuscite les antagonismes séculaires et l'oubli qui efface les tragédies et absout les bourreaux. *La seule mémoire indispensable est celle qui maintient vivante la source du droit :* elle est une pédagogie de la démocratie, une intelligence de l'indignation. L'injonction qui est faite à ceux qui sont nés après la Shoah et le Goulag, c'est moins de ployer sous le fardeau d'un souvenir accablant que de tout mettre en œuvre pour ne pas voir ces horreurs, même atténuées, se répéter. La voilà notre dette fondamentale envers les martyrs du siècle : empêcher le retour de l'abomination, quels que soient l'ampleur, la forme ou le visage qu'elle prenne.

Mais pour l'accomplissement de cette tâche, la mémoire ne suffit pas, la mémoire n'est pas sûre. Pour que les hommes à un moment donné de leur histoire résistent à la barbarie, il faut un élément impondérable, un sursaut, un miracle qui les sauve du déshonneur et les pousse à dire non, à se dresser contre l'insupportable. C'est à ce sursaut, à cette décision absolument inaugurale de la liberté qu'on juge une génération.

Chapitre 7

L'ARBITRAIRE DU CŒUR *

(Les avatars la pitié)

> « J'aime l'humanité mais à ma grande sur-
> prise, plus j'aime l'humanité en général,
> moins j'aime les gens en particulier comme
> individus. »
>
> Dostoïevski,
> *Les Frères Karamazov.*

Un document capital compromettant une personne haut
placée est dérobé dans les appartements royaux. Le voleur
est connu, il s'agit d'un ministre, on l'a vu s'emparer de la
lettre, on sait qu'elle est toujours en sa possession. Le préfet
de police de Paris est chargé de l'enquête. Il fait fouiller et
perquisitionner en vain l'appartement du voleur, fait atta-
quer ce dernier par des fripons qui le dépouillent des pieds à
la tête. La lettre reste introuvable. Seul un détective privé,
alerté par le préfet, découvre l'énigme : pour être aussi
sophistiquée, la cachette ne peut être que d'une totale
simplicité. La pièce a échappé aux limiers de la police en
raison de son excessive évidence : « Le ministre pour cacher

* Une version abrégée de ce chapitre est parue dans la revue *Esprit*,
décembre 1993.

sa lettre avait eu recours à l'expédient le plus ingénieux du monde, le plus large qui était de ne pas essayer de la cacher. » En un mot le voleur avait laissé le document sur une table, sous le nez du monde entier, afin que nul ne l'aperçoive.

Nous pourrions presque transposer terme à terme le schéma de ce conte d'Edgar Poe, *La Lettre volée*, sur notre appréhension de la souffrance : dans les pays démocratiques où règne la liberté de l'information, c'est à force d'être dévoilé et étalé quotidiennement sur les écrans et les journaux que le malheur des autres nous devient peu à peu invisible.

1. LA LOI DES FRATERNITÉS VERSATILES

Routine de l'outrage

Jadis, la vérité éclatait sur le mode exclusif de la révélation : Albert Londres détaillant aux Français la réalité des bagnes de Cayenne, André Gide dénonçant les méfaits des compagnies minières au Congo, les Alliés découvrant en 1945 les camps de la mort, Soljenitsyne confirmant l'existence du Goulag en Union soviétique, les Vietnamiens étalant au grand jour les atrocités des Khmers rouges, tous ces faits traduisaient un passage quasi instantané de l'ombre à la lumière. Le choc naissait de cette immense ignominie soudain dévoilée : comment avions-nous pu vivre sans savoir ? Nous ne sortirons jamais tout à fait de cette époque : la plupart des tyrannies continuent à vivre de mensonges, de désinformations systématiques et manifestent une grande pudeur à torturer, bastonner ou tuer sous l'œil d'un journaliste ou d'un cameraman.

Longtemps encore les grands crimes auront besoin du secret afin d'éliminer non seulement les personnes ou les peuples indésirables mais jusqu'aux traces mêmes de leur disparition. Un autre régime pourtant se met en place de nos jours à côté de celui-ci : le règne de la surexposition générateur à la fois d'équivalence et d'accoutumance.

Il existe, si l'on peut dire, un état radieux de l'événement tragique quand il éclate tout frais sur l'écran, nous chavire. C'est une bouffée d'adrénaline qui donne le vertige, brouille la perception. Une telle intensité dans l'horreur (meurtres, carnages, répressions) nous arrache à la torpeur, nous blesse à la façon d'un outrage. Mais voilà que d'autres prises de vue dissipent les précédentes : les squelettes de Somalie, les fosses communes du Rwanda sont emportés dans un flot de nouvelles où se juxtaposent un conseil de ministres, la présentation d'un nouveau modèle de voiture, un défilé de mode. A peine avons-nous célébré de brèves noces avec les disparus du Chili, les enfants martyrs du Brésil que d'autres incidents nous sollicitent. Parce qu'elles se succèdent, les actualités se concurrencent et peu à peu l'abomination qui nous avait bouleversés se dégrade en anecdote. Le principe de rotation a fonctionné et le défilé rapide des drames de la planète atténue d'autant l'attention que nous devons porter à chacun. L'information étant astreinte à une double exigence de renouvellement et d'originalité, un spectacle chasse l'autre, ce qui vient après vient à la place. Livrées en rafales, sans lien, cruautés et futilités défilent selon une guirlande baroque qui les nivelle et les annule les unes par les autres. Chaque soir un nouvel épisode, une nouvelle croisade ont tôt fait de reléguer celle d'hier dans l'oubli et les médias possèdent cette faculté unique de créer autant que d'user l'événement.

L'espace du catalogue a aussi comme conséquence de banaliser la représentation de l'épouvante. Là où il y a vingt ans un spot télévisé suffisait à sensibiliser les esprits,

l'afflux de scènes choc aujourd'hui contraint à la surenchère : il n'est pas d'abjection montrée qui ne survive ou ne
résiste à la répétition. L'exhibition de l'effroi, loin d'émouvoir, favorise surtout l'une de nos pulsions : le voyeurisme.
La chaîne continue d'images dont nous sommes gavés
quotidiennement et qui met en scène la détresse des autres
est avant tout pornographique : elle donne à tous le droit de
voir tout, rien ne doit échapper à l'indiscrétion de l'objectif.
(Et le droit d'ingérence optique, le libre accès des caméras
aux carnages a précédé le droit d'ingérence tout court.)
Mais l'on a beau multiplier jusqu'à l'insoutenable les vues
de mutilations, de morts, de maladies, forcer sur les effets,
inventorier avec une application maniaque toutes les
figures de l'atroce, l'apathie renaît au bout de la démesure.
L'outrance n'évite pas la saturation, l'enfer à son tour
devient monotone. Et puis les médias nous livrent à
domicile si on ose dire du malheur en bloc. Tous ces
affamés, ces pestiférés qui font irruption chez nous, en
général à l'heure où nous nous restaurons, nous submergent
sous leur nombre, leur diversité. Chômeurs narrant leur
infortune, Noirs des *townships* sud-africains, Kurdes pourchassés, enfants prostitués mêlent leurs voix pour dessiner
une configuration improbable. Comment penser ensemble
toutes ces tragédies sans rapport les unes avec les autres ?

Ces suppliciés semblent s'adresser à nous dans une seule
langue qui est celle de la conscience et nous lancent un
terrible ultimatum : occupez-vous de nous ! Mais ce pêle-
mêle de douleurs a pour principal effet d'écraser le télespec-
tateur sous l'ampleur de la tâche. Au-delà de la honte et
d'une légère nausée, il ne sait que faire de drames qu'il
connaît mal et dont la multitude dépasse ses capacités. La
coprésence immédiate de chacun aux malheurs de l'humanité conduit tout droit à l'inertie : dans un univers où tous
les peuples semblent saisis de folie meurtrière et rivalisent
en haines fratricides, notre sensibilité est un trajet qui va de

l'épouvante à l'abattement. Les médias réalisent ce prodige de nous lasser de phénomènes sur lesquels nous n'avons aucun pouvoir (sinon celui insuffisant du carnet de chèques). Loin de nous mobiliser, ils nous installent dans une ambiance de catastrophe permanente. L'angoisse qui en résulte est douce aux deux sens du terme : superficielle et finalement agréable à vivre. Les plus effroyables fléaux, loin d'entamer notre quiétude, la mettent en valeur et en soulignent le prix.

Les enchères de la douleur

Les deux guerres mondiales, la Shoah, le Goulag, le génocide cambodgien ont fixé en ce siècle à notre sensibilité un terrible barème. L'énormité de ces boucheries a fait monter les enchères du sang à un niveau difficilement égalable générant une perversion typiquement moderne qui est l'amour des grands nombres. Puisque nous sommes des milliards à grouiller sur cette terre, cela multiplie le coefficient des injustices à un degré fantastique. Désormais nous alignons le chiffre des morts sur cette inflation à plusieurs zéros : pour nous ébranler, il nous en faut au minimum une petite centaine de milliers. A moins, nous zappons. D'où notre ambivalence face aux tueries : par un calcul spontané, nous comparons le total des victimes avec celui des hécatombes précédentes, nous vérifions avec une moue sceptique si elles méritent vraiment notre attention. Macabre arithmétique ? Sans doute. Mais nous absorbons quotidiennement via les médias l'idée que l'homme est quantifiable, qu'il est une denrée si courante qu'on peut le dilapider sans dommage. D'une part en Europe et en Amérique nous valorisons à l'extrême la vie individuelle, de l'autre nous percevons le globe comme un espace surpeuplé où l'homme prolifère à la façon d'une vermine. Notre idéal de la dignité éminente de chaque personne entre en conflit avec cette emprise et cette terreur de la multiplication. Là où le nombre triomphe, la morale capitule !

Et depuis 1945, l'unité de valeur en matière d'homicide de masse, c'est le génocide : au lieu de penser qu'un crime n'a pas besoin d'atteindre le stade de l'extermination pour être odieux, *nous le disqualifions de n'être même pas génocidaire !* Et nous plaçons la barre si haut, nous sommes tellement affamés d'anéantissement à grande échelle que des monstruosités peuvent nous laisser froids, dubitatifs. Ainsi au cours de la guerre dans l'ex-Yougoslavie, les détenus bosniaques et croates des camps serbes ont-ils été recalés à l'examen : pas assez décharnés, encore trop de gras sur les os, sévices insuffisants. Au tribunal de la souffrance universelle, les Bosniaques ont été renvoyés à leur copie. Peut mieux faire, mérite à peine la moyenne. Sous prétexte que les camps serbes n'étaient pas Treblinka, on en a déduit qu'ils n'étaient rien, on a fait la fine bouche. Si par « plus jamais ça ! », nous entendons la Shoah dans les formes exactes qu'elle a prise entre 1942 et 1945, alors « ça » vraisemblablement ne reviendra jamais de la même façon et nous pouvons dormir tranquilles, diluer l'épouvante d'un malheur actuel dans des malheurs antécédents qui la relativisent. Ce qui devrait nous horrifier nous laisse de marbre mais c'est une impassibilité terrible car elle se croit profondément humaine et se pare du masque de la lucidité. C'est notre clairvoyance qui nous rend aveugles, notre méfiance qui se méfie de tout sauf d'elle-même et se blinde par excès de suspicion. Étrange perversion en vérité : le souvenir du mal, au lieu de nous sensibiliser à l'injustice, renforce notre indifférence à son égard !

L'image impuissante

Il n'est donc plus vrai qu'une image puisse terrasser une armée, ébranler une dictature, renverser un régime totalitaire et il est vain de réclamer plus de photos, plus de films puisque leur multitude ne fait que renforcer *notre tolérance à l'intolérable*[1]. Nous ingérons une telle dose de drames quotidiens que nous en perdons toute faculté de révolte ou de discernement. Ce mythe commode qui voudrait que seul ce qui est filmé advienne à l'existence — le reste végétant à l'état de « mort cathodique » — oublie que l'objectif transforme à son tour l'objet en fiction. Depuis Timisoara et la guerre du Golfe, la photographie est entrée à son tour dans l'ère du soupçon : gommages, montages peuvent falsifier le plus émouvant des clichés et il est fini le temps où il y avait une « charge morale dans chaque travelling » (Jean-Luc Godard). Les moyens de diffusion massifs de l'information ont ébranlé les catégories du vrai et du faux : la vérité cède la place à la crédibilité et même le direct, l'instantané peuvent faire l'objet d'une manipulation. Il est naïf de penser que le voir puisse se distribuer en savoir et en devoir : cette idée, héritière de l'optimisme pédagogique du XIXe siècle, attribue à la seule ignorance l'ensemble des maux qui affligent les sociétés. Un voile obscurcit les esprits : qu'on le lève et les préjugés tomberont, les hommes se mobiliseront instantanément les uns pour les autres. Si les ouvriers, disait déjà Rosa Luxemburg, connaissaient

---

1. C'est la thèse que défend par exemple Bernard Kouchner : « Sans image pas d'indignation : le malheur ne frappe que les malheureux. La main des secours et des fraternités ne peut se tendre vers eux. L'ennemi essentiel des dictatures et des sous-développements reste la photographie et les sursauts qu'elle déclenche. Acceptons-la sans nous y résigner : c'est la loi du tapage. Servons-nous d'elle. » (*Le Malheur des autres,* Odile Jacob, p. 194.)

vraiment leur condition, ils se suicideraient en masse ou se soulèveraient sans tarder. Tout l'effort des révolutionnaires consistait donc à déchirer les ténèbres de l'idéologie pour hâter la prise de conscience.

Mais le regard a depuis longtemps cessé d'obliger, surtout le regard distrait du téléspectateur. L'œil n'a aucune puissance de pénétration particulière et si nous avons perdu l'alibi de la méconnaissance qui était celui de nos pères, nous en avons gagné un autre plus redoutable encore : celui de « la connaissance inutile » (Jean-François Revel), de l'information vaine. Un peuple cesse d'être innocent dès qu'il est éclairé, tel est le credo démocratique. Mais ce que nous savons et d'un savoir souvent vague et confus ne devient que rarement ce que nous pouvons. L'image ne ment ni ne dit vrai, elle défile : elle tient à distance, l'écran fait écran et l'univers peut pénétrer dans notre vie sans l'influencer. Il est peut-être temps de reconnaître ceci : les médias (et surtout la télévision) ont un pouvoir limité ; leur influence sur les événements est relative ; contrairement au narcissisme qu'ils cultivent d'eux-mêmes, ils ne peuvent ni résoudre les grandes questions ni déclencher des mobilisations massives et nous laissent toujours à la fois renseignés et impuissants. A quelle condition une image est-elle efficace ? Quand elle cristallise un sentiment diffus dans l'opinion publique, confirme un parti pris : durant la guerre du Vietnam, une seule photo, celle d'une fillette vietnamienne courant toute nue sous un bombardement, éperdue de terreur (Huyng Cong Ut, 1972), a causé plus de dégâts que les reportages antérieurs et corroboré l'allergie des Américains à la poursuite du conflit. Une image fonctionne quand elle anticipe et justifie une décision politique, accompagne une action précise, quand elle est réduite à l'état de moyen (éventuellement falsifiable à des fins de propagande). Sinon elle n'a aucune valeur d'endoctrinement et son rôle est de pure contemplation. Il faut donc ramener « l'effet CNN » à ses justes proportions : ce ne sont pas les prises de vue insoutenables qui provoquent les décisions historiques, ce sont les décisions politiques qui donnent à certains clichés un caractère historique. Le bombardement du marché de Sarajevo en février 1994 n'a pas déclenché la riposte occidentale, il a renforcé la détermination notamment française de mettre fin (provisoirement) aux conditions les plus éprouvantes du siège de la ville. Bref la télévision est le meilleur antidote au pouvoir de mobilisation de ses propres images et les messages les plus apocalyptiques, s'ils sont livrés tels quels, sans prolongement dans la réalité, deviennent parfaitement digestibles et compatibles avec une vie d'homme normal.

« Ce qui fut unique entre 1940 et 1945, dit Emmanuel Levinas, ce fut le délaissement. » Celui que subissent aujourd'hui les peuples martyrs de la planète signale un autre désastre : désormais la connaissance d'un crime contre l'humanité se déroulant sous nos yeux nous laisse dubitatifs. Le formidable progrès enregistré dans la diffusion des nouvelles, les nombreux témoignages des organisations internationales ou humanitaires nous inondent de données qui paralysent notre compréhension et surtout reculent le seuil du supportable. C'est sans doute avec la guerre du Liban qu'a commencé *cette coexistence pacifique avec l'horreur* ; elle s'est prolongée avec Sarajevo dont le bombardement quotidien s'est vite intégré dans le ronron de l'actualité ; c'est avec le Rwanda qu'elle a connu son apothéose. Un génocide a eu lieu sous les regards du monde entier sans éveiller autre chose qu'une sorte de sidération de stupeur désolée (au moins pendant plus de deux mois, le temps pour les assassins d'achever leur travail). Il s'agit là d'un *abandon en plein jour* et c'est d'être trop ostensible qui rend cette barbarie inopérante. Telle est la corruption spécifique du spectateur gavé : l'indignation s'émousse au fur et à mesure qu'elle est sollicitée, le pire devient courant, l'indifférence n'est jamais une affaire d'information laquelle désamorce elle-même les événements qu'elle nous dévoile. Et c'est un lieu commun médiatique que de dénoncer l'oubli des drames recouverts par le bavardage quotidien. Mais cette mise en cause fait elle-même partie de l'oubli, le consacre.

Nul besoin donc de fuir, de fermer le journal, d'éteindre le poste : nous tenons l'horreur comme d'autres l'alcool. Le monde qui avait assisté muet à l'extermination des Juifs et des Tziganes assiste maintenant disert à celle d'autres peuples. A la limite, une dictature un peu au fait de nos mentalités pourrait mener des entreprises de liquidation en toute impudence, étaler ses forfaits au vu et au su de tous : la franchise totale serait une solution moins coûteuse que le mensonge. Cinquante ans après Auschwitz nous entrons peut-être dans l'ère du génocide banalisé (pourvu évidemment qu'il touche des peuples « marginaux » au regard de la grande histoire, et pourvu d'agir vite, en quelques mois). C'est pire encore car ces « solutions finales », fussent-elles primitives et perpétrées avec des machettes ou des bâtons, seront accomplies en pleine lumière et avec notre consentement tacite (surtout si, comme au Rwanda, les tueurs sont nos alliés). Tout montrer, tout étaler, tout exposer : voilà le meilleur moyen de nous immuniser des calamités que les médias nous rapportent.

Les intermittences du cœur

De là notre fatigue récurrente des catastrophes qui endeuillent la planète : ce n'est pas celle du sauveteur épuisé par l'immensité de ses efforts mais du spectateur lassé par les mêmes et sempiternelles prises de vue. Comment se sentir comptables de drames qui se situent à des milliers de kilomètres de chez nous et auxquels ne nous relie qu'une série causale infiniment ténue ? Ce n'est pas que rien ne transporte les cœurs, tout les transporte en un sens et n'importe quoi : une tuerie au Burundi, une famine en Éthiopie, des chiens soumis à la vivisection dans un laboratoire comme la naissance de quintuplés dans une clinique. Notre attention pour les parias du globe est aussi forte qu'instantanée : un beau sanglot immédiatement chassé par un autre. Ce sont des impératifs volatils qui ne commandent rien de précis, une sentimentalité épidermique qui s'enflamme pour les causes les plus dissemblables. Ce tourbillon d'infortunes qui déferlent a quelque chose d'inhumain dans son mouvement même : il ne laisse rien de stable derrière lui et ne commande que de brèves secousses nerveuses. Voilà la compassion, cette faculté éminemment moderne de souffrir avec les malheureux, assujettie à la loi la plus changeante : celle du caprice [1]. Nous devenons tellement proches de toutes les tragédies du monde que la distance nous manque pour les voir : nous sommes si près des autres que nous n'avons plus de prochains. Et nous communions avec des reflets qui glissent devant nous. *C'est pourquoi notre souci des autres est soumis au régime de la versatilité.* Qu'est-ce qui fait qu'une cause prend, qu'est-ce qui révulse les gens désormais ? Mystère ! Les

---

1. C'est l'égalité, dit Tocqueville, qui rend sensible aux douleurs des autres et fait que dans les siècles démocratiques chacun manifeste une compassion générale pour tous les membres de l'espèce humaine. « Lorsque les chroniqueurs du Moyen Âge, qui tous par leur naissance ou leurs habitudes appartenaient à l'aristocratie, rapportent la fin tragique d'un noble, ce sont des douleurs infinies tandis qu'ils racontent tout d'une haleine et sans sourciller le massacre et les tortures des gens du peuple. » (*De la démocratie en Amérique*, Folio, Gallimard, op. cit., tome II, p. 231.) Les journalistes appellent « kilomètre sentimental » cette loi qui veut que notre intérêt pour les autres soit inversement proportionnel à la distance qui nous sépare d'eux : un mort chez nous est un drame, dix mille outre-mer une anecdote.

critères d'attachement et d'antipathie se multiplient et ne suivent qu'une règle : celle des intermittences du cœur branché sur le rythme galopant des nouvelles. Il ne suffit pas de souffrir pour nous plaire : il faut encore ce je ne sais quoi qui fait vibrer notre âme. Nous ne réagissons que par toquades, volte-face : toute l'Europe a plus pleuré en août 1993 pour Irma, cette petite fille de Sarajevo blessée par des éclats d'obus, que pour toutes les victimes antérieures de la guerre. Mais comme on s'est enflammé pour son cas, on l'a ensuite oublié. Les images retournent bien l'opinion mais dix fois de suite : et les mêmes qui exigeaient une intervention immédiate en Somalie en 1993 à la vue des corps délabrés des enfants réclamaient peu après le rapatriement du contingent américain dès que les premiers soldats étaient tués. C'est le cas de dire avec Mandeville : « Tantôt des vétilles nous font horreur, tantôt nous considérons des énormités avec indifférence [1]. » La compassion se dégrade en pitié vague qui englobe les malheureux dans un même attendrissement. La télévision qui rapproche les lointains les éloigne à nouveau en les noyant dans une même généralité. Ainsi en matière d'information sommes-nous passés d'une logique de la restriction (et même de la censure) à une logique de la saturation. C'est d'être trop bien connues, trop prévisibles en quelque sorte qui rend les détresses des autres banales. Elles ont cessé d'être poignantes puisqu'elles ne sont plus passées sous silence : nous étouffons sous une pléthore d'enquêtes, de chiffres, de cris d'alarme. Et les appels pathétiques au réveil produisent une sorte d'insensibilité redoublée, capitonnée qui naît de la réplétion et non du manque ou plutôt une sensibilité à éclipses qui s'entrouvre parfois sous les rafales d'une émotion éphémère pour mieux se refermer ensuite.

---

1. Bernard de Mandeville, *La Fable des abeilles*, Vrin, 1974, p. 135.

L'UBIQUITÉ OU L'AMITIÉ

La volonté d'être responsable se heurte toujours à deux écueils : la suffisance et la boulimie. Il est vrai qu'on est d'abord comptable de ce qui dépend de soi, que la faute d'un drame incombe en premier lieu à ceux qui auraient pu l'éviter, qu'il s'agit là d'une responsabilité circonscrite mais totale à l'intérieur de ces limites. Le devoir s'adresse aux proches avant de se porter vers les plus lointains et l'on ne peut nous imputer tous les malheurs du globe. Mais la responsabilité ne peut se satisfaire de ce confinement : elle implique aussi une obligation de chaque homme envers tous, un sentiment de coappartenance à la même espèce. Ainsi apparaît une exigence absolue : si ignorant que je sois des drames du monde, je suis concerné par les injustices commises sur d'autres humains, je ne puis me dire indifférent à leur sort, leurs blessures s'imposent à moi comme si elles étaient mes propres blessures.

A son tour pourtant la solidarité universelle est guettée par l'irénisme et la désincarnation. Elle se veut sans contenu, sans bornes, sans frontières tel un amour parfait qui flotte dans le ciel. Or nous ne pouvons épouser toutes les causes et pareillement nous désintéresser d'aucune. A ceux qui nous abjurent quand nous nous préoccupons de la Bosnie, du Rwanda ou de l'Arménie de ne pas oublier l'Afghanistan, l'Angola ou l'Abkhazie, il faut répondre que ces mille raisons de s'indigner deviennent mille raisons de se démobiliser ; qu'en nous sommant de ne préférer aucun combat à un autre on nous incite à un engagement tous azimuts qui est le summum du désengagement. Une solidarité qui se solidarise en général soutient avec le même enthousiasme les causes les plus dissemblables. C'est une fidélité purement routinière aux figures du dehors : dans la case victimes défilent tour à tour les Albanais, les Tibétains, les Kurdes, c'est un rite conçu à l'avance pour des figurants variés. Et les mêmes qui appuient les Bosniaques en décembre soutiennent les Tutsis en juillet comme ils défendront les démocrates algériens six mois plus tard. L'attention au monde est calquée sur le rythme trépidant des nouvelles, elle balaye vite et sans insister tous les points chauds de la planète. Dans cette main tendue se pressent déjà la rétractation ; cette solidarité pavlovienne ne porte secours que pour mieux se reprendre et meurt de ne rien choisir.

C'est donc quand on est le frère de tous qu'il fait si froid entre les hommes. L'indispensable partage des tâches nous commande toujours de vivre l'idée à travers l'amitié, de renoncer à l'ubiquité des soutiens et de l'entraide. Je ne suis l'ami des hommes que si je noue des liens plus étroits avec certains au détriment des autres : ce qui empêche de les aimer tous est aussi ce qui permet d'en secourir quelques-uns. La partialité dément l'altruisme qui la présuppose pourtant puisqu'elle est sa condition contradictoirement vitale. Tout se passe comme si, pour être effective, la responsabilité devait se choisir un champ de fraternité limité et une géographie propre, à laquelle la distance ne doit rien, sans quoi elle reste indéterminée, c'est-à-dire aveugle. Ce découpage n'est pas seulement un élément limitateur; il est notre point d'insertion dans le monde, à la fois l'empêchement et l'instrument. D'autres hommes sans doute réclament notre assistance; mais êtres limités, nous ne pouvons nous donner à tous, nous devons privilégier la permanence et la fidélité.

L'universalisme, cependant, taraude comme un remords cette philanthropie partielle. Une fois dénoncés les commis voyageurs de l'engagement planétaire, reste que la préférence exclusive pour un combat révèle vite son étroitesse. Requise de prêter simultanément attention aux hommes en particulier et à l'humanité en général, l'action ne peut répondre à toutes les attentes, étancher toutes les souffrances, apaiser tous les pleurs. Voilà ce qui rend la responsabilité haïssable et tragique : avec elle la mission est sans fin, quoi que nous fassions, nous ne sommes jamais quittes du malheur des autres. Et nous continuons à osciller tel un pendule entre la sympathie universelle et l'incarnation restrictive.

La Grande Cuillère

On aurait tort toutefois d'attribuer cette dureté à je ne sais quel mésusage des médias gagnés par l'esprit partisan, les méfaits du spectacle, les abus du direct, la dictature de la distraction. Le mal est plus profond et fait partie de l'*ubris* démocratique : c'est la simple volonté d'être informé sur tout qui est folle. Car l'information requiert de chacun de nous potentiellement de vivre toute l'histoire présente comme un drame qui nous affecte personnellement. Or on ne peut donner à avaler chaque jour au citoyen lambda avec une grande cuillère l'ensemble des nouvelles du globe sans provoquer une réaction salutaire de rejet, on ne peut lui demander de porter à lui seul l'humanité endolorie sur ses épaules. C'est cela l'absurdité terriblement monotone des médias : en nous submergeant sous toujours plus de faits, à toute heure, en flots continus, ils excèdent nos possibilités d'absorption. Notre attention ne peut soutenir une telle allure : elle accompagne jusqu'au moment où elle décroche pour des raisons de salubrité intellectuelle. Se replier sur soi, faire retraite, c'est d'abord garder le souci du sens contre un déferlement sans queue ni tête. Nous voici grâce aux moyens de communication accablés d'un devoir sans bornes qui ne peut se résoudre que par une démission sans frontières.

En nous invitant à considérer la Terre comme un seul village dont les habitants nous seraient aussi familiers que nos voisins d'immeuble, les médias nous imposent une sorte de souci quotidien et déraisonnable du globe. Cette expansion inouïe de la conscience a tout d'une hémorragie : se mettre au diapason de la planète, être un citoyen informé capable d'émettre un jugement sur les affaires de son époque est un travail à temps complet. Mesure-t-on le labeur que représente chaque jour la lecture d'un ou plusieurs quotidiens sans oublier l'écoute attentive d'une radio ou d'un journal télévisé ? Certes la presse écrite parce qu'elle demande effort et patience pour être lue freine l'effet d'hébétude optique propre à l'écran. Pourtant le meilleur journal, loin d'être la prière du matin, comme le pensait Hegel, est d'abord le laboratoire de la dispersion et nous contraint à avaler une myriade de choses aux antipodes de nos préoccupations : nous y succombons sous la charge d'une monstrueuse encyclopédie de l'instant aussi boursouflée que désiroire [1]. (D'autant que la presse écrite elle aussi peut noyer le lecteur sous des masses de papier, multiplier dossiers et enquêtes interminables, verser dans la graphomanie.)

Le survol ou la sélection

Impossible, impensable bien sûr de se passer des médias, devenus l'oxygène de l'*homo democraticus* : ce qu'ils rapportent est indispensable à notre intelligence du présent. Mais pour intégrer les nouvelles du jour, il faut commencer par oublier celles de la veille. Et la passion que nous manifestons à parcourir un hebdomadaire ou un quotidien se double d'embarras : la tâche est sans fin et l'on peine à suivre la cadence des faits, à se tenir la tête hors de l'eau. Au contraire du livre, objet clos, limité, machine à résister au temps dont la concision nous ouvre à des vérités essentielles, le journal quels que soient les talents qui s'y déploient est une parole essoufflée, aussitôt périmée qu'énoncée. Les journalistes s'immolent chaque jour à une déesse aussi intransigeante que fantasque, l'actualité, qui les harcèle, les contraint à l'accélération, au rattrapage constants. (Il serait intéressant à cet égard de relever dans les médias les registres plus proprement littéraires, grands reportages, billets, articles de fond, éditoriaux qui relèvent d'une autre inspiration et dont la qualité, parfois exceptionnelle, ralentit ce sentiment d'usure. Car le journal veut durer même s'il n'est au bout de 24 heures qu'un grimoire illisible.) Scintillante de mille noms, chiffres et aventures aussi arbitraires que changeants, l'actualité est un abîme

---

1. L'écrivain de science-fiction polonais Stanislas Lem a imaginé un livre monstrueux qui raconterait une seule minute de l'humanité dans tous les domaines, *Bibliothèque du XX*e *siècle*, Seuil, 1989.

sans fond, une immense déperdition. Cette masse gigantesque qui est déjà le résultat d'un tri dans les rédactions se
délite en s'accumulant. La petite taille du livre est garante
d'enrichissement, l'ouverture du journal laisse une impression de morcellement et de vacuité. Incapables de concilier
l'intelligibilité du réel avec le respect de sa complexité, nous
sommes moins *désinformés que désorientés* et nous courons
après un monde en état de transformation perpétuelle
(surtout depuis la chute du communisme[1]). Trente
minutes, une ou deux heures pour la planète, c'est à la fois
trop et trop peu. Ces digests quotidiens nous offrent des
synthèses aussi définitives que vaines. Là où les experts
eux-mêmes avouent leur gêne et se trompent souvent,
comment demander à un individu quelconque de trancher,
d'influer sur la politique? Même le citoyen modèle disposant de larges loisirs, épluchant la presse avec la minutie
d'un entomologiste, ne pourrait se faire qu'une toute petite
idée des convulsions qui traversent l'époque; même le
journal le plus objectif, le plus pédagogue nous obligerait
encore à filtrer les nouvelles, à « faire notre marché » dans
l'immense labyrinthe des événements. L'étendue de ce qui
nous échappe grandit au fur et à mesure que nous
apprenons et nous ressortons de ce labeur frappés d'une
ignorance terriblement savante.

Pourquoi s'instruire de l'état du monde? Par politesse
élémentaire envers autrui, la politesse étant déjà une
« petite politique » (Leo Strauss), parce que cohabitant de
la cité, je me dois aussi à mes contemporains. Mais à

---

1. « Quand l'URSS s'est effondrée, nous Américains avons perdu
plus qu'un ennemi. Nous avons perdu un collaborateur dans la
recherche du sens. » (Richard Cohen, *International Herald Tribune*,
27 octobre 1993.) Sur le fait que la démocratie peut mourir d'avoir
triomphé et se doit de susciter les ennemis qui vont la revitaliser, je
renvoie à mon livre *La Mélancolie Démocratique*, Seuil, 1990.

travers l'information, c'est l'humanité entière en tant que personne collective qui est mise en possession de ses laideurs. Les médias sont donc les porteurs d'une morale héroïque et nous assomment d'une culpabilité aussi écrasante qu'abstraite : puisque nous assistons chaque jour en direct à toutes les bassesses du monde, quoi que nous fassions, nous ne ferons jamais assez, nous manquerons toujours à la solidarité essentielle qui nous lie à notre prochain. Comment rester le gardien de son frère quand on appartient à une famille si nombreuse et turbulente ? Tout simplement en zappant. Chaque jour nous buvons via l'écran de télévision ou le tabloïd du journal le vin de la fraternité mais c'est une ébriété superficielle qui se résout en une formidable gueule de bois. Cette solidarité proliférante croit mourir d'une indigestion de souffrances : c'est au plus une crise d'aérophagie car nous n'avons jamais été en contact avec des êtres de chair et de sang : tout peut nous toucher car rien ne nous atteint. Si le fait d'habiter un univers « plus présent à lui-même dans toutes ses parties qu'il ne le fut jamais » (Maurice Merleau-Ponty) nous prive d'une totale insouciance, nous nous déchargeons de notre fardeau en le réduisant à un spectacle. Nous saignons beaucoup, mais comme dans les fables, les blessures se referment instantanément ! Encore une fois cette carapace est indispensable : c'est la technique médiatique et sa « visibilité » universelle qui neutralisent l'idée de responsabilité en la dilatant aux dimensions de la planète.

Dès lors nous oscillons entre deux impasses : ou nous suivons la frénésie électronique et ses shows quotidiens, nous enivrons d'une inflation de misères en temps réel dans un étrange carnaval de compassion et de détachement ; ou nous nous concentrons sur quelques sujets brûlants au risque d'en écarter d'autres de façon arbitraire, nous nous astreignons à un double processus de ralentissement et de raréfaction. Terrible dilemme que celui de l'amour qui embrasse tout et ne retient rien ou celui de l'incarnation qui se cantonne à un ou deux domaines et ne veut rien savoir du reste. Être humain, aujourd'hui c'est choisir entre deux sortes d'inhumanités : celle du survol et celle de la sélection. Car s'engager c'est toujours exclure, pratiquer un oubli choquant d'autres causes que nous ignorons délibérément. Et ce qui vaut sur le plan individuel vaut de l'ONU qui, submergée sous les missions depuis la fin de la guerre froide, hiérarchise elle aussi ses interventions, omet pudiquement certaines zones ou populations sinistrées sous le couvert d'un discours officiellement universaliste.

2. *L'AMOUR DE L'INDIGENCE*

La transcendance de la victime

Notre époque se veut douce aux misérables ; elle n'a de cesse de les élever sur un piédestal, de rappeler le scandale de leur détresse aux repus, d'exalter les héros du sacrifice. Au point qu'on ne parle plus d'opinion mais d'affectivité publique comme si nos concitoyens n'étaient qu'une cohorte de Bons Samaritains au cœur débordant d'amour pour leurs frères meurtris. Sur la ruine des grands projets politiques fleurit une parole charitable qui baigne toutes choses dans une sorte de gentillesse irrépressible. Quelle princesse, actrice, top-model n'a pas ses Indiens, ses Kurdes, ses sans-domicile fixe, ses pandas ou ses baleines comme si chacun piochait dans l'immense puits du malheur pour en ramener ses bons fétiches à lui ? Ligues, fondations, institutions pullulent : tout ce qui fait souffrance génère un comité chargé de le combattre. Les magazines eux-mêmes regorgent de concours de bienfaisance où les lecteurs sont invités à élire et à récompenser les hommes et les femmes les plus serviables. Pas de grands entrepreneurs, chanteurs, comédiens qui ne parrainent une association contre le cancer, le sida, la myopathie ou ne prête son nom à des collectes de fond en faveur du Sahel, du Bangladesh. Qu'est-ce qu'une star aujourd'hui ? Une Mère Teresa qui ferait du cinéma, pousserait la chansonnette[1]. Toutes ces créatures sublimes ne rêvent que d'une chose : devenir des saintes ! Cette plus-value du cœur semble un atout indispensable dans une carrière artistique : il faut montrer qu'on « en a » et toujours au cours d'une tournée ou d'une série de galas s'entourer de quelques handicapés ou affamés qui vous revalorisent par contraste. C'est une sorte d'ostentation à l'envers où se maintient mezza voce l'obsession du paraître : la noblesse d'une cause doit rejaillir sur celui qui la promeut. Dans les années 50 triomphaient les grands « héros de la consommation » (Jean Baudrillard), gaspilleurs émérites menant des vies excessives que dominaient la dépense, le luxe et la démesure. Ce sont de nos jours les héros de la compassion qui tiennent le haut du pavé et suscitent d'ardentes sympathies par leur engagement en faveur des déshérités.

Ne nous hâtons pas toutefois de ricaner de ces jongleries ou de n'y voir qu'une simple opération publicitaire. Félicitons-nous au contraire que dans un recoin de sa psyché l'homme contemporain puisse élever encore un petit autel à la bienveillance, réjouissons-nous qu'existe, même ténu, même caricatural, un lien avec les déchus. La société serait invivable sans cette multitude de petits gestes d'entraide et d'amitié qui poussent les gens à s'épauler au niveau le plus

---

1. Gina Lollobrigida dans *Paris-Match*, 4 mai 1993 : « Je partage le combat de Mère Teresa et je l'aide à ma façon. » La principale photo d'Audrey Hepburn diffusée le jour de sa mort fut celle de l'actrice visitant des enfants en Somalie.

quotidien. C'est l'envers positif de la crise que de plus en plus de citoyens viennent au secours de leurs compatriotes dans le besoin sans attendre les subsides de l'État [1]. Il n'est rien de choquant à ce que des personnes célèbres ou riches consacrent une partie de leur temps aux indigents, façon de remercier la fortune des bienfaits dont elle les a gratifiées : mieux vaut un bénévolat par vanité que pas de bénévolat du tout. Dans cet appétit pour le malheur, il y a plus qu'un effet de snobisme ou une stratégie de marketing. Il est vrai que de nos jours les damnés de la terre ne sont plus les porteurs d'un projet messianique qui viserait à réconcilier l'humanité avec elle-même. Mais notre temps, féroce et frivole, continue à sa façon tapageuse de célébrer la transcendance de la victime, de saluer dans sa déchéance le visage d'un scandale et d'un mystère. Nous ne considérons plus la misère et la maladie comme des fatalités ou de justes châtiments, nous ne croyons plus à la valeur d'édification de la douleur qui est un fléau à détruire ou à atténuer, nous ne pensons plus comme Bernanos que « les pauvres sauveront le monde (...) sans le vouloir (...) malgré eux [2] ». Car la dégradation d'un être humain m'oblige, à tous les sens du terme : son dénuement dès que j'en prends connaissance devient ma loi, engage ma responsabilité. Son tourment vaut pour sommation, s'y dérober serait une honte. Dans l'offense faite à autrui, c'est ma propre humanité qui est atteinte. Mieux encore : si l'humanitaire est un progrès par rapport à la charité, c'est que, loin de réserver sa sollicitude aux seuls proches, il manifeste un souci potentiel pour le genre humain dans son entier et proclame qu'autrui est

---

1. *Le Monde* a consacré à ces « Aventuriers de la générosité » une intéressante série d'articles sous la direction de Danielle Rouard (août 1993).
2. Cité in Philippe Sassier, *Du bon usage des pauvres*, Fayard, 1990, p. 363.

partout mon prochain même lorsqu'il est loin de mon lieu. Tout problématique qu'il soit, ce changement est capital.

Cette quasi-divinité du faible qui persiste de nos jours, cette gloire obscure née de l'outrage interdit de rabattre terme à terme notre siècle finissant sur l'époque victorienne si dure aux nécessiteux. Cet intérêt pour les destitués dans lequel Nietzsche voyait le pire héritage de la morale des esclaves, c'est-à-dire du christianisme, coupable à ses yeux d'avoir divinisé la victime, nous savons au contraire qu'il constitue l'apanage et la fierté de la civilisation[1]. (Et l'horreur de certaines pages de Nietzsche fustigeant les malades et les démunis, s'écriant dans *L'Antéchrist* « Périssent les faibles et les ratés », prônant le culte de l'homme supérieur, la sélection des forts et l'élimination des autres affaiblit sa critique, par ailleurs lumineuse, de certains écarts de la pitié, critique déjà esquissée chez Rousseau.)

---

1. Karl Jaspers fait de ce renversement des valeurs, de cette rupture avec les normes en cours le privilège de l'enseignement du Christ, celui qui a ouvert une patrie aux sans-patrie. « Puisque Jésus se tient à l'extrême lisière du monde, parce qu'il est l'exception, une chance est donnée à tout ce qui, selon les critères du monde, passe pour bas, infirme, laid, tout ce qui est repoussé, exclu de l'ordre admis, la chance donnée à l'homme comme tel dans n'importe quelle condition. » (*Les Grands Philosophes*, Presse-Pocket, 1956, tome I, p. 280.) Comment ne pas citer également l'œuvre de René Girard, l'anti-Nietzsche par excellence dont la relecture si éclairante de la Bible et des Évangiles ouvre sur le monde contemporain des perspectives passionnantes même si Girard n'offre d'autre solution que le saut absolu, la conversion religieuse ?

LA FOLIE TÉLÉTHON

Le Téléthon est la mise en scène d'une générosité hystérique. Si le prétexte en est les enfants atteints de maladies génétiques (ou les sidéens), les héros en sont les donateurs eux-mêmes et c'est la société entière qui s'applaudit à travers leurs libéralités. Le spectacle obéit au double principe de l'exagération et de la célérité : c'est peu dire qu'on y a le sourire, on y manifeste une bonne humeur, une jovialité étonnante car le temps est compté. Ce Yom Kippour des bons sentiments qui doit rattraper en deux jours un an d'égoïsme tient du marathon et de la kermesse. Ici la bonté doit s'étaler et se claironner ; finie cette notion archaïque d'une charité de l'ombre et de la discrétion. Il faut s'époumoner, s'enthousiasmer bruyamment dans une joute où villes, communes, lycées, collectivités, hôpitaux entrent en lice pour offrir le plus gros chèque. Le vrai plaisir est de concourir ensemble, de rendre public le moindre geste. Tout est affaire de rythme, d'émulation : il s'agit de se dépenser sans temps mort, de maintenir une pression constante (d'autant que chacun de nous pourrait un jour bénéficier des retombées de la recherche). L'enjeu, récolter un total supérieur à celui des années précédentes, explique le suspense et l'énergie déployée. Les standards sont saturés, les records s'affichent sur écrans géants. Mais signer des chèques, collecter de l'argent ne suffit pas. Il s'agit de signifier la charité par un effort surhumain. Par contraste avec les handicapés, on se lance de façon outrée hyperbolique dans une débauche d'exploits inutiles : trente heures d'affilée de tennis, de basket-ball, de rock non stop, escalade en solitaire de la tour Eiffel, descente en rappel, tête à l'envers, d'une façade de la Maison de la radio par les hommes du GIGN, simulation par les pompiers de Marseille du sauvetage d'une jeune mariée hissée en haut d'un clocher. En 1993 des avocats à Lille organisent la plus longue plaidoirie des annales judiciaires (24 heures), à Soissons un cycliste bat le record du monde du vélo d'appartement en parcourant 800 kilomètres en moins de 20 heures, à Arles un boucher-charcutier réalise le plus grand saucisson du monde, 75 kilogrammes, etc. On se croyait du côté des Évangiles, on se retrouve dans le Livre des records. Quels rapports entre ces prouesses et la myopathie ? Aucun :

271

l'essentiel est d'en baver et de l'afficher bien haut. Sur le plateau même les présentateurs semblent atteints de la danse de Saint-Guy : certains sautillent en annonçant les résultats, tous trépignent, hurlent, rient à pleines dents, prennent à témoin de l'euphorie les quelques enfants amenés dans un fauteuil roulant.

En fait cette démangeaison de mobilité est une sorte de vérification par l'absurde : plus les malades sont impotents, plus les bienfaiteurs gambadent, courent, grimpent, pédalent comme s'ils voulaient s'assurer de leur parfaite santé. Ces petits infirmes comment ne pas les aimer ? Ils infusent de l'ingénuité dans la nation, ils sont les victimes expiatoires sur lesquelles restaurer l'harmonie de la communauté. Si les maladies génétiques n'existaient pas, il faudrait les inventer pour nous donner l'occasion de faire le Téléthon et connaître en deux jours ce grand élan collectif. Car cela marche : et l'effet d'entraînement est tel que 48 heures durant tout un pays se donne les moyens de faire progresser la science sur un point précis. Mélange d'obscénité et d'efficacité, de farce et de foi, le Téléthon résume toutes nos ambivalences envers les victimes : nous les plaignons sincèrement mais nous avons besoin d'elles pour nous aimer et nous racheter à travers leurs épreuves. Enfin à rebours de l'ancienne philanthropie rébarbative, il inaugure une nouvelle forme de charité distrayante qui mélange le jeu, la performance et la compétition. En lui fusionnent deux morales : l'utilitariste et la ludique. Être bon devient à la fois profitable et amusant !

La douleur cabotine

Qu'est-ce qui caractérise le déshérité dans nos sociétés ? C'est qu'on ne le voit pas ou plutôt on perçoit trop bien sa déchéance pour regarder son visage. A son dénuement matériel, le malheureux doit ajouter la disgrâce de l'exclusion, il est littéralement transparent, marche en plein jour comme si c'était la nuit. Il a tous les traits d'un individu en négatif : non propriétaire, non citoyen, sans intimité, « en manque de semblable » (Philippe Sassier), il est tombé hors de la communauté des hommes : que la pauvreté recommence à être visible dans nos grandes villes, qu'elle s'étale à nouveau comme une hideuse blessure ne fait que confirmer ce phénomène. Dans l'indigent, on ne perçoit que l'indigence, pas l'homme. Dès lors il n'est pas de bénévolat qui ne commence par rendre aux misérables une identité et une face humaine, qui ne prélève sur la foule des laissés-pour-compte quelques échantillons représentatifs. C'est ainsi que la star (ou le bienfaiteur) prête son nom à celui qui n'en a pas, force les regards à se poser sur lui. La démarche peut choquer mais la misère a toujours besoin de se mettre en scène pour apitoyer.

Dès le Moyen Âge, il a existé une industrie de la mendicité basée sur la fabrication (ou l'imitation) des chancres et des ulcères et qui persiste de nos jours dans maints pays pauvres (on ampute par exemple l'enfant le plus faible de la famille pour qu'il se rende utile et aille mendier). Cette exhibition du corps torturé est le dernier, l'atroce recours de ceux qui doivent se mutiler pour survivre. A un niveau moins dramatique, c'est un même schéma qui commande par exemple aux mendiants du métro parisien, sillonnant les voitures en quête d'une pièce, de frapper l'imagination des voyageurs par un bref et percutant récit de leur débine. Pour ne pas ennuyer des passagers déjà bombardés de mille histoires toutes semblables, il faut se vendre avec éloquence, prendre une mine contrite, redoubler de brio, verser au besoin dans le grand-guignol. Et c'est toujours la même logique qui impose aux peuples et minorités écrasés de *jouer leur détresse* et en général d'en rajouter pour se faire remarquer. Il faut devenir peu ou prou le comédien de son propre mal, faire exister sa peine aux yeux d'autrui. Le bon miséreux ne doit pas trop souffrir, car alors il répugne, mais suffisamment pour nous intéresser ! Pas de chance pour lui si sa misère n'est pas évidente et déçoit notre intention de faire le bien. Prouvez-moi votre désespoir ! Non seulement la parole de l'opprimé est pauvre mais elle se heurte à la concurrence des autres opprimés qui désirent eux aussi se faire entendre. Dans la salle d'attente de la conscience mondiale, des millions d'affligés piétinent et se bousculent dans l'espoir d'être entendus et secourus. De là aussi, nous l'avons déjà vu, le terrifiant prestige dont jouit le mot de génocide et la captation dont il fait l'objet, au risque de se dévaluer à force d'être invoqué à tort et à travers.

De la même façon les grands shows médiatiques de la charité ont pour fonction d'arracher les désavantagés à la nuit de l'anonymat et d'exposer des modèles de courage, de civisme, de bonté en principe accessibles à chacun. Pour être vu et entendu, éveiller la compassion qui s'adresse toujours à un être singulier [1], le malheureux doit être extrait de la masse, individualisé et parrainé (par une chaîne, une marque, une figure célèbre, un journal). Ainsi a lieu ce que j'appellerai *la recréation cosmétique de la victime* que l'on apprête, que l'on maquille pour la rendre présentable. Elle est refaçonnée, retravaillée afin qu'on puisse l'entendre et la voir mieux qu'on ne voit le mendiant au coin de la rue. Le principe vaut également pour certaines organisations humanitaires qui dans leur courrier construisent de toutes pièces des biographies de petits garçons ou petites filles abandonnés qui s'adressent directement aux donateurs pour solliciter leur aide. Le déshérité doit toujours être une personne précise avec un visage identifiable et dont on suit le destin ; ainsi de cette affiche de l'AICF en 1994 montrant deux photos côte à côte : celui d'une jeune fille d'abord

---

1. Selon la description que fait Hannah Arendt dans son *Essai sur la Révolution,* la compassion va à la personne, la pitié va à l'ensemble : « La compassion par sa nature même ne peut être inspirée par les souffrances d'une classe entière. Elle ne peut aller plus loin que ce que souffre une personne unique sans cesser d'être ce qu'elle est par définition : une co-souffrance. » (Gallimard, 1967, p. 121.)

cadavérique puis ensuite ronde et souriante avec cette légende : « Leila 100 francs plus tard ». Même les efflanqués doivent être arrachés à l'océan de la famine, prélevés à titre de spécimens, même les squelettes doivent être rendus photogéniques, triés, sélectionnés selon un rigoureux casting de l'horreur [1]. Or cette reconstruction, ce cadrage sont d'abord la conséquence d'une responsabilité qui doit rester à dimension humaine pour être efficace. On ne pleure pas sur une statistique et les grands chiffres de la misère touchent moins que la vue d'un homme ou d'une femme brisés par la gêne et la maladie. Pour devenir effective la charité demande des tâches à son échelle, veut rester un altruisme du face à face, de la rencontre. Il n'y a d'hommes pour nous qu'à travers les situations où nous pouvons les croiser. Sans doute en chacune de mes activités le monde m'est-il intéressé : mais certains hommes attendent de nous des secours immédiats parce qu'ils nous sont proches et ces attentes définissent des lignes d'action privilégiées.

Il n'est pas surprenant que les plus grands gestes de dévouement apparaissent lors de catastrophes naturelles (cyclones, tempêtes, inondations) qui mettent en péril des communautés précises : la fraternité est d'abord de proximité dans le partage d'une même épreuve qui contraint au secours et au soutien mutuels.

---

1. Claude Coutance, titulaire du prix Nicéphore Niepce 1993, exposant au palais de Tokyo explique ainsi à propos d'un reportage sur la Somalie : « Je cherchais dans les visages les stéréotypes de la famine tels que les définissent les Occidentaux : des gens maigres, des regards, des attitudes. J'ai photographié non pas avec mon cœur mais avec une machine froide, cynique qu'il faut savoir utiliser. J'étais parfois à 30 centimètres des visages. Je passais parfois deux heures à faire une image. Sans le savoir nous faisons du casting : car nous cherchons les scènes les plus émouvantes. Il n'y a rien de plus émouvant que les squelettes. » (*Le Monde*, 1er juin 1993.)

Le tapage narcissique

Pour autant, il est difficile d'épouser totalement le discours lyrique, attendri que l'époque porte sur elle-même. Car le caritatif, selon une antique perversion déjà dénoncée dans les Évangiles, tend toujours au renversement de la fin et des moyens. L'abolition de la souffrance sert d'abord la promotion des bienfaiteurs lesquels se mettent en avant indépendamment des personnes à secourir. En s'adjoignant la publicité, la charité trahit son premier commandement : le tact et le secret. « N'allez pas pratiquer la vertu avec ostentation pour être vu des hommes », dit le Nouveau Testament. Or selon ses partisans, la loi du tapage se justifie avant tout par un souci d'efficacité. Rameuter les médias, c'est faciliter ces « insurrections de la bonté » dont parle l'Abbé Pierre, mobiliser instantanément autour d'une calamité. L'argument est imparable. Mais la tentation est grande pour certains de confondre le nécessaire tintamarre autour des victimes avec le délicieux brouhaha autour de leur personne. Il existe deux types de bénévoles : le bon conducteur qui, par son action, nous montre l'exemple, nous familiarise avec les réprouvés et le mauvais qui est là pour se faire voir et dont la figure s'interpose entre les misérables et le public. Le bénévole devrait avoir la transparence du cristal. L'épaisseur de son ego brouille notre vision, c'est pour lui surtout que l'image est essentielle et son sacrifice n'existe que par les traces qu'il laisse sur la pellicule. Sa règle d'or est de s'exhiber : consolant un amputé, entourant un bébé, portant un sac de farine, pratiquant une injection. Le faire savoir et le faire croire l'emporte sur l'engagement réel lequel est ingrat, complexe, peu spectaculaire. La photo au contraire nimbe le sauveteur d'une auréole flatteuse. Il y a comme on dit retour en termes de reconnaissance, remboursement symbolique immédiat.

Péché véniel, dira-t-on, le narcissisme étant la chose du monde la mieux partagée, seuls comptent les actes, non les intentions ou les retombées forcément impures. Certes ! Toutefois on court le risque de chercher des démunis non pour les aider mais pour se hausser du col à travers eux, peaufiner son image, goûter aux délices de la bienfaisance claironnée. Je suis bon et je veux que ça se sache. Ce ne sont plus les malheureux qui cherchent une main secourable, c'est un bienfaiteur impatient qui cherche une victime à aider, toutes affaires cessantes. Il y a presque de l'anthropophagie dans cette bonté qui a faim de proscrits pour exalter sa mansuétude. Combien d'organisations humanitaires se disputent blessés et agonisants comme des parts de marché, des magots qui leur reviennent ? Les va-nu-pieds ne sont au mieux que des faire-valoir, ils embellissent par contraste les héros qui viennent les consoler, les nourrir, les calmer. Ils servent à l'élévation de quelques personnages hors du commun que l'on porte au pinacle et qui se détachent lumineusement sur un fond de misère de folie et de désarroi. Ainsi en France durant l'année 1993, la tragédie bosniaque a servi surtout à illustrer la bravoure du général Morillon lequel à Srebrenica s'opposa à la déportation des habitants de la ville par les Serbes. Mais le déferlement de chauvinisme qui s'ensuivit prouve que le général courage a bien servi de baume à notre mauvaise conscience et fait oublier d'un coup l'action ambiguë de notre pays dans ce conflit. Les sauveteurs se doivent d'être toujours magnifiques et ce jusqu'à l'impudeur : on se souvient par exemple de Sophia Loren posant à Baidoa à côté d'enfants exténués et ses *paparazzi* n'hésitant pas à bousculer quelques petits Somaliens à bout de force pour la photographier. Une telle prise de vue vaut autant qu'un oscar ou un prix. Car on les aime, ces affamés, ces estropiés mais on les aime faibles, désarmés, à notre entière merci, on voudrait qu'ils aient l'innocence de l'enfant, l'impuissance de l'enfant, la gratitude de l'enfant. Rien ne nous froisserait plus qu'un misérable qui ne serait pas débordant de reconnaissance à notre égard : il doit rester de toute éternité une main tendue, un tube digestif, une plaie qu'on panse, un organisme qu'on répare. Il est un homme encore mais aussi un peu moins qu'un homme puisque réduit à ses besoins biologiques, maintenu en état de survie. Jamais un égal avec lequel nous pourrions éventuellement nous engager dans une relation de réciprocité [1]. Nous prenons plaisir au besoin que la victime a de nous, comme le notait déjà Rousseau [2]. Le scandale ontologique de la charité, c'est l'inégalité entre le donateur et le bénéficiaire lequel, incapable de s'aider lui-même, ne peut que recevoir, sans rendre ni répondre. L'aimer pour cette seule raison, chérir son malheur, c'est exercer sur lui non notre noblesse d'âme mais notre volonté de puissance. On se veut le propriétaire de la souffrance de l'autre, on la recueille, on la distille comme un nectar qui vient nous consacrer. Il est donc une charité qui élève et prépare l'émancipation de celui que l'on aide, il en est une autre qui le rabaisse, l'enfonce dans son infirmité, lui demande de collaborer à sa propre inhumanité. Dès lors le philanthrope moderne se transforme non en

---

1. « Toute l'action humanitaire en Bosnie est fondée sur l'idée qu'il y a des gens au milieu de la Bosnie incapables de s'aider eux-mêmes. Les organisations chargées de l'aide humanitaire s'imaginent trouver quelque chose comme la sécheresse et la guerre en Somalie voire les Kurdes au sommet des montagnes. Quelque chose comme le tiers-monde. Comme si les Bosniaques étaient touchés par une quelconque catastrophe naturelle qui leur aurait fait oublier comment lire et écrire, conduire, gérer des villes. Aussitôt qu'ils cessent d'être victimes, ils commencent par être haïs par les organisations humanitaires. » (Erwin Hladmik-Milharcic, in *Mladina* (Slovénie), reproduit dans *Courrier International*, 15 avril 1993.)
2. Clifford Owin le rappelle dans un excellent article, « Rousseau et la découverte de la compassion politique », in *Écrire l'Histoire du XXe siècle*, Gallimard-Seuil, 1994, pp. 109-110.

ami des pauvres mais en ami de la pauvreté : les indigents ne saignent que pour lui permettre de venir les soigner et extraire de leur perdition un prestige inconsidéré.

La sainteté sans peine

Comme si l'idéal caritatif était trop lourd à porter pour nos faibles épaules, il en existe une version *soft*, facile qui se monnaye en petites actions sans importance. Par une sorte de mimétisme dégradé avec les chevaliers du devoir dont la presse chante l'épopée, chacun de nous à sa modeste échelle peut participer sans efforts à la grande fête du cœur. Variante laïque de la pratique des indulgences dans l'Église, cette façon de s'acquitter des malheurs de son prochain se caractérise par la simplicité. On se contentera par exemple d'assister à un concert de rock contre le racisme, la faim dans le monde, les violations des droits de l'homme. Alors la lutte se métamorphose en partie de plaisir, les seules vertus du son et de la danse suffisent à pulvériser le mal, l'exercice de la fraternité devient à la fois commode et sympa. Il n'est d'autre impératif que de se trémousser ensemble dans une opération qui tient de la surboum et de la magie noire : le miracle s'accomplit, la faim, le racisme reculent insensiblement. Et tant pis si les noces de la pop, de la compassion et de l'hédonisme tissent une parodie de solidarité, tant pis si les généreux donateurs se réveillent parfois cocus, désolés d'apprendre que leur argent est allé renflouer les caisses d'une dictature. (Comme ce fut le cas du groupe Band Aid de Bob Geldof, la plus vaste escroquerie morale des années 80 qui a surtout permis au régime de Mengistu de s'approvisionner en armes et d'accélérer le regroupement des populations rurales en zones de contrôle. Voilà où conduit l'insouciance quand elle veut ignorer la loi élémentaire de tout engagement : une connaissance minimale du terrain, des populations qu'on aide, des forces en présence.) Mieux encore : la consommation nous transforme, grâce aux produits partage, en mécènes instantanés. Pas une plaque de chocolat, marque de café, de pains grillés, de lessive, de chandails qui ne patronne une cause humanitaire, ne participe à la grande croisade du cœur. Avec un peu de discernement dans le choix de nos achats, nous pouvons du lever au coucher manifester notre bienveillance active, vaporiser notre bonté sur le monde comme on rafraîchit une plante. Désirez-vous par exemple aider les sans-abri ? Portez un tee-shirt *Agnès B* [1]. Protéger une tribu amazonienne ? Buvez les cafés *Stentor*. Tenir en échec violence, discrimination et méchanceté ? Achetez *Benetton*. Ainsi ferez-vous le bien sans le savoir comme Monsieur Jourdain faisait de la prose.

Y a-t-il un seul moment de la journée où l'on n'ait pas l'occasion de manifester un altruisme dévorant ? Quel objet, même le plus trivial — caleçon, dentifrice, sucette — ne pourrait à son tour être englobé dans la sphère de la charité ? Fini le rigorisme d'antan, évanouis les scrupules désuets : nous agissons sans avoir besoin de lever le petit doigt. Tout ce que je porte, utilise, bois ou mange dispense quelque part autour de moi et comme par magie, secours et consolation. L'aumône est comprise dans l'achat. C'est une sorte de bonté étourdie, automatique qui prodigue le réconfort malgré nous. Les vertus de l'engagement se trouvent réconciliées avec les commodités de la torpeur. Cette charité sans obligations est la chose la plus aimable qui soit : car je puis ainsi être égoïste et dévoué, détaché et

---

1. Cf. ces fortes paroles d'Agnès B qui vend des tee-shirts au profit des mal-logés : « Ces gens entrant au magasin font œuvre humanitaire. Ils s'impliquent. C'est normal, indispensable. J'aime l'Abbé Pierre. Il est super-important. Il n'y a presque que lui qui soit digne de respect. » (*Le Monde,* 5 août 1993.)

impliqué, passif et militant. Et comment ne pas remercier les entreprises qui nous certifient que le port d'un pull-over, l'usage d'un détergent, l'absorption d'un plat peuvent remédier, même de façon infime, aux misères du monde et nous décharger de nos soucis ?

Dira-t-on que cela ne peut faire de mal, que ce saupoudrage, inévitable à une époque où l'on suffoque sous les causes, est préférable à l'inertie ? Mais ce tout petit peu devient un alibi pour ne rien faire de plus [1]. L'abnégation extraordinaire de quelques-uns (en général préposés à l'apaisement de nos remords) ne peut faire oublier l'apathie ou la tiédeur de la majorité. Il ne faut pas confondre l'idéal admis et affirmé avec l'idéal accompli mais travailler à réduire la distance qui sépare les deux. A cet égard notre société n'est pas pire qu'une autre ; mais il est caractéristique de notre temps et de sa rhétorique sentimentale que *l'indifférence n'ose plus s'avouer comme telle et parle le langage du sacrifice, du cœur sur la main.* La froideur, l'insensibilité reviennent au terme d'une inflation de bonnes paroles, de grands principes, *c'est avec le sourire de l'amour que nous laissons mourir les autres.* On encourage ainsi une sorte d'égoïsme paisible qui a digéré sa propre critique et se croit éminemment bon. Acheter la solidarité avec une paire de jeans ou un pot de yaourt est au souci d'autrui ce qu'est la prostitution en amour. On s'excusera de rappeler que la charité ne peut être amusante, qu'elle doit être « un peu sévère », comme le disent les fondateurs de SOS-Sahel, au risque de dégénérer en plaisanterie. Lui appliquer les critères et les méthodes propres au consumérisme, c'est

---

1. Comme en témoignent les chiffres : si les Français donnent 7 milliards de francs aux organismes charitables (en partie pour raisons fiscales), c'est quatre fois moins que leurs dépenses pour chats et chiens. Quant aux bénévoles, 2 millions, la moitié travaille plutôt dans le domaine sportif (Jacques Duquesnes, *Le Point,* 19 décembre 1992).

introduire la désinvolture dans le domaine éthique. Quand le marché se met au service de la morale et prétend promouvoir l'entraide et la solidarité, c'est la morale qu'il met à son service parce qu'elle est devenue rentable. Si la bienfaisance devient mécanique, si la générosité s'étend partout à la manière d'un gaz, elle s'évanouit par dissolution, elle n'est plus un arrachement au confort du quant-à-soi, du bonheur repu. Dérisoire, cette « sainteté » réflexe redouble la confusion par le discrédit qu'elle porte sur d'autres attitudes plus sincères. Dans ces contrefaçons, nos sociétés consument leurs idéaux au sens littéral du terme, les ridiculisent en les célébrant. Et notre esprit de fraternité meurt alors non de dessèchement mais d'emballement, dans un déferlement de simulacres, de fanfares et de bons sentiments.

3 LES PEUPLES EN TROP

Le Pacte des Larmes

Le XVIIIe siècle, dit-on, aimait à pleurer ; Rousseau chantait la beauté du sanglot libérateur et les Encyclopédistes n'éprouvaient aucune gêne à s'abandonner en public, de bonheur et d'émerveillement plus encore que de chagrin. Il faudrait à ce propos retracer une histoire des larmes en Europe, étudier ce fameux « don des larmes » souligné par Michelet à propos de saint Louis et célébré comme un exercice spirituel par Ignace de Loyola[1], cette joie para-

---

1. Roland Barthes a consacré un très beau texte à ce sujet dans « Pouvoirs de la tragédie antique », in *Œuvres complètes*, Seuil, 1993, tome I, pp. 216 sqq., ainsi que dans *Sade, Fourier, Loyola*, Seuil, 1971, p. 79.

doxale de laisser éclater sa douleur, cette purification collective de toute une communauté. Notre époque a répudié les larmes au profit du larmoyant : peu d'explosions tumultueuses de cris déchirants mais beaucoup d'yeux humectés, voilés, toujours au bord de l'effusion. C'est une attitude d'humilité permanente face aux coups du sort, une espèce de religion de la sympathie émue qui compatit avec tout ce qui vit, sent et souffre, de l'enfant battu à l'animal abandonné. Dans ce tourniquet, les naufragés de la vie passent et défilent comme à la parade, n'importe qui pouvant tenir ce rôle, pourvu de répondre au double critère du spectaculaire et du sentimental. Notre bonté est d'abord avide de malheurs, elle dresse une sorte de Top 50 de la souffrance planétaire, jongle avec les victimes qu'elle consomme en grand nombre, un jour propulse une petite fille assassinée à la première place pour la détrôner peu après au profit d'un nouvel et alléchant désastre. Ainsi vont les grand-messes de nos commisérations qu'elles ne voient dans la multitude des êtres dolents qu'une occasion délicieuse de mouiller son mouchoir. Double mouvement : seul ce qui va mal retient notre attention et face à tout problème, on privilégie l'approche misérabiliste, celle qui émeut. Doit-on traiter certains sujets de société ? Immédiatement le chômeur, le toxicomane, le sans-domicile fixe, le jeune de banlieue se doivent d'être désespérés, constitués en objets d'apitoiement. C'est leur conformité à ce cliché qui les rend télévisuels ou radiophoniques et permet d'éluder d'autres approches plus politiques : derrière chaque cas particulier, il faut débusquer du pathétique. Tant qu'ils restent des malheureux, on les plaint ; dès qu'ils se révoltent ou protestent, on les craint, on les hait. Le *reality-show* devient le seul principe d'explication du monde : votre malheur m'intéresse. Nous ne voulons pas être informés, seulement bouleversés. Nous dénichons l'adversité avec l'ardeur d'un chien qui déterre les truffes, il y a presque de l'enthousiasme et même une certaine volupté à se rouler ainsi dans la malchance des autres.

Pourquoi ces attendrissements quotidiens ? Ils sont un certificat de cohésion dans un monde toujours en voie d'émiettement. L'émotion seule est vraie qui nous unit à autrui et permet de reconstruire un semblant de communauté au contraire de la réflexion toujours suspecte et qui sépare. Elle est l'idiome du cœur parce qu'elle se passe de la médiation des mots ou de la raison. Dans le spectacle de la douleur, nous cherchons un peu de cette « chaleur des parias » propre selon Hanna Arendt aux humiliés, une sorte de communication épidermique avec les désespérés du haut de notre confort. S'il est une utopie à la base de nos rituels caritatifs et médiatiques, elle est dans cette volonté de refondre le lien social, de recréer de la fraternité à travers le sentiment le plus éphémère, la miséricorde pour tous les offensés. Pleurer ou plutôt s'apitoyer sur les autres, c'est les remercier d'avoir su nous troubler, c'est se racheter à bon compte de notre désintérêt à leur égard, c'est enfin conjurer la déveine qui les atteint, les tenir à distance en s'épanchant sur eux. Position délicieusement passive qui n'engage ni à l'action ni à la pensée. Chaque jour nous glorifions le misérable le plus attachant : car sous certaines conditions et pourvu de respecter les lois de cette dramaturgie, la déchéance des agonisants peut être une fête. Il y a longtemps que le roman policier nous a habitués à voir dans le crime et ses raffinements une énigme de qualité. Et comme nous apprécions les forfaits des assassins nous prenons aussi un plaisir paradoxal à voir souffrir notre prochain, nous réclamons notre ration quotidienne de meurtres, d'accidents, d'attentats. Il y a un sadisme de la pitié et à trop les étaler on fait son délice des revers des autres. Telle est l'ambiguïté de nos cérémonies expiatoires. Le contrat de commisération qui se joue quotidiennement sur les médias entremêle de façon équivoque la répulsion et la jouissance : la vue ou le récit des supplices d'autrui sont terrifiants mais aussi récréatifs. Nous fonctionnons désormais avec les victimes au désir : que la meilleure gagne !

De la compassion comme mépris

Il y a un génie commun de la charité et de l'humanitaire apparus dans les failles de la justice et de la politique qui est de préférer le soulagement ponctuel d'une détresse à l'attente messianique du salut total. L'une et l'autre manifestent une même impatience de la générosité. Pourtant la charité court toujours le risque de vouloir remplacer l'État comme l'humanitaire de périmer la politique (au prix d'être manipulé par cette dernière). Aussi la relation entre ces différentes instances est-elle moins complémentaire que conflictuelle : elles peuvent se paralyser mais aussi s'aiguillonner, coopérer, s'améliorer les unes par les autres [1].

La charité a un rôle de scandale bénéfique quand elle bouscule les égoïsmes établis, brave la loi et l'ordre, dérange le confort des assis ; mais elle devient scandaleuse à son tour quand elle prétend se suffire à elle-même et ne cherche pas à s'inscrire durablement dans le réel par un prolongement juridique ou politique. Elle est scandaleuse quand elle élève les incapacités intellectuelles ou physiques des démunis en qualités majeures, quand elle vénère la figure du vaincu parce qu'il est vaincu et ne peut se prendre en charge. Il y a là une terrible ambivalence qui consiste à faire de la misère un fléau nécessaire, presque une vertu, à prendre les plus pauvres d'entre les pauvres comme seule mesure de l'humain, bref à exalter le malheur, la peine et la

---

1. L'Abbé Pierre dit très bien : « La charité a deux rôles : avant la loi pour faire progresser la loi ; après la loi car on aura beau faire la loi ne suffira jamais. » (*Autrement,* septembre 1991, p. 237.)

mort comme les fondements les plus dignes de la condition humaine.

De même l'humanitaire reste une irremplaçable école de courage : non content d'aller droit aux victimes, il possède une qualité unique de témoignage surtout depuis qu'il a récusé la règle de confidentialité qui régissait la Croix-Rouge. Il se fonde en outre sur l'idée que la société civile seule est dynamique, qu'elle seule dispose des ressources capables de bousculer les rigidités bureaucratiques, les règlements inhumains. Dans l'accent mis sur l'initiative individuelle, dans la volonté de court-circuiter les procédures politiciennes, l'humanitaire est notre dernier fantasme de démocratie directe. (Ce pour quoi il fut réinventé en France par d'anciens gauchistes c'est-à-dire par des esprits rompus à la méfiance des appareils, des médiations et des partis.) Là est sa grandeur et sa vraie beauté. Il a toutes les séductions de l'utopie, il met en place une nouvelle internationale du dévouement qui affirme concrètement l'unité du genre humain, de l'homme abstrait hors de toute appartenance religieuse, sociale ou ethnique. Mais il devient douteux dès qu'il refuse de s'interroger sur lui-même au nom d'une sorte de chantage qui commande d'agir dans l'instant, jamais de réfléchir parce qu'il serait la terrible vérité de la souffrance, laquelle ne tolère pas la moindre objection et foudroie quiconque s'oppose à elle. Il devient suspect quand il aligne les situations de guerre et de crise sur les calamités naturelles, ne connaît que des essences (l'indigent, le réfugié, le blessé) et ne veut pas nommer le Mal, désigner les bourreaux. Il est criminel enfin quand il vient à la place d'une solution qui aurait pu épargner tout de suite des milliers de vies (l'ultimatum aux assiégeants serbes de Sarajevo en février 1994 a fait plus en quelques jours pour les habitants de la ville que les 22 mois précédents d'aide humanitaire qui leur permettaient tout au plus, selon leurs propres paroles, de mourir le ventre plein). Il retombe alors inévitablement dans les défauts qu'il critiquait hier chez les idéologues révolutionnaires : le messianisme, l'universalisme désincarné, la logique du tout ou rien. Ignorant les États, les réalités nationales, les pesanteurs historiques, il manifeste alors un désir d'interventionnisme tous azimuts, prétend avec ses seules ressources en finir ici tout de suite avec l'injustice. Bref réclamant l'impossible, il en perd le sens du possible, l'idée qu'à défaut d'instaurer le paradis sur terre, la politique reste le choix du préférable sur le détestable. Et cet angélisme le conduit tout droit au cynisme.

C'est pourquoi l'humanitaire comme la charité doivent être contenus à l'intérieur de limites strictes et ne pas contribuer à la confusion des ordres ; indispensables dans leur domaine, ces « contre-pouvoirs moraux » (Jacques Julliard) sont nuisibles dès qu'ils cèdent à l'ivresse de leur omnipotence et se donnent comme la solution aux problèmes de l'humanité. Rien ne serait pire que de voir l'ONU et les États démocratiques adopter à leur tour pour résoudre les grandes crises une logique strictement caritative qui ne veut voir partout que des victimes et ne jamais dénoncer des coupables. Mille dévouements admirables ne remplaceront jamais une véritable politique sociale. S'extasier sur la prodigalité et la prévenance des donateurs, c'est oublier qu'ils pallient mal les carences de l'État. A cet égard la consécration médiatique de l'Abbé Pierre en France est peut-être contemporaine de la défaite de son idéal : c'est parce que les Français se sont massivement résignés à la pauvreté de masse qu'ils délèguent au fondateur d'Emmaüs le soin de racheter leur mauvaise conscience, de panser leur âme. Nous prenons pour le signe d'un triomphe ce qui est le symptôme d'un abandon collectif.

Admirable penchant, la compassion ne tisse entre les hommes qu'une solidarité de la douleur, matrice commune à tous les vivants, l'humain comme l'animal (Brigitte

Bardot expédiant une tonne d'aliments pour chiens à Sarajevo reste dans une logique strictement humanitaire : aucune bévue dans ce geste mais au contraire un formidable révélateur). Elle instaure donc une communion purement négative, avec elle nous n'avons jamais de semblables, que des semblants. Or plus que les cœurs et ses épanchements, c'est l'échange et la parole qui sont à la source d'une véritable amitié entre les hommes et permettent d'instaurer un séjour commun, habitable par tous, un monde des libertés réciproques. Si la charité apaise une blessure ponctuelle, c'est la politique seule, c'est-à-dire l'affrontement codifié, à travers l'espace public, des intérêts et des droits, qui fabrique des égaux. Il faut faire à l'émotion sa juste place et sans cette faculté d'être affecté par l'événement, nous n'aurions aucune chance d'être moral ou immoral. Mais elle n'est au mieux qu'un point de départ et à être trop stimulée, cette secousse vitale anesthésie la sensibilité.

La compassion devient une variante du mépris dès qu'elle informe à elle seule notre rapport à autrui à l'exclusion d'autres sentiments comme le respect, l'admiration ou la joie. Il est tellement plus facile de sympathiser abstraitement avec des gens malheureux, manière élégante de les écarter, la sympathie avec les gens heureux exigeant une plus grande ouverture d'âme, nous obligeant à lutter contre l'obstacle qu'elle trouve dans l'envie. Faire de la compassion la valeur cardinale de la cité, c'est détruire la possibilité d'un monde où les hommes pourraient se parler et se reconnaître comme des personnes libres. L'humanitaire comme la charité ne cherchent que des affligés, c'est-à-dire des êtres dépendants ; à l'inverse la politique requiert des interlocuteurs, c'est-à-dire des êtres autonomes. L'un produit des assistés, l'autre exige des responsables. Ce pour quoi tant d'individus ou de peuples en situation difficile résistent à se laisser dicter comme des victimes : ils repoussent notre pitié qui les humilie et préfèrent sauvegarder leur dignité par la révolte ou le combat plutôt que d'être les simples jouets de la miséricorde universelle.

L'espace du menu

On crut faire, il y a quelques années, un énorme progrès en refusant à propos du conflit du Biafra de distinguer entre les bons et les mauvais blessés (manière de rééditer le geste d'Henri Dunant, le père de la Croix-Rouge, prenant soin de tous les soldats atteints à la bataille de Solferino). Tous se vaudraient désormais face à notre bienveillance et les notions de droite et de gauche, de progressiste et de réactionnaire auraient cessé d'entrer en ligne de compte. Comment ne pas voir toutefois que cette nouvelle éthique se contente de substituer de nouveaux critères aux divisions purement idéologiques d'autrefois ? En premier lieu et contrairement à l'angélisme de rigueur, les options d'ordre politique demeurent primordiales : en Bosnie comme au Rwanda, l'humanitaire fut aussi un paravent derrière lequel cacher des choix diplomatiques inavouables. Dans un cas, il fallait masquer un soutien tacite à la Serbie, seule puissance locale forte dans la région ; dans l'autre, l'opération Turquoise, si nécessaire fût-elle, servit à la France à se racheter une conduite, à faire oublier son appui aux responsables du génocide et pire encore à les sauver afin de garder une position privilégiée dans la région des Grands Lacs. Mais surtout, aujourd'hui comme hier, nous élisons nos défavorisés comme nous élisons nos objets d'amour, nous nous entichons d'un peuple comme nous nous prenons d'aversion pour d'autres. Il faut avoir le courage de reconnaître que les nations, les ethnies ne sont pas égales devant notre sollicitude, que certaines seront plus choyées que d'autres. Ce n'est pas le malheur qui nous dicte notre devoir, c'est nous qui décidons qui, parmi les malheureux, mérite notre intérêt. En d'autres termes, il y a moins une *morale de l'urgence* qu'une *morale de la préférence*. Et notre réponse aux défavorisés est toujours le résultat d'un choix complexe.

Quand près de 23 millions de réfugiés dans le monde (il n'y en avait que 2,4 millions en 1974) réclament de l'aide, quand la guerre se rallume à nos frontières, suscitant exodes et désolations, visant avant tout les populations civiles, c'est chaque jour, chaque minute qu'une situation d'urgence devrait se présenter à nous. Or notre riposte est toujours partielle et partiale. Pourquoi la Somalie plutôt que le Liberia ou le Mozambique ? On intervient quelque part pour ne pas intervenir ailleurs et pour une opération réussie, on en oublie dix autres qui eussent été tout aussi nécessaires. Non seulement chacun découpe le globe selon ses affinités ou ses intérêts propres mais il est des calamités médiatiquement rentables et d'autres qui méritent à peine un sourire désolé. Décidément certains dépossédés n'auront jamais la cote !

Il n'y a sur le plan éthique d'autre obligation que celle que j'ai moi-même décrétée : seuls nous jugeons en fonction de nos humeurs du côté insoutenable d'une situation et chaque pays comme chaque organisation caritative a ses aires d'influence privilégiées. Même une morale de l'extrême urgence ne peut manquer d'être discriminatoire : c'est le confort de la charité comme de l'humanitaire que de s'exercer du dehors sur des miséreux qu'elle a en quelque sorte désignés. (Alors que l'Histoire nous implique à notre corps défendant dans des crises ou des soubresauts auxquels nous ne pouvons nous soustraire, alors qu'en politique les mécontents regroupés en partis, mouvements, syndicats s'imposent à nous par la pression, nous forcent à les regarder, à les considérer.) Il y aura toujours des indigents, des gueux que nous préférerons à d'autres : *le caritatif c'est l'espace du menu.* Que les raisons de cette faveur ne soient plus explicitement idéologiques comme au temps de la guerre froide en rend la compréhension plus difficile encore. L'ordre mondial qui succède à la division Est-Ouest n'est plus celui d'une inclusion progressive de tous les continents dans un même espace politique et économique : il trace au contraire une nouvelle ligne de partage entre les nations dignes d'intérêt et les autres rejetées dans les ténèbres ou l'anarchie. Aux premières notre technologie, notre soutien militaire, nos échanges culturels. Aux autres notre mansuétude, nos médias et quelques couvertures. *Seul nous concerne non ce qui nous émeut mais ce qui nous menace ou nous rapporte.* Tant que les délaissés dans nos pays ne mettront pas fondamentalement en péril les structures sociales, ils resteront offert en pâture à notre altruisme, c'est-à-dire à notre inconstance. Et ce qui est vrai des exclus de l'intérieur l'est plus encore des exclus de l'extérieur. N'existent que les régimes, les groupes, les États capables d'exercer un chantage sur les autres, de représenter un enjeu vital, de mettre en question l'existence du tout.

Les recalés de l'Histoire

Fini le souci de propager démocratie, droits de l'homme et civilisation : la pitié et sa traduction institutionnelle, les troupes de l'ONU et les organisations humanitaires, a pour principal objet de figer un certain nombre de populations dans les marges, de tracer un cordon sanitaire autour des régions en crise afin de les isoler comme on isole un malade [1]. Et quand des États légalement reconnus, ayant imploré l'aide militaire de l'Europe ou des États-Unis,

---

1. Sur le nouveau partage du monde, voir le livre prémonitoire de Jean-Christophe Ruffin, *L'Empire et les Nouveaux Barbares*, Lattès, 1991.

voient arriver à la place des avions cargos humanitaires chargés de vivres et de médicaments, ils peuvent légitimement penser : le monde nous a abandonnés. L'humanitaire, quand il se substitue au politique, est le visage moderne de l'abstention, tempérée par l'envoi de quelques missions et équipes médicales. Sont cantonnés au caritatif strict les groupes ethniques ou les parties du monde dont nous avons décidé de nous débarrasser ou dont nous ne savons que faire, préposés en quelque sorte, au purgatoire éternel. Bref si la compassion nous *oblige*, seule la politique nous *contraint*. Il sera toujours plus facile de négliger son devoir moral que d'ignorer un péril précis qui nous somme de réagir sous peine de conséquences graves.

Il y a une tragédie de l'action que même l'humanitaire ne peut esquiver : tout engagement est unique et s'élève sur la révocation d'une multitude d'autres que nous délaissons. Il n'est donc pas d'aide qui puisse couvrir l'ensemble de la planète, les hommes n'ont pas le même prix partout au même moment. Plus que la générosité ou l'indignation, c'est aussi la logique du sacrifice qui est à l'œuvre derrière notre effervescence. Et l'on peut se demander si le droit d'ingérence, récemment proclamé, ne sert pas à couvrir d'un manteau pudique cette inégalité de traitements, s'il n'est pas en réalité le droit de négliger certains peuples tout en feignant de leur porter secours. L'immense innovation du devoir d'assistance théorisé par Bernard Kouchner et Mario Bettati est d'accorder, sur le papier du moins, un *droit aux sans-droits* et de limiter la toute-puissance des États sur leurs ressortissants. En s'attaquant au principe sacro-saint de la souveraineté, en dissociant le citoyen de l'homme, ce devoir défend « le droit naturel des victimes » (François Ewald) et interdit l'écrasement de peuples entiers par leurs gouvernements. En réalité, comme beaucoup l'ont noté, le droit d'ingérence ne tue pas la souveraineté des nations mais limite celle de certains États au profit d'autres (qui ne sont pas exclusivement dans le Nord). C'est pourquoi il a peu de chances d'être appliqué dans les zones d'influence des grandes puissances s'il contrarie leurs intérêts propres. Même le projet d'une armée mondiale chargée de dire le droit, de protéger les faibles et de prévenir les conflits oublie que l'ONU est dirigée de fait par quelques États qui y font la loi au détriment des plus petits. Le devoir d'assistance ne supprime pas ce droit du sauveteur de choisir et de disposer des victimes à sa convenance. Cela ne le discrédite pas mais en marque les limites pour l'instant. L'utopie d'une politique des droits de l'homme dégagée des calculs des États a-t-elle une chance de voir le jour? Il est trop tôt pour répondre d'autant que les deux grands cas d'intervention effectués jusqu'à maintenant, Kurdistan, Somalie, sont trop ambigus pour être probants. (La Somalie est même un contre-exemple puisque le fiasco militaire a dissuadé pour longtemps les Américains de rééditer ce genre d'expéditions.)

Méfions-nous de cette inflation de dispositions tellement généreuses qu'elles ont peu de chances de jamais se traduire en réalité. On commet un contresens fondamental en présentant le devoir d'ingérence comme une nouvelle mouture de la volonté coloniale. Ce qui menace de nos jours un certain nombre de nations d'Asie, d'Afrique ou d'Amérique latine, ce n'est pas le néo-impérialisme, c'est l'abandon pur et simple. Tout intolérable qu'il fût, le colonialisme manifestait au moins une volonté de propager les Lumières, d'éclairer, de « civiliser ». Les grandes puissances ne sont plus animées par une volonté d'expansion, comme à la fin du siècle dernier, mais par le souci de commercer et d'échanger entre elles, entre riches, en négligeant les autres contrées. Leur discours officiel est toujours celui, universaliste, d'un égal souci pour chacun; mais cette fiction d'un amour qui ne choisit pas est une formule rhétorique qui cache un discret bannissement. Il y a l'humanité qui prospère et l'humanité qui piétine, il y a les États qui comptent, incarnent Progrès et Démocratie et les autres, les recalés de l'Histoire en marche. Et c'est désormais la communauté internationale, par la voix de ses représentants à l'ONU, qui décide en toute légalité d'immoler tel ou tel groupe à la tranquillité de l'ensemble. C'est l'humanité comme un tout qui dicte cette pénible chirurgie : il faut trancher. Non par la guerre mais par l'omission, la mise de côté.

Malheur donc aux peuples et aux minorités qui ne disposent d'aucune sanction stratégique ou économique contre les Grands du jour, malheur à ceux qui ne peuvent se défendre eux-mêmes. Car ils deviendront des peuples en trop, des peuples au rebut, préposés aux limbes et aux ombres. Car ils dépendront alors de la charité internationale, c'est-à-dire d'une nouvelle forme d'arbitraire : celui du cœur.

DE LA VICTIMOLOGIE COMPARÉE : ISRAËL ET LA PALESTINE

Qu'est-ce qui freinait jusqu'à l'automne 1993 toute possibilité d'accord entre l'État hébreu et les Palestiniens ? Le fait que les uns et les autres se voulaient titulaires de la spoliation maximale. Il n'y avait déjà qu'une terre pour deux peuples ; voilà qu'ils se disputaient en outre le monopole du malheur absolu. Au nom du tort immense infligé au peuple juif, Israël voyait toute critique comme une menace directe à son existence, tout ennemi comme un exterminateur en puissance. A l'inverse les Palestiniens, se présentant comme les dépossédés types, revendiquaient pour eux tous les titres des Juifs : diaspora, persécution, génocide. D'où entre Israéliens et Arabes cette concurrence victimaire qui s'énonçait ainsi : nous sommes les plus malheureux, donc nous avons tous les droits et nos adversaires aucun. C'était un effroi rhétorique qui paralysait les parties en présence et pouvait conduire aux pires excès. Deux tragédies s'affrontaient sur un minuscule territoire et il y a tragédie lorsque les deux parties ont également raison : dès la guerre d'indépendance en 1948 « des hommes libres, les Arabes, partirent en exil comme de misérables réfugiés ; et de misérables réfugiés, les Juifs (pour beaucoup survivants du Génocide), s'emparèrent des maisons des exilés pour commencer leur nouvelle vie d'hommes libres [1] ».

Mais Israël était haï aussi parce que, nation occidentale, elle s'avançait sous le masque d'un outrage immémorial et confisquait aux peuples anciennement colonisés leur discours doloriste en le retournant contre eux. Elle cumulait deux défauts irrémédiables : l'arrogance de l'Occident impérialiste et l'usurpation de souffrance. Et les Arabes ne voyaient pas pourquoi ils devaient payer pour le péché nazi commis en Europe par des Européens sur d'autres Européens. Ainsi toute une partie de la gauche occidentale put au nom de la détresse des Palestiniens faire la leçon aux Juifs : vous avez trahi votre destin qui était de pâtir et de témoigner à travers votre calvaire pour l'humanité entière. Le nouveau Juif désormais parle l'arabe et porte le keffieh. En perdant « la magistrature du martyre » (Charles Péguy), vous accaparez un rôle qui ne vous revient plus, vous devenez sourds et aveugles aux misères que vous occasionnez sur cette terre qui n'est pas la vôtre. En vous constituant en nation, vous avez perdu votre singularité. Bref on en voulut aux Juifs de ne pas se conformer au stéréotype de la victime : on les avait haïs malheureux, on les détestait vainqueurs. A travers la politique de l'État hébreu, ils furent tenus comptables de la moindre vexation infligée aux Arabes et la parole judéophobe retrouva une seconde jeunesse en se glissant dans le discours antisioniste.

Longtemps, il est vrai, Israël, ce pays du malentendu exemplaire entre l'Orient et l'Occident, a cumulé la double image du persécuteur et du persécuté : assez fort pour gagner les guerres et réprimer l'Intifada, trop faible pour ne pas redouter l'encerclement, ne pas craindre d'être rayé de la carte comme le lui promettaient ses ennemis. Instruit par des millénaires de persécutions, Israël n'a jamais compté que sur lui-même,

---

1. *Tom Segev,* Le Septième Million, Les Israéliens et le Génocide, *Liana Levi, 1993, p. 197.*

mettant sur pied une des armées les plus puissantes de la région. Cette résolution, poussée parfois jusqu'à l'extrême brutalité, l'a sauvé. « Sans doute sommes-nous paranoïaques mais nous avons de bonnes raisons pour cela », reconnaissait l'ancien chef des renseignements militaires, le général Shlomo Gazat. Trop souvent l'invocation de la Shoah par les administrations au pouvoir servit à justifier n'importe quelle représaille, fût-elle démesurée, contre les populations palestinienne ou libanaise, n'importe quel mauvais traitement ou acte raciste. « La grande erreur d'aujourd'hui, dira le philosophe Yeshayahou Leibowitz, opposant de longue date à la politique du Grand Israël, consiste à faire de la Shoah la question centrale à propos de tout ce qui concerne le peuple juif. Le seul contenu judaïque que de nombreux intellectuels trouvent à leur judéité, c'est de s'intéresser à la Shoah [1]. » « Je conteste que l'on transforme la Shoah en machine de guerre politique (...) je ne veux pas que les Juifs ne partagent entre eux que le souvenir d'atrocités », renchérit le professeur Yehuda Elkana, lui-même survivant d'Auschwitz [2]. « En estimant que le monde entier nous hait, écrivait pour sa part en 1980 l'éditorialiste Boaz Avron, inquiet de la politisation outrancière du génocide par Menahem Begin, nous nous croyons exemptés d'être comptables de nos actes à son égard. » C'est le même Begin qui, au moment de la guerre du Liban, répondant aux critiques de la communauté internationale, s'écriera : « Personne ne peut faire la morale à notre peuple. » Il dira encore cet été-là : « Les Juifs ne s'inclinent devant personne sauf devant Dieu. » Il comparait souvent la charte de l'OLP à *Mein Kampf* et se promettait de traquer « cette bête à deux jambes » qu'était Arafat-Hitler. Begin s'attirera cette réponse du romancier Amos Oz : « Hitler est déjà mort, Monsieur le Premier Ministre. (...) Qu'on le déplore ou non, c'est un fait : Hitler ne se cache pas à Nabatyeh ni à Sidon ni à Beyrouth. Il est bel et bien mort. Monsieur Begin, vous ne cessez de faire montre d'un étrange besoin de ressusciter Hitler afin de le tuer à nouveau tous les jours sous forme de terroristes... Ce besoin de ressusciter et de faire disparaître Hitler vient d'une mélancolie que les poètes doivent exprimer

---

1. *Yeshayahou Leibowitz*, Israël et Judaïsme, *Entretiens avec Michael Shashar, préface et traduction de Gérard Haddad, Desclée de Brouwer, 1993, p. 118.*
2. *Entretien avec Nicolas Weill*, Le Monde, *8/04/1994.*

mais chez un homme d'État c'est un sentiment hasardeux qui peut mener à un danger mortel. »

Inversement le mouvement palestinien, longtemps plongé dans l'extrémisme, soutenant les options politiques les plus folles (dont l'invasion du Koweït par Saddam Hussein), avait développé un terrorisme aveugle, prêt à frapper, n'importe où dans le monde, le moindre symbole du judaïsme, école ou synagogue, et à faire de chaque Juif l'otage d'Israël. De nombreux pays arabes reprenaient en bloc les thèses de l'antisémitisme européen, voyant en outre dans l'« entité sioniste » l'ultime avatar de la croisade occidentale en Orient. Pourtant, au sein même de l'État hébreu, resté démocratique malgré les guerres et un environnement despotique, une large fraction de la population, favorable à la paix, appelait au dialogue avec les Palestiniens, certaine qu'à moins de solutions radicales et répugnantes (comme la déportation massive des Arabes hors du pays), les concessions étaient inévitables. C'est ce même camp qui devait rassembler à Tel-Aviv en 1982 près de 300 000 personnes pour protester contre les massacres de Sabra et Chatila, commis par les Phalanges libanaises chrétiennes sous l'œil bienveillant de l'armée israélienne (dans aucun pays arabe n'aura lieu un tel mouvement d'indignation). C'est ce même camp enfin qui, sans rien céder sur la sécurité et le droit absolu de l'État israélien à vivre dans des frontières reconnues, demandait qu'Israël abandonne sa mentalité d'assiégé, cette délectation morbide à se croire détesté de tous et accepte d'accorder aux Palestiniens un début d'autonomie. Il y a bien en chaque Israélien deux personnes partagées « entre un isolationnisme nationaliste » et « une ouverture humaniste » (Tom Segev), l'une qui dit « Souviens-toi de ce qu'ils t'ont fait », l'autre « Aime ton prochain comme toi-même », selon les mots de Hugo Bergman, au moment du procès d'Eichman. Et ce sont finalement les partisans de la paix en Israël comme chez les Palestiniens qui ont permis, au prix de quelles difficultés et de quelles arrière-pensées, d'entamer des négociations, de tendre la main à l'Autre, celui qu'on tenait hier encore pour le diable et qu'on regarde désormais comme un semblable. Dénouement exemplaire, même s'il risque encore d'échouer, et qui prouve que l'on peut sortir, après un siècle d'affrontements, de ce que Nabil Chaath, conseiller de Yasser Arafat, a nommé « la victimologie comparée ».

CONCLUSION

La porte étroite de la révolte

Rien n'est joué, bien sûr, rien ne dit que l'immaturité et la déploration constituent la pente inexorable de nos pays. Alors que l'irresponsabilité dans l'ancien bloc communiste était structurelle — le citoyen devait soumission à l'État qui le prenait en charge — la nôtre reste circonscrite et donc en principe réformable. Mais quand l'exception devient aussi fréquente, elle acquiert l'importance d'une quasi-structure. Le puérilisme et la jérémiade ne sont pas des accidents mais des défis auxquels nous serons toujours confrontés : de même que la démocratie est hantée par le totalitarisme comme par son double, la société de la responsabilité appelle son contraire comme une menace difficile à conjurer. L'éternel penchant de l'homme libre pour la démission, la mauvaise foi peut-être contrecarré ou freiné, jamais complètement étouffé. C'est une discipline gigantesque que de ne pas céder aux tentations de la faiblesse et il est difficile de tabler sur la discipline. Car l'individu est une construction fragile qui tient par un certain nombre de contrepoids : l'abondance matérielle, l'État de droit et de providence, l'exercice de la citoyenneté. Ôtez un seul de ces échafaudages et il vacille, se dérobe

LE SENS DE LA DETTE

On croit aider le sujet en le dorlotant, en l'allégeant de tout ce qui n'est pas lui, en le délestant de ses devoirs, obligations afin qu'il se consacre entièrement à son exquise subjectivité. Ce faisant on le prive de repères, de cadres, on le rend plus anxieux de soi, on confond l'indépendance avec le vide. On accroît sans le vouloir l'effroyable défaitisme de celui qui, écrasé par sa liberté, s'empresse de l'oublier, de la piétiner. Or renforcer l'individu, c'est le relier et non l'isoler, c'est lui réapprendre le sens de la dette, c'est-à-dire de la responsabilité, le réinscrire dans divers réseaux, diverses loyautés qui font de lui le fragment d'un ensemble plus vaste, l'entrouvrir et non le limiter à soi (à condition que ces appartenances soient librement consenties). Car l'homme occidental n'a pas besoin d'être protégé, confiné à la double enceinte de l'hospice et de la nursery : il a besoin de courage qui l'exalte, de défis qui le réveillent, de rivaux qui l'inquiètent, d'hostilité stimulante, d'entraves utiles. Il a besoin de rester un être de discorde, abritant en lui des idéaux contradictoires, un être dont le conflit soit la richesse et non la malédiction, il a besoin de demeurer en lui-même une petite guerre civile. On ne guérira pas l'individualisme par un retour à la tradition ou une permissivité accrue mais par une définition plus exigeante de son idéal, par son enracinement dans un ensemble qui le dépasse : il n'est viable que freiné par des forces qui semblent le nier mais le ravitaillent en réalité en obstacles, l'enrichissent. Privez-le de contraintes, il se dessèche ; attaquez-le il se fortifie. Nous ne sommes jamais « des hommes, simplement hommes » (Hanna Arendt) mais toujours les produits d'une situation précise, laquelle ne peut se concevoir sans une nation, un régime politique, un peuple, un héritage culturel. Plutôt que de dresser en un combat stérile le particulier contre la société, il faut les penser en termes d'antinomie, d'opposition féconde puisqu'ils s'engendrent l'un l'autre. Double point de vue également légitime qui voit s'affronter le souci de soi et le souci du monde. Que la personne privée arrête l'ordre social qui la borne à son tour, qu'elle soit un contre-feu aux embrigadements de masse, aux conformismes sans dégénérer pour autant en désintérêt du sort commun. Il faut la confronter avec des germes de « communautarisme » qui peuvent la tuer mais aussi la fortifier, son antithèse doit être son élément intime qui la revitalise par opposition. De même que la collectivité rencontre dans la volonté de chacun une frontière infranchissable, il n'est de vraie liberté que contenue, c'est-à-dire élargie et limitée par la liberté des autres, enracinée en autrui. Pour freiner la régression puérile ou victimaire sous toutes ses formes, il faut ouvrir le sujet à ce qui le grandit, le tire hors de soi vers un plus-être.

En définitive, il n'est qu'un moyen de progresser, c'est d'approfondir inlassablement les grandes valeurs de la démocratie, la raison, l'éducation, la responsabilité, la prudence, de renforcer la capacité de l'homme à ne jamais s'incliner devant le fait établi, à ne pas succomber au fatalisme. A nous de montrer que la démocratie avec ses armes classiques du débat et de l'argumentation peut encore affronter ses propres contradictions, à nous de prouver que le citoyen plaintif, repu, narcissique est capable de beaux sursauts avant que la réalité ne se charge elle-même de le châtier avec toute l'impersonnelle rigueur qui est la sienne. Dénoncer une frivolité trop souvent dommageable n'empêche pas de faire confiance aux personnes, en leur aptitude à corriger leurs propres erreurs, à s'imposer des bornes, à s'éveiller à l'intelligence des périls, à comprendre enfin qu'en certaines circonstances la liberté est plus importante que le bonheur. Comme la démocratie, la liberté n'est précieuse que menacée ; lorsqu'elle va de soi, il est naturel que le bonheur reprenne le dessus ; mais c'est alors que par une dialectique perverse, elle est à nouveau menacée. En dernier recours, il faut toujours parier sur la clairvoyance et la grandeur de l'homme. Aucune difficulté n'est en soi insurmontable, seul est dangereux d'apporter des réponses anciennes à des situations nouvelles, de perdre le sens des proportions, de traduire les moindres désagréments dans les termes de l'Apocalypse. C'est pourquoi l'optimisme comme le pessimisme sont impropres en ce qu'ils manquent la vérité contrastée de notre univers, celui d'un funambulisme entre deux extrêmes. Ni désespoir, ni béatitude, un éternel inconfort qui nous demande de nous battre alternativement sur plusieurs fronts sans jamais croire détenir la solution ou le repos.

LE CHAOS DES MALHEURS

D'un mot, les minorités comme les peuples opprimés n'ont qu'un droit mais il est sacré : c'est de ne plus l'être et de redevenir les sujets de leur histoire ; et nous n'avons vis-à-vis d'eux qu'un devoir mais il est absolu : c'est de leur prêter assistance. Pourtant le fait d'avoir été asservi ne confère nulle supériorité métaphysique à une catégorie d'êtres humains sur les autres. Prendre sur l'Histoire le point de vue des vaincus, comme le demandait Walter Benjamin, ne doit pas nous conduire à sacraliser ces derniers. L'idée selon laquelle l'exploité aurait toujours raison, même lorsqu'il bascule dans la violence aveugle n'est pas plus tenable. Une cause n'est pas forcément juste parce que des hommes meurent pour elle : le fascisme fut une cause, le communisme aussi, l'islamisme en est une autre. Aucun groupe, de par son histoire, n'est prémuni de la barbarie, aucun n'a acquis du fait des malheurs endurés une sorte de grâce divine qui le dispenserait de rendre des comptes et l'autoriserait à soutenir que ses intérêts se confondent avec ceux de la morale et du droit. Aucun enfin n'est préposé à la mission exaltante de racheter ou de conduire le genre humain, de se désigner comme le nouveau Messie. Les rôles de persécuteur et de supplicié sont devenus interchangeables, n'importe quelle collectivité ou particulier peut adopter l'un ou l'autre. Finis donc ces peuples archanges, ces individus intouchables qui interdisent aux autres de les juger et posent sur le monde un œil réprobateur, estimant qu'on leur doit tout en raison des outrages perpétrés.

On ne peut toutefois s'arrêter de porter secours au périssable, au fragile, abandonner spoliés et sinistrés sous prétexte que toute révolution est désormais suspecte de couver le crime entre ses flancs et se contente de remplacer une tyrannie par une autre. La légitime méfiance envers les mensonges du siècle — et envers le pire de tous, le communisme — n'aboutirait qu'à une aggravation de l'injustice si elle interdisait mutineries et soulèvements, fermait toutes les issues et ne devenait qu'une pénible conformité à l'ordre des choses. Il faut laisser une porte ouverte à la révolte même s'il s'agit d'une porte étroite. Il existe un droit imprescriptible à la résistance pour toute personne ou minorité menacées et il convient de saluer les mille tentatives des offensés et des humiliés pour s'arracher à l'avilissement et imposer aux autres la reconnaissance de leur dignité. On a toujours raison de se révolter lorsque c'est la seule manière de devenir humains.

Tous les maltraités, cependant, n'ont pas les mêmes intérêts : il est impossible de les rassembler sous une même bannière, de les fédérer dans une même internationale. Tandis que certains pleurent la découverte de l'Amérique par Christophe Colomb comme un véritable fléau, d'autres gémissent sur la chute de Constantinople ou les ravages des croisades, d'autres enfin ne se remettent jamais des blessures de l'esclavage du colonialisme ou de la catastrophe du Génocide. Et quoi de commun entre l'enfant prostitué de Thaïlande ou des Philippines, les Timorais décimés par Djakarta, les minorités chrétiennes opprimées en terre d'islam, les Tziganes tracassés en Europe centrale et tous ces petits peuples dont le seul crime est de vouloir exister avec leurs particularismes, leur langue et leur culture ? Il n'est donc pas un bon sujet de l'Histoire chargé de représenter tous les misérables, pas de nation ou de groupe christique qui prendrait sur lui l'insondable souffrance de l'humanité. La plainte des réprouvés est une immense cacophonie, leurs blessures se surajoutent sans se superposer et leurs intérêts ne sont pas convergents. Le mal est pluriel, la barbarie montre plusieurs visages et s'il faut rester du côté de ceux qui souffrent, chaque détresse est unique et demande une réponse appropriée. Nos engagements sont donc forcément dispersés, concurrentiels, inconciliables.

Comment ignorer d'autre part ces populations dont l'histoire entière est fondée sur une suite de cataclysmes (les Indiens des deux Amériques, les Intouchables en Inde, les Juifs au moins jusqu'à la création d'Israël, les Noirs des États-Unis, les Kurdes, les Arméniens, etc.) et qui demeurent hantées par une mémoire de l'exil, de l'avilissement, de la traite, des lynchages, des pogroms, de l'extermination ? Il est donc des contrées, des nations même envers lesquelles il faut tenir compte d'une particularité historique. Mais cette clause d'exception n'est en rien un droit à l'immunité. Et ces mêmes groupes ne peuvent indéfiniment se réfugier derrière un passé de douleurs pour excuser leurs brutalités présentes ou réclamer une dispense. La ligne est donc fine, imperceptible même qui sépare ce moment où les dominés souffrent et doivent être aidés et celui où ces mêmes dominés se mettent à tuer, à leur tour, infligeant à plus faibles qu'eux ce qu'ils ont subi de la part de plus forts. Souvent les deux situations cohabitent, massacrés et massacreurs se mêlent indistinctement et il faut pour les départager une grande capacité d'arbitrage, une grande intelligence politique, un dosage subtil qui allie compréhension et intransigeance.

Comment esquiver alors cette réversibilité démoniaque qui fait de la victime d'aujourd'hui l'inquisiteur de demain, comment échapper à cet impitoyable métronome qui scande toute l'histoire du siècle ? Par la démocratie et l'État de droit, seuls systèmes politiques qui suspendent la haine et la vengeance, permettent l'expression du conflit tout en le contenant dans des formes strictement codifiées. Sortir de la condition de victime, une fois l'oppresseur abattu, les réparations accordées, c'est accéder aux responsabilités qu'implique la liberté, se plier aux contraintes morales et juridiques valables pour tous. On pourrait dire de la démocratie ce que Sénèque disait des institutions : qu'elles résultent de la méchanceté des hommes et qu'en même temps elles y remédient. Elle est ce trésor spirituel et moral commun à l'humanité entière et qui, dans chaque société, est un dispositif pour tenir le mal à distance, prévenir le triomphe de l'arbitraire et de la force. La manière dont une guérilla ou un mouvement de libération mènent leur lutte est en général révélatrice du type de société qu'ils instaureront ; nonobstant une marge inévitable de violence et d'immoralité, le choix des moyens est déjà celui des fins. Le droit à l'insubordination doit être contrebalancé par le devoir de récuser la terreur et le despotisme comme méthodes de gouvernement et il faut clore au plus vite ces longues parenthèses de chaos et d'absolutisme que sont les guerres et les révolutions. L'aspiration de tous les délaissés à la lumière publique est l'aspiration à devenir des hommes comme les autres, à rentrer dans la norme commune et non pas à jouir d'une exemption particulière.

L'accession à la liberté est donc l'accession à « la peccabilité ordinaire », à l'obligation de répondre de ses actes, même les moins reluisants. Il faut le savoir : l'entrée dans l'Histoire salit nécessairement. Une fois perdue la caution du calvaire qui justifiait leur rébellion, les victimes nous décevront toujours et sembleront trahir leurs promesses. Mais elles ne nous ont rien promis ; c'est nous qui leur prêtons la perfection dont nous sommes dépourvus, c'est nous qui avons tort d'en attendre trop comme si le malheur, la géhenne devaient nécessairement grandir un peuple, en faire l'instrument de la rédemption pour l'espèce entière. Arguer de cette déception pour ne pas tendre une main amicale à celui qui gémit dans les chaînes est un sophisme injustifiable qui redouble l'ignominie par la complicité.

Inutile cependant de nourrir des illusions démesurées : l'espérance annoncée par la Bible, la délivrance des captifs, le relèvement des opprimés, n'aura pas lieu. Les torts ne seront pas réparés, les méchants continueront à se réjouir et les justes à pleurer. Au moins nous est-il possible d'éliminer autant que faire se peut la somme des souffrances injustifiables. Au moins sachons démêler, sous les clameurs des charlatans déguisés en maudits, des tueurs accoutrés en évangélistes, la voix de tous les affligés qui monte et supplie : aidez-nous !

Mais les démocraties occidentales depuis la fin de la guerre froide veulent-elles encore défendre le droit et la liberté en dehors de leurs frontières propres ? Ont-elles la moindre ambition civilisatrice, hormis de persévérer dans leur être, au risque de dépérir lentement d'inanition ? Tout est là.

TABLE DES ENCADRÉS

TABLE DES CHAPITRES

La tentation de l'innocence

Table des chapitres

Achevé d'imprimer en février 1995
sur presse CAMERON
dans les ateliers de B.C.I.
à Saint-Amand-Montrond (Cher)
pour le compte des éditions Grasset
61, rue des Saints-Pères, 75006 Paris

N° d'Édition : 9664. — N° d'Impression : 3035-94/891.
Dépôt légal : février 1995.

Imprimé en France
ISBN 2-246-49361-7